CUYANO ALBOROTADOR

La vida de Domingo Faustino Sarmiento

A Nené Carlstein,

con el antiguo afecto que aún pervive entre nuestras familias.

Y la alegría por el encuentro de

Graciela y José I.

NARRATIVAS HISTÓRICAS

JOSÉ IGNACIO GARCÍA HAMILTON

CUYANO ALBOROTADOR

La vida de Domingo Faustino Sarmiento

EDITORIAL SUDAMERICANA
BUENOS AIRES

Diseño de tapa: María L. de Chimondeguy / Isabel Rodrigué

PRIMERA EDICION
Mayo de 1997

OCTAVA EDICION
Enero de 1998

IMPRESO EN LA ARGENTINA

Queda hecho el depósito que
previene la ley 11.723.

Humberto I 531, Buenos Aires.

ISBN 950-07-1250-4

A la memoria de mi padre, Enrique García Hamilton, que amaba el progreso y creía en la educación.

A mi madre, Lucía Elena Aráoz, que lo acompañó en ese camino.

Benita Martínez Pastoriza

ASUNCIÓN DEL PARAGUAY, 1888

Se despertó al amanecer por el ruido del viento contra los árboles y un golpeteo sobre su ventana. Advirtió que llovía intensamente y la contrariedad lo despejó:

—¡Carajo! —murmuró el viejo—. No podré ir hasta el terreno a controlar a los peones...

Decidió dormir un rato más para acortar el día, porque las jornadas lluviosas lo ponían frenético: él necesitaba moverse constantemente y ocuparse de sus cosas. En esos días, estaba terminando de cercar la parcela que sus amigos paraguayos, mediante una suscripción pública, le habían regalado en ese mismo suburbio de La Recoleta, a dos kilómetros del centro de Asunción.

Había hecho colocar unos postes de palmas y un enrejado de cañas tacuaras, para utilizar los materiales existentes en la zona. También había encargado una casa metálica de las llamadas isotérmicas, para ser armada sobre el sitio, y sus obreros estaban perforando un pozo en busca de agua.

A las siete, cansado ya de dar vueltas en la cama, decidió levantarse. El olor a pasto mojado, a musgo húmedo, se mezclaba con el ruido de las gotas sobre el tejado. Aspiró el aroma a naturaleza y se asomó a la ventana: las ráfagas opacaban la ribera del río pero la falta de sol hacía surgir de los árboles su color genuino. Las palmeras se acompasaban bamboleando sus penachos verdes, mientras los sauces desflecaban sus ramas lánguidas en coqueta sucesión.

La fuerza salvaje de la floresta le dio aliento, pero también acentuó su desencanto por no poder salir.

Se lavó las manos y la cara con el agua de la palangana del dormitorio y pasó al comedor de la pequeña casa, en realidad un anexo con cuatro piezas de madera del hotel denominado La Cancha Sociedad. El edificio había sido otrora residencia de Madame Elisa Lynch, la amiga del dictador Francisco Solano López.

Al entrar al comedor, lo recibió el olor a mate cocido. Su hija Faustina y su nieta María Luisa lo esperaban sentadas a la mesa, con un bollo con chicharrón, manteca y dulce de guayaba.

Intercambiaron comentarios sobre el tiempo y el anciano se quejó:

—Temo que se arruinen los almácigos que dejé expuestos ayer en el terreno.

Se limpió la boca con una servilleta y se dirigió al escritorio: lo había adornado con una estampa japonesa, como las que estaban de moda en París, y unas telas de su nieta Eugenia, la pintora.

Empezó a corregir unos originales de *Conflictos y armonías de las razas en América,* destinados a un segundo tomo, pero las ideas se le iban de la cabeza y la vista se dirigía hacia la ventana: a través de los vidrios, la lluvia tornaba en grises los colores tropicales. El rumor de las gotas lo adormecía, y sus ojos transformaban los árboles en piedra y los verdes en ocres y marrones. Empezó a ser invadido por los paisajes de la infancia y los recuerdos lo fueron llevando hasta las montañas escalonadas de San Juan. En las primeras estribaciones de los Andes distingue los peñascos y las yerbas, mientras sobre el fondo los reflejos dorados se coronan con los últimos restos de nevadas. Las cuchillas y colinas sepias delinean pequeños valles con ranchos aislados que brindan albergue a los viajeros.

Domingo Faustino recuerda el berrear de los terneros en la mañana y los balidos de las ovejas al ser recogidas por la tarde mientras las escenas de remembranzas comienzan a poblarse con figuras humanas.

Las familias sanjuaninas de prosapia iban a pasear a los baños del Zonda pero, más que el rumor de los arroyuelos o la animación de las cascadas, son la alegría y las risas de las muchachas lo que retorna al corazón de Sarmiento, que se recuerda a sí mismo como un joven inexperto, feo y tímido, deslumbrado por la belleza y simpatía de Clara Cortínez, hermana de su amigo Indalecio. Por las tardes, extendían a la sombra un cuero de vaca como alfombra y los jóvenes se sentaban a contar cuentos, entre los cuales se repetía el de *La pluma dorada,* con las peripecias que debía pasar el príncipe hasta encontrar el pájaro maravilloso que le permitiría desencantar a la princesa que quiere desposar.

El joven Domingo no tiene palabras para expresar su admiración por Clarita Cortínez y cada vez que se acerca a ella se siente cortado y se limita a mirarla. Clara se mueve con soltura y parece no reparar en los sentimientos de su amigo.

En algún momento, cuando Domingo se atreve a balbucear su amor, Clara lo interrumpe:

—¿No te diste cuenta de que me gusta mi primo Lucas?

Las montañas amarronadas parecen venírsele encima al jovencito y no sabe si es más fuerte el peso de su vergüenza que el del dolor.

Sarmiento cabecea y se levanta de improviso.

—Tiempo de mierda —dice—. Y Aurelia que no viene...

1

LA PASADA OPULENCIA
(? -1816)

Mi padre tenía una irresistible pasión por los placeres de la juventud y un odio invencible al trabajo material.

RECUERDOS DE PROVINCIA

Los Albarracín eran una antigua familia de San Juan, que había sido rica y prestigiosa. La tradición decía que tenían origen árabe y que el fundador de la estirpe era un jeque sarraceno llamado Al Ben Razin, que allá por el siglo XII había conquistado una ciudad española a la que terminó dando su nombre. Convertido luego al cristianismo, derivaban de allí los portadores de ese patronímico que, centurias después, habían arribado hasta las costas de América.

A fines del siglo XVII llegó a San Juan el primer Albarracín: se llamaba Bernardino, y vino desde la perdida ciudad de Esteco, en el norte, en la que había poseído tierras y riquezas.

Ya en San Juan, los Albarracín fundaron el Convento de Santo Domingo, por lo cual el patronato y la fiesta del santo se conservaban dentro de la familia. De allí derivaba una particular devoción hacia Santo Domingo y, cuando en alguna de las ramas de la estirpe se hablaba de este santo, se lo mencionaba como "Nuestro Señor". Durante generaciones, se mantuvo la costumbre de que en todas las ramas siempre hubiera alguien que llevara el nombre de Domingo. Y también fue común que hubiera simultáneamente dos o tres frailes dominicos en la familia, la mayoría con buenas aptitudes intelectuales.

Uno de estos religiosos, llamado Fray Miguel, escribió un estudio sobre el tema de las profecías del milenario, entonces en boga, cuyos creyentes afirmaban que Cristo volvería a reinar sobre la tierra por espacio de mil años en una Nueva Jerusalén, antes del Juicio Final.

El trabajo llamó la atención de la Inquisición y Fray Miguel debió partir desde San Juan hasta Lima, para responder ante el Tribunal del Santo Oficio por la acusación de hereje. Fuera por las influencias debidas a la vocación dominica de los Albarracín, porque el escrito era inofensivo para el dogma oficial, por los argumentos convincentes del fraile o, como pensaba después uno de sus descendientes, porque ni el tribunal ni el acusado entendían ni jota de ese complicado tema de las profecías, lo cierto es que el sanjuanino pudo regresar a su provincia absuelto de culpa y cargo, para continuar la atención de sus feligreses.

Tiempo después, un chileno publicó un libro sobre el milenario, y, en la familia Albarracín, se decía que su material había sido tomado del trabajo de Fray Miguel, cuyo manuscrito había quedado depositado en los archivos de la Inquisición, en Lima, de donde lo había obtenido el trasandino.

A mediados del siglo XVIII, uno de los descendientes de don Bernardino, Cornelio, poseía una gran parte de las tierras del valle del Zonda, en el oeste sanjuanino, además de tropas de mulas y carretas.

"Salta saltará, Esteco desaparecerá y Tucumán florecerá", repetían en la época algunos vecinos, maravillándose de las facultades proféticas que habría tenido la supuesta frase pronunciada otrora por San Francisco Solano.

Así como Esteco había desaparecido y los Albarracín debieron emigrar, también se esfumó bruscamente en San Juan la fortuna de los Albarracín que descendían de Cornelio.

En efecto, una enfermedad lo tuvo en cama doce años y, al morir, don Cornelio sólo dejó a sus quince hijos unos pocos solares.

Uno de sus hijos era Paula, una muchacha alta, delgada, huesuda, de pómulos angulosos. Como todos los Albarracín, tenía la nariz aguileña y los ojos celestes. Si la nariz denotaba inequívocamente la raíz arábiga, acaso la claridad de los ojos podía significar esa pizca de sangre judía tan común entre los españoles, luego de la conversión forzosa que el pueblo de Israel sufriera en la península en el año 1492, meses antes de que el navegante genovés Cristóforo Colombo descubriera América para sus majestades católicas.

Paula no era bella, pero a falta de dinero y hermosura, poseía carácter e inteligencia.

Su padre le había dejado un terreno baldío en el barrio del Carrascal, en las afueras de la ciudad: sólo había en el predio un retoño de higuera.

Soltera y con 23 años (¡casi una solterona!) decidió levantar una modesta construcción en el solar heredado. Para poder costear la obra, resolvió tejer anascotes, un lienzo que utilizaban los religiosos para sus hábitos, ya que era muy habilidosa con el telar.

Se instaló con su instrumento en el propio terreno y, con esfuerzo, lograba tejer doce varas por semana, que era el corte necesario para una sotana de fraile.

Con estos ingresos (cada vara de tela costaba entre 5 y 8 reales, porque ese año había escasez) Paula pagaba el salario de dos negros esclavos que le habían facilitado sus tías maternas, de apellido Irrazábal.

Así, mientras la muchacha tejía y tejía, vigilaba el trabajo de los morenos peones albañiles, quienes levantaron sobre la parte sur del predio dos habitaciones de adobe, con techo de paja.

La casita ya estaba terminada cuando José Clemente Sarmiento le propuso que se casaran.

Los Sarmiento eran tan importantes como los Albarracín en San Juan. Y tan pobres como la rama de los Cornelio.

Ya en 1650 constaba la presencia en San Juan de una mujer llamada Tránsito Sarmiento, de origen vasco, entre los vecinos principales. Posteriormente aparecen otros Sarmiento poseedores de tierras, signo inequívoco de riqueza y prestigio social, en esa sociedad colonial de encomenderos, frailes y terratenientes. Estaban emparentados con los Jufré, descendientes del fundador de la ciudad, con los Oro y los Funes.

Un siglo después, el apellido se extinguía por la vía masculina, por lo cual los hijos de Mercedes Sarmiento, casada con un Quiroga, decidieron usar el apellido de la madre.

Algunos descendientes se apellidaron Quiroga Sarmiento y otros pasaron a llamarse directamente Sarmiento, eliminando al Quiroga. Entre estos últimos estuvo José Clemente Sarmiento, quien en 1802 vino a proponerle casamiento a Paula.

José Clemente no había perdido solamente su primer apellido, sino también la fortuna familiar. Si bien parece que la declinación económica había empezado con sus mayores, su naturaleza disoluta, irresponsable, no contribuía a mejorar su situación. Se había criado en la hacienda paterna llamada La Bebida, al oeste de la ciudad, antes de la Quebrada del Zonda, y había adquirido allí hábitos bohemios: le gustaban los arreos de ganado, deambular de un lado a otro, trashumar...

Enemigo del trabajo material, tampoco era demasiado partidario de la faena intelectual, si se trataba de ejercitarla él mismo: se lo consideraba improductivo, tarambana, amigo de los placeres.

Delgado, de buenas facciones, José Clemente era decididamente un buen mozo. Pero locuaz, exagerado, de palabra fácil, había llevado a un grado excelso un rasgo común a toda su familia: era un mentiroso redomado.

Atraído quizás por las hacendosas cualidades de Paula (tan diferentes de las suyas), en 1802 le declaró sus sentimientos.

Paula conocía a José Clemente desde que eran niños, pues ella frecuentaba La Bebida (la finca, se entiende). La muchacha le llevaba un año de edad y conocía sus inmadureces, su inconstancia, su espíritu de veleta y su volubilidad. Aunque sabía que el rasgo característico del joven no era la veracidad, tenía una cara tan linda que no pudo dejar de creerle sus reclamos de amor. Y se casaron el 2 de diciembre.

A los cuatro meses, el 1º de abril de 1803, nació la primera hija del matrimonio, Francisca Paula, por lo que es dable suponer que la propietaria de casa e higuera había confiado en las promesas de su Clemente con alguna anticipación a la consagración matrimonial.

Los hijos continuaron llegando en los años siguientes: Vicenta Bienvenida en 1804, Manuel en 1806, Honorio en 1808, aunque estos varones no sobrevivieron.

Pero ni los hijos ni el casamiento alteraron las conductas de la pareja: José Clemente siguió fantasioso, holgazán, viajero permanente en arreos de ganado o especulaciones imaginarias, que solían terminar en frustraciones. Paula, trabajando con su telar bajo la higuera, proveía a las necesidades de la familia haciendo randas y ponchos de vicuña.

Al producirse el 25 de mayo de 1810 en Buenos Aires la formación de una Junta de Gobierno en reemplazo del virrey, la noticia llegó a San Juan a las pocas semanas. Gobernaba la provincia José Javier Jufré, descendiente del fundador de la ciudad, quien se plegó al movimiento. Y he aquí que uno de los vecinos más enfervorizados en favor del gobierno patrio fue Clemente Sarmiento, cuyos arrebatos independentistas hasta le valieron las bromas y apodos de sus amigos y parientes.

Fue durante esas semanas de excitación patriótica, precisamente, que Paula quedó nuevamente embarazada, ya que ni el intenso trabajo doméstico con el pedal ni el disgusto por los irresponsables y sospechosos viajes del marido alcanzaban para negarse a los requerimientos amorosos del adorable sinvergüenza que la providencia le había deparado.

Seria, huraña, manteniendo el ritmo incesante de la lanzadera, ella expresaba su disconformidad ante el alma aventurera del esposo saludándolo con una seca interjección a su regreso al hogar, luego de cada una de sus ausencias.

Pero Clemente se arrimaba por detrás al telar y la abrazaba con silla y todo, mientras le deslizaba en el oído fantasías sobre inminentes negocios que pronto se concretarían, cobro de letras sobre animales vendidos que percibirían en breve, a la vez que le expresaba cuánto la había extrañado, cuánto lo enloquecía esa naricita pinchuda y qué ganas tenía de estrujarla entera y besarla en la parte que a ella más le gustaba.

Ella sabía que no recibiría un real, que las mulas vendidas ni siquiera eran de él y que no cambiaría en lo más mínimo su situación de pobreza, pero ese mentirosito cabeza loca era un niño al que ella en el fondo quería. Y pronto los "salí Clemente" eran menos rotundos, hasta que dejaban la sombra de la higuera y se dirigían al dormitorio donde, ¡Dios nos perdone!, Paula encontraba unos minutos de placer por medio de ese ser que necesitaba ternura y a quien ella tenía que proteger de ese mundo hostil de mentiras y frustraciones que se había creado. A los pocos minutos ella lo dejaba dormido en la cama para volver al telar porque alguien tenía que hacer la tarea. Que si no en un caño vivirían...

Y así, al cabo de nueve meses, el 15 de febrero de 1811, nació un varón que fue bautizado ese mismo día en la Catedral de San Juan por el teniente cura José María de Castro, bajo el nombre de Faustino Valentín. Sus padrinos fueron Paula de Oro Albarracín (hermana de Fray Justo Santa María de Oro y casada con José Ignacio Sarmiento, pues los entrecruzamientos entre estos apellidos eran profusos) y José Tomás Albarracín.

El nombre de Faustino Valentín había sido elegido por el padre, pero la devoción de los Albarracín por Santo Domingo pudo más que la decisión de Clemente, y Paula comenzó a llamarlo Domingo. Así dieron en nombrarlo todos en la casa y el Faustino Valentín del acta bautismal se transformó muy pronto en un robusto y berreante bebé conocido como Domingo Faustino.

En los primeros años de vida de Domingo Faustino, poco cambiaron las cosas en el hogar de los Sarmiento Albarracín: Paula cada vez más seria y trabajadora, se había ganado el apelativo de Doña no sólo por estar casada y por el paso de los años, sino también por su responsabilidad hacia una familia cada vez más numerosa; el marido casi siempre ausente (y no sólo en el sentido físico).

Ella trabajaba desde la salida del sol en el telar que seguía debajo de la higuera en el primer patio, pero sin descuidar por ello los otros quehaceres que contribuían a aumentar los modestos ingresos de la familia: daba de comer a los pollos en el fondo; desherbaba el huerto que había sido cercado para cuidar las legumbres de una intrusión de las gallinas; mojaba las telas en una batea con lejía antes de someterlas a las tinturas; y vigilaba el pudridor de afrecho que todas las semanas proporcionaba una buena porción de níveo almidón.

Clemente, en cambio, no maduraba con los años: seguía fantasioso, imaginando grandes negocios sobre ventas de ganado que exigían viajes y transportes, pero que generalmente terminaban en grandes decepciones que él atribuía a factores externos que ya, en la próxima vez, los iba a solucionar.

En esos tiempos de luchas por la independencia, Clemente continuaba exaltado con sus ideas patriotas: una vez salió de su casa gritando en favor de la "madre patria" y los vecinos pensaron que estaba abogando en favor de España. Pero él explicaba con agitación que su país, las Provincias Unidas, eran la verdadera madre patria, y que España, en todo caso, sólo podría ser una "madrastra". Los vecinos se miraron entre ellos con ojos burlones y desde entonces lo apodaron "Madre Patria".

Eso sí, las ideas de la Ilustración no eran recibidas en bloque por el alborotado Clemente, sino que él las tamizaba con su particular sentido crítico: así, nunca se dejó convencer por las concepciones progresistas que reivindicaban los valores del trabajo manual, ni para él ni para sus descendientes varones. "Mi hijo nunca manejará la azada", dijo categóricamente una vez con orgullosa y linajuda esperanza, al referirse a la educación que quería brindar a Domingo Faustino, quien ya mostraba indicios de tener un claro entendimiento.

En 1812, durante uno de esos viajes por míticos arreos que nunca dejaban ganancia, Clemente vio las privaciones que pasaban en Tucumán las tropas patriotas del general Belgrano. Vuelto a San Juan, decidió encarar una colecta, pero su entusiasmado desorden y la forma perentoria de algunas solicitudes le valieron una acusación ante el Cabildo, por supuesta expoliación. Explicó Clemente frente a las autoridades el sentido de sus afanes, y el alcalde le permitió que viajara nuevamente a Tucumán, llevando los óbolos conseguidos con tanto empeño. Desde entonces, el apelativo de "Madre Patria" quedó consagrado definitivamente.

Los primeros años de vida de Domingo Faustino transcurrieron en esa casa y en ese ambiente familiar: una vivienda sencilla en un barrio de una pequeña ciudad de tres mil habitantes, ubicada al pie de los Andes. Todo San Juan ocupaba unas escasas cuadras y las moradas eran de adobe, con techo de tejas las principales y las otras cubiertas con barro y paja. Las calles, sin empedrar, se arremolinaban de polvo cuando el viento Zonda atravesaba el pueblo. En las afueras, hileras de álamos, rústicas tapias y breves acequias delimitaban huertos y viñedos, a veces matizados por potreros de alfalfa con la breve sombra de algún sólido algarrobo.

Hacia el oeste el valle del Zonda se saludaba con la imponente cordillera, que detrás de sus primeras arideces anunciaba arroyos, minas, algún verdor. Pero en las otras direcciones, lo dominante era la sequía, el desierto, el sol ardiente, el cielo azul, las plantas rastreras, que recordaban que aquello de San Juan era un verdadero oasis.

El hogar de los Sarmiento era, en todo sentido, la casa de Paula: su presencia era permanente y su labor constante. Con su trabajo ella les recordaba cotidianamente a los hijos que eran pobres, indicándoles que aunque pertenecían a una prosapia de gente importante, de clérigos ilustrados, de personas con tradición y con influencia, no por eso dejaban de pasar privaciones y debían sobrellevar ese estado con dignidad.

Domingo y sus hermanas sabían que los Albarracín habían sido ricos y la propia Paula les contaba que su tía Antonia Irrazábal de Albarracín dormía rodeada por dos esclavas que le velaban el sueño, mientras a la hora de comer una orquesta de criados tocaba el arpa y los violines para alegrar el festín de los amos. No había tenido hijos esta rica doña Antonia y por eso Paula y otras sobrinas solían ir a acompañarla, maravillándose con la ceremonia nocturna en que dos siervas, después de haberle entibiado la cama con calentadores de plata, procedían a desnudar a su ama de los lujosos faldellines de brocato o las medias de seda de colores, que luego enviaba en canastadas a casa de sus parientes pobres a que las repasaran.

Cuando doña Paula se reunía con sus hijos al atardecer en la habitación que servía de recibo y comedor, solía contarles que, siendo niña, había asistido en casa de la adinerada tía Antonia a la tarea denominada como "asoleo", que era propia de la gente principal. Se trancaban las puertas de calle y se incomunicaban los patios, para evitar la presencia de los niños. Luego se tiraban unos gruesos cueros sobre el piso de uno de los patios y, sobre ellos, se tendían al sol los pesos fuertes ennegrecidos, para que el sol los despejara del moho.

Recordaba Paula que la negra Rosa, una criada curiosa y ladina, la alzaba sobre una ventanilla que daba hacia ese lugar, para que atisbara lo que estaba sucediendo. Allí había podido contemplar a dos esclavos ancianos y de confianza de la casa, que circulaban entre los tientos removiendo las monedas de oro, las que producían un suave y atrayente campanilleo.

Pero estos recuerdos de la pasada opulencia de los Albarracín se contrastaban con el presente de escasez en casa de los Sarmiento, para el que Paula sólo admitía como remedio el esfuerzo doméstico y la resignación cristiana (o musulmana). Con tesón y nobleza, Paula no solicitaba ni admitía ayuda de sus parientes ricos, ni tampoco hacía conocer sus necesidades a sus dos hermanos sacerdotes. Uno de estos celebraba anualmente la fiesta de San Pedro con un banquete al que concurría toda la familia, pero Paula no llevaba a sus hijos Domingo y Paulita para que no se pensara que los quería alimentar subrepticiamente.

Un criterio parecido aplicaba cuando visitaba a una amiga de la infancia, Francisca Banegas, con quien se reunía periódicamente en compañía de las hijas de ambas, que continuaban la amistad familiar. Doña Francisca era muy acaudalada y por ello Paula, cuando iba a visitarla por todo un día junto con sus chicas, llevaba las provisiones correspondientes para que no pudiera siquiera sospecharse que estaba esquivando el deber de sostener a su larga progenie o que doblaba la frente ante las desigualdades de la fortuna.

La pobreza se extendía, como ya se ha dicho, a algunos hermanos de Paula: uno se ganaba la vida curando caballos y había otro minorado, pero siempre estaba presente esa dignidad casi rayana con el orgullo. Una de las hermanas, pobrísima, solía llegar a la casa de Paula desde las tierras de Angaco, cabalgando un rocín huesudo y portando alforjas atestadas de legumbres y pollos, echando pestes contra tal persona que no la había saludado por ser pobre. Rezongando, la tía de los niños Sarmiento hacía la reseña de los cuatro apellidos del infeliz, y llegaba a la conclusión de que era, en la segunda o tercera generación, mulato por un lado y zambo por el otro, cuando no excomulgado por hereje.

Desde sus más tiernos años, con su incipiente inteligencia más la aguda sensibilidad que caracteriza a los niños, Domingo vislumbraba estas contradicciones: entre la pasada opulencia de los Albarracín y su presente de pobreza muchas veces extrema; entre la pertenencia a una familia de peso y la sensación de ser sutilmente menospreciado por algunos; entre la sólida fuerza de una madre callada pero laboriosa y la debilidad de un padre parlanchín y fabulador, pero en el fondo superficial e improductivo.

Desde muy niño Domingo advirtió que en su casa predominaban las mujeres: el trabajo de Paula era tomado como ejemplo por sus hijas Paulita, Bienvenida y Procesa. Además estaba Toribia, una zamba criada en la familia, que cocinaba, lavaba la ropa, hacía los mandados, llevaba a las casas los tejidos hechos por Paula y colaboraba en todos los quehaceres domésticos, entre ellos nada menos que el de criar a los chicos. Toribia tenía sus propios hijos, "una suerte de vegetación natural de la que no podía prescindir", pero también hacía de aya de todos los Sarmiento y Domingo le tenía un particular afecto.

La relación entre Paula y Toribia era la de dos compañeras de trabajo que debían cubrir juntas las necesidades caseras y hasta discurrían sobre los medios de mantener a la familia. Discutían, peleaban, se quejaban y hasta se acusaban recíprocamente con el dulce tonito cuyano y cada una terminaba haciendo su parecer. Más que patrona y sirvienta, eran dos amigas unidas por las tareas hogareñas.

La presencia del padre, en cambio, era más bien opaca a pesar de su constante dicharacheo. Durante los períodos en que Clemente estaba en casa, Domingo no terminaba de encontrarle un lugar exacto y definido, dentro de ese orden doméstico en que él se había acostumbrado a moverse. Al niño le gustaba jugar en el primer patio, porque allí la presencia de su madre, garantizada con el ruido del pedal y la lanzadera que operaba incesantemente, le proporcionaba una apacible serenidad. Pero su necesidad de movimiento —acaso la herencia paterna— lo llevaba también a estar en el fondo donde, rodeando tres naranjos que aun en otoño daban sombra, llegaba hasta el duraznero corpulento que estaba al costado del pozo de agua. Allí, intentaba atrapar a los cuatro o cinco patos que se solazaban en el diminuto espejo, los que huían entre alegres aleteos aunque pronto, después de multiplicarse biológicamente según el precepto bíblico que también los animales respetan, harían su contribución en la mesa de los Sarmiento-Albarracín, al "diminuto sistema de rentas sobre el que reposaba la existencia de la familia".

El olor a estiércol de los patos y las gallinas, mezclado con el de la bosta del caballo paterno, le resultaba atrayente al pequeño Domingo. Y el noble equino de Clemente (hablamos del jamelgo), ensillado muchas veces ahí en el fondo, le resultaba a Domingo una figura mucho más estable que la del propio, querido y esquivo padre moviéndose por la casa y desplegando su imaginación ante la mirada indulgente pero escéptica de la laboriosa Paula.

Frecuentaba habitualmente la casa otra mujer, llamada Ña Cleme, que era algo así como la pobre de la familia, a quien Paula ayudaba a pesar de las escaseces propias.

Ña Cleme era una india de edad avanzada que venía y se sentaba a conversar con Paula en el estrado de la sala, acerca de gallinas, telas o comidas. A veces contaba algunas historias sobre brujas o aparecidos que Paula oía con una sonrisa incrédula y los niños con asombro y miedo. Cuando Ña Cleme decía: "Bueno, me voy ya", se entendía que no sólo estaba indicando que la visita finalizaba sino que sutilmente pedía alguna donación. La frase "me voy ya" se repetía un par de veces hasta que Paula traía alguna ropa vieja, un bollo con chicharrón o, muy de vez en cuando, una moneda de ínfimo valor. La buena mujer vivía en el barrio de Puyuta y en su juventud había sido querida de uno de los Albarracín, lo que explicaba la nariz aguileña y los ojos claros de sus hijas y, quizás, el trato cordial que recibía en la familia.

De vez en cuando, Domingo solía visitar la casa de Ña Cleme y, al atardecer, la propia india llevaba al niño de vuelta a su hogar. Un crepúsculo de verano, mientras ambos caminaban por el barrio de Puyuta rumbo a la casa de los Sarmiento Albarracín, notaron que al fondo de un callejón, al borde de una acequia, se levantaba una fogata. Algunas sombras parecían bailar alrededor de las tornadizas llamas y Domingo, inquieto, miró interrogadoramente a Ña Cleme.

—Es la Salamanca —le dijo la vieja con naturalidad.

El muchacho apuró el paso y apretó la mano de su guía, mientras miraba de soslayo a los resplandores que iban quedando atrás.

—De día vive en las lagunas —explicó Ña Cleme—, pero algunas noches se junta acá con el Sombrerudo y otros duendes.

Un hormigueo recorrió el cuerpo del niño, que abrió fuertemente los ojos y empezó a ver figuras extrañas en todas las sombras del camino. Sólo al llegar a su casa y sentir la protección de Paula disminuyó el miedo, pero desde entonces nunca pudo pasar de noche por ese sitio sin sentir que su imaginación intuyera la presencia de un tenue fuego, a cuyo alrededor la misteriosa Salamanca de Puyuta alternaba con otros personajes tan difusos como sobrenaturales.

2

LA EDUCACIÓN SANJUANINA (1816-1825)

En mi vida tan destituida y tan contrariada, y sin embargo tan perseverante en la aspiración de un no sé qué elevado y noble, me parece ver retratarse esta América del Sud, haciendo esfuerzos supremos por desplegar las alas pero lacerándose a cada tentativa contra los hierros de la jaula que la retiene encadenada.

RECUERDOS DE PROVINCIA

En 1816 se creaba en San Juan la primera escuela del período independiente, que pasó a llamarse Escuela de la Patria. El gobierno local trajo desde Buenos Aires a dos maestros, Ignacio y José Genaro Rodríguez, para que se encargaran del establecimiento y lo pusieran en marcha. Su inauguración conmovió a la apacible ciudad cuyana y, entre los niños que se incorporaron como alumnos al primer grado, se contó Domingo Faustino, a quien un hermano de Clemente, el cura Eufrasio de Quiroga Sarmiento, había enseñado ya algunos rudimentos de las letras.

Serio, algo asustado, pero orgulloso por el acontecimiento que estaba viviendo, Domingo inició sus clases con entusiasmo, consciente de que estaba siendo protagonista de algo muy particular. Su madre le había hablado de la importancia de poder adquirir una educación como los sacerdotes que había en la familia, pero al niño le había impactado todavía más la reacción de su padre, quien se mostraba eufórico por la inauguración de la escuela.

—Yo no he podido tener educación, Faustino, pero tú la tendrás —aseguraba con énfasis Clemente.

Domingo percibió que, aunque su padre y su madre eran muy distintos y ocupaban papeles diferentes en el hogar, los dos estaban muy de acuerdo sobre la trascendencia que, para él, tenía la actividad escolar que iniciaba. Como además el chico era muy despierto y se interesaba vivamente en todas las cosas, al poco tiempo conocía las letras y los números y podía leer en voz alta con un tono que demostraba que entendía lo que leía. Clemente, orgulloso de los avances de su hijo, lo llevaba a casa de los parientes para que leyera algún párrafo, lo que despertaba sincera admiración en los circundantes, que felicitaban y abrazaban al pequeño y, con frecuencia, le regalaban una porción de bollo.

Al volver de la escuela, Clemente esperaba a su hijo y le tomaba la lección del día. Después le hacía leer trozos de la *Historia crítica de España,* de Juan Masdeu, o el *Desiderio* y *Electo,* libros que Domingo no comprendía bien y que le dejaban una confusa mezcla de fábulas, alegorías, historia y nombres de países y personajes, pero también lo hacían sentirse importante y comprobar que lograba complacer a su padre y tenerlo más apegado a su hogar.

Este sentimiento aprobatorio lo obtenía también en la escuela, en cuya aula se había colocado un asiento elevado como un solio, al que se llegaba subiendo por unas gradas. Allí lo ubicaba el maestro a Domingo, confiriéndole el pomposo título de "primer ciudadano", lo que lo llenaba de orgullo y también de un cierto grado de fatuidad.

La inseguridad que Domingo experimentaba en su casa por la mala situación económica o las permanentes ausencias de su padre, se fueron compensando así por los elogios que, en todos los ambientes, recibía por su talento y su capacidad de asimilación. La decadencia de los Albarracín y los embustes o infantilismos de los Sarmiento, los superaba con su contracción al estudio y su vanidad escolar.

El chico aprendía mucho, pero no parecía demasiado feliz. Casi no jugaba con sus compañeros y no aprendió a hacer bailar un trompo, rebotar la pelota o levantar una cometa. Muchas horas de ocio las pasaba en soledad, elaborando figuras con arcilla que se tornaban en santos o soldados, según su estado de ánimo.

Doña Paula, educada por un cura y con tantos sacerdotes en su familia, era una típica mujer de la colonia que miraba con satisfacción los santos que modelaba y luego coloreaba su Domingo con primor, dejándolos en sus nichos. Clemente, siempre entusiasmado por los movimientos de los ejércitos independentistas, veía con orgullo los soldados de barro que su Faustino (insistía en vano con ese nombre) elaboraba, para luego utilizarlos en infantiles batallas con algún vecinito.

Cuando la arcilla iba tomando forma de cuerpo humano en las manos del chico y llegaba el momento de definirla como santo o como soldado, Domingo percibía tenuemente que esa decisión tenía algo que ver con los deseos de su madre o de su padre: ella quería que su hijo fuera clérigo, mientras Clemente tenía la esperanza de que fuera militar. Militar y patriota.

En la encrucijada, Domingo prefería seguir estudiando para no decidir.

Cuando se libró la batalla de Chacabuco, Clemente Sarmiento se encontraba en Chile. El general San Martín, entonces, le encargó que llevara hasta San Juan un grupo de prisioneros realistas que deberían permanecer allí internados.

Paula y los hijos habían quedado a cargo del hermano de Clemente, el cura Eufrasio. Aunque todavía muy chico (tenía 6 años), Domingo estaba en la plaza cuando vio que un grupo de jinetes se encaminaba hacia la casa del gobernador, José Ignacio de la Roza. Alguien le dijo que su padre regresaba entre ellos y el niño partió corriendo por detrás. Los hombres habían ingresado ya en la morada y las cabalgaduras estaban arremolinadas en la estrecha calle, de modo que el pequeño Domingo, en su apuro, cruzó por debajo de las barrigas y pescuezos de caballos y entró corriendo a la sala de recibo del mandatario. Se paró en el centro hasta que divisó a su polvoriento y curtido padre y se arrojó en sus brazos. Clemente lo recibió con regocijo y el gobernador, participando de la alegría general, alzó también al muchacho, cuyo afecto hacia el padre carecía de toda inhibición.

En el país, 1820 fue un año de conmociones, de inicio o acentuación de la llamada anarquía. En la posta de Arequito, el coronel Juan Bautista Bustos sublevó al ejército del Norte, ocupó la ciudad de Córdoba y se autoproclamó gobernador de esa provincia. El general en jefe de esas tropas, Manuel Belgrano, que se encontraba en Tucumán, fue apresado por los rebeldes y enviado a Buenos Aires.

El general José de San Martín se trasladó desde Mendoza a Chile, para evitar correr suerte parecida. En el litoral, el caudillo entrerriano Pancho Ramírez marchó sobre Buenos Aires, exigiendo la disolución del gobierno central.

Los hechos repercutieron también en San Juan: en enero, el capitán Mariano Mendizábal se amotinaba y deponía al gobernador José Ignacio de la Roza, su cuñado.

En los días del motín, Dominguito percibía en los ambientes

la inquietud de los sucesos. Una tarde se encontraba en casa de su tío el cura Eufrasio de Quiroga Sarmiento, que era una especie de lugar neutral, donde los bandos parlamentaban. Los hombres hablaban de destituciones, de lealtades y fusilamientos. Había varios militares y en medio de los diálogos le pareció entender que Clemente estaba actuando como mediador. Poco después, Dominguito vio llegar a su padre desde el valle del Zonda y, en un tono arrogante y altanero, lo escuchó intimar rendición a los jefes insurrectos.

El niño no entendía bien qué significaba ese término de "insurrecto", pero se sintió orgulloso del porte y la palabra de Clemente, que parecía intimidar a esos militares ceñudos y con gruesos bigotes que arrastraban nerviosamente sus charrascas sobre las baldosas de la morada del sacerdote.

El 10 de marzo, los vecinos de San Juan se reunían en Cabildo Abierto y declaraban la independencia respecto de la capital de Mendoza, de la cual hasta ese momento habían dependido. Proclamaban también que San Juan quedaba unido a las demás provincias federadas hasta la futura constitución de la autoridad nacional y se confirmaba como gobernador a Mariano Mendizábal. El acta era firmada, entre muchos otros, por los hermanos Clemente Sarmiento y Eufrasio Quiroga Sarmiento; el cura José de Oro e Ignacio Rodríguez, maestro de la Escuela de la Patria.

Pocas semanas después, Mendizábal era destituido a su vez por un oficial del regimiento, José Ignacio del Corro, quien asumió la gobernación. La autonomía sanjuanina había nacido con la inestabilidad.

Domingo había cumplido 10 años, en 1821, cuando partió hacia Córdoba en compañía de su padre, con la intención de ingresar en el Colegio de Montserrat y luego continuar sus estudios en el seminario de Loreto. Las ilusiones de Paula, de contar con un hijo sacerdote, estaban puestas en esta posibilidad, de modo que le preparó algunas mudas de ropa y lo despidió con emoción y esperanzas.

El trayecto se hacía en carretas acompañadas por algunos caballos, con paradas en postas solitarias, pero Domingo disfrutó de la travesía y comprendió allí cuánto gozaba Clemente con esos viajes: la imaginación volaba con libertad y la naturaleza llenaba la mente de fantasías.

Al cabo de varios días arribaron a Córdoba y el espíritu del muchacho se encendió de entusiasmo: casas extendidas, calles anchas, con una plaza importante y una soberbia catedral. Templos por todas partes en una ciudad mucho más grande que la única que él conocía. Habían llegado para el 25 de Mayo y Domingo se impresionó con la fiesta de celebración del día patrio. El ejército del Norte se había formado en la calle Ancha y la música militar incitaba al entusiasmo. Había un tedéum en la Catedral y el niño entró a la iglesia de la mano de Clemente, con unción y curiosidad, pues su padre le había dicho que allí estaba presente el gobernador, el coronel Juan Bautista Bustos.

El muchacho se adelantó hasta el baptisterio para poder ver mejor y divisó al gobernador bajo un dosel carmesí, vestido con bordados de oro y flanqueado por edecanes cubiertos de galones. Un maestro de ceremonias simulaba compostura mientras dos mulatos que parecían gemelos, arropados con pana verde, actuaban de maceros con insignias de plata. La pompa se completaba con la presencia de religiosos de diversas órdenes con sus hábitos de colores diferentes, alumnos del Colegio de Montserrat con banda celeste sobre sus uniformes, estudiantes universitarios con bandas rojas sobre sus togas, jefes militares y mujeres y hombres de porte aristocrático.

Luego de leerse el introito, musicalizado por una orquesta de violines, tambor y triángulo, un compuesto sacerdote se dirigió hasta el púlpito. Su paso erguido despertó una tensa expectativa en el público y Domingo miró interrogativamente a su padre, que se había acercado hasta su costado.

—Es Fray Cayetano Rodríguez —le susurró Clemente—. Fue congresal en Tucumán junto con tu tío Justo Santa María...

El fraile se acomodó en el púlpito y, cuando parecía que iba a empezar su sermón, sacó de la manga del blanco hábito un pañuelo, con el que se limpió el rostro en majestuoso y acompasado ademán. Extendió sus manos sobre la cornisa y, en medio de un silencio que sobrecogía a Domingo, inició su alocución con palabras latinas, para luego referirse al significado del 25 de Mayo. La concurrencia parecía casi no respirar cuando Fray Cayetano hizo una síntesis de lo que había ocurrido en el país en cada 25 de Mayo posterior al de 1810, año por año. Al llegar a 1820, mencionó el Motín de Arequito, precisamente encabezado por el allí presente coronel Bustos. "Fue un día de luto y de vergüenza para la patria —tronó el religioso—. Un funesto día en que sus hijos volvieron sus armas contra el seno de su madre patria..."

Impasible bajo su solio, Bustos parecía no escuchar las palabras del predicador ni percibir la incómoda inquietud de los feligreses: simplemente, jugaba con una borla de terciopelo que se desplazaba sobre la mesa donde se apoyaba el misal. Cuando el sacerdote concluyó su sermón deseando a la concurrencia la gloria eterna, en el público se levantó un rumor de toses, vestidos y voces que a Domingo le pareció como "si una bandada de palomas torcazas se levantase del suelo, agitando un millar de alas en un solo tiempo".

El deslumbramiento por la magnificencia de Córdoba poco le duró a Domingo. En el Colegio de Montserrat le avisaron que no podían concederle una beca de estudios. Decepcionados, el niño y Clemente regresaron a San Juan, esta vez sin disfrutar de la travesía. Cuando descabalgaron en la casa familiar, Paula, ansiosa dentro de su ascetismo, descubrió en sus rostros el resultado del intento. Domingo vio que su madre lloraba de pena por el fracaso y se le hizo un nudo en la garganta, pero se mantuvo duro, enhiesto, tiesamente compuesto. Se dijo a sí mismo que iba a seguir luchando para hacer feliz a doña Paula.

Frustrado el ingreso al colegio cordobés, Domingo debió seguir en San Juan como alumno en la Escuela de la Patria. Pero el interés ya no era el mismo en el estudio y el joven empezaba a aburrirse con clases que le resultaban rutinarias. La aritmética, el álgebra y la gramática le eran fatigosas a fuer de conocidas. Muchas veces, su empeño no estaba en atender ni estudiar, sino más bien en molestar o perjudicar a sus compañeros.

Se utilizaba en el aula un método escocés, mediante el cual se formulaban preguntas y las respuestas se expresaban poniéndose de pie o quedándose sentado. Los que no eran muy estudiosos, siempre miraban a Domingo para ver si éste se paraba o permanecía en su asiento, orientándolos en la respuesta. Harto ya de la rutina, Domingo se divertía guiando mal a sus condiscípulos.

Si la respuesta correcta consistía en quedarse sentado, fingía pararse para precipitar a sus compañeros en el error; si por el contrario lo correcto era pararse, se repantigaba en el asiento mirando abstraídamente para arriba. Cuando los indecisos lo habían imitado, se paraba de golpe dejando a sus colegas en ridículo.

Domingo contaba unos doce años, cuando el maestro Ignacio Rodríguez, encargado de la Escuela de la Patria, le anunció que quería visitar a su padre en la casa. El niño transmitió a Clemente el mensaje con cierta inquietud, pues no entendía bien si el propósito de la visita era para felicitarlo o para expresar algún reclamo sobre su comportamiento.

Clemente experimentó la misma incertidumbre y, esa tarde, esperó al docente con nerviosismo. Cuando Rodríguez llegó, lo hizo pasar a la sala y, una vez sentados, cambiaron algunas palabras de circunstancias. Luego, el maestro entró en tema:

—Tengo una buena noticia para usted y Domingo, don Clemente...

El padre sintió una sensación de alivio y se sentó un poco más cómodo en su silla.

—...el gobierno de Buenos Aires ha otorgado unas becas para que seis jóvenes sanjuaninos puedan educarse en el Colegio de Ciencias Morales. El gobernador me ha pedido mi opinión y voy a incluir a Domingo en la lista, por su clara inteligencia...

Clemente despidió a Rodríguez y, con orgullo, fue a dar la buena nueva a su esposa y a su hijo. A Paula se le iluminaron los ojos y Domingo sintió una enorme satisfacción: se imaginó de inmediato en la gran ciudad, asistiendo al renombrado colegio y discutiendo temas trascendentes con profesores y compañeros del máximo nivel.

Las hermanas participaron del revuelo y, esa noche, Domingo no pudo dormir.

A los pocos días, Clemente y Paula se enteraron de que los recomendados para las becas excedían el número de seis y el gobierno provincial había resuelto realizar un sorteo para determinar a los beneficiados.

El día de la elección, Clemente regresó a casa demudado: los elegidos eran Antonino Aberastain, Saturnino Salas, Indalecio Cortínez, Fidel Torres, Pedro Lima y Eufemio Sánchez. Domingo no figuraba en la lista.

Parado en la sala, el niño sintió una opresión en el pecho. Permaneció callado y vio que su madre lloraba en silencio, mientras Clemente tenía la cabeza sepultada entre sus manos. Domingo se sintió desolado y su angustia se fue convirtiendo en impotencia, en rabia. Salió al patio y tuvo ganas de golpearse la cabeza contra el tronco de la higuera.

Al ver tronchadas las ilusiones de "su Domingo" y de toda la familia, Paula no se conformaba. Las comidas familiares transcurrían en silencio y padres e hijos sólo intercambiaban monosílabos. Paula meditaba en el telar y, una noche, le dijo a su marido:

—Hay que hacer otro intento, Clemente. ¿Por qué no le escribes al gobernador de Buenos Aires?

Clemente se sentó a la mesa y empezó a redactar:

San Juan, 4 de marzo de 1823

Señor Gobernador de Buenos Aires, don Martín Rodríguez

Respetable Señor:

Ocupado en prestar servicios asiduos en obsequio de la causa común, he perdido desde el año diez acá tiempo de elaborar mi fortuna: soy padre, pobre, de numerosa familia, entre la cual tengo un hijo, cuyos buenos talentos (según el informe de los maestros) le granjearon lugar entre la lista de los candidatos a optar por la gracia de lograr su ilustración; pero, reducidos a suerte, no tuvo la dicha de que le cupiese.

Mi proyecto, señor, es grande, tal vez temerario; pero al frente de la beneficencia de V.E. se aniquila, en mi concepto, toda enormidad y nace mi confianza de que mi súplica obtenga favorable acogida. Es mi deseo que, ilustrándose mi hijo, pueda a su vez ser útil en lo posible a la América. Y como la estrechez de mis facultades toca casi a los umbrales de la mendicidad, solicito de la benignidad de V.E. se le permita ocupar por gracia extraordinaria, en clase de supernumerario, un lugar cualquiera en el Colegio.

Soy de usted afectísimo servidor,
José Clemente Sarmiento

Pero los meses pasaron y los Sarmiento no tuvieron respuesta favorable a su solicitud.

La nueva decepción acentuó el carácter agresivo de Domingo y los años de la adolescencia lo vieron alborotador y rebelde, cuando no pendenciero. Se había convertido en el jefe de una pandilla de pilluelos, que azotaban las calles de la ciudad provocando a los jóvenes de los barrios vecinos. Los encuentros solían producirse los domingos y, una de esas jornadas, acometieron con pedradas y palos a unos muchachos de Colonia y de Valdivia, algunos de los cuales fueron "tomados prisioneros" y paseados insolentemente en ese carácter.

Al jueves siguiente, recibieron la noticia de que los agredidos de Valdivia y de Colonia estaban organizándose para retornar el próximo domingo, con refuerzos, a buscar venganza por la humillación recibida.

Domingo citó a su gente para esa fecha, pero los rumores sobre la magnitud de la "expedición punitiva" eran tan alarmantes, que sólo se presentaron sus soldados más valientes y leales: el mulato regordete que vivía en casa de los Rojo, apodado *Barrilito,* muchacho inquieto y atrevido; el también mulato Cabrera, diminuto y taimado, llamado *Piojito;* un peón chileno grandote y algo imbécil, conocido como *Chuña* por su aspecto de ave; su condiscípulo José Ignacio Flores, alias *Velita;* otro compañero de escuela muy querido, excelente muchacho apodado el *Gaucho* Riberos; y Dolores Sánchez, a quien por envolverse el capote en el brazo para defenderse de las pedradas, lo llamaban *Capotito*.

Con sus escasos seis combatientes, Domingo se dirigió hasta el sitio denominado la Pirámide, donde oyeron el fragor de las aclamaciones, los gritos de entusiasmo de los chiquillos y el sonido de los tambores de calabazas o de cuero que los acompañaban. Poco después, veían aparecer una impresionante columna de diablejos enarbolando palos y dispuestos a cobrar desquite por la derrota anterior.

Desconcertados, cabizbajos y casi huyendo, los siete compañeros de patota retrocedieron por la calle que conducía hacia el Molino de Torres. Al llegar al puente que cruzaba la acequia, Domingo advirtió que había una gran cantidad de piedrecillas amontonadas sobre un borde y una idea cruzó de inmediato por su mente. Detuvo a sus amigos y les explicó que, con aquella bendición de guijarros a la mano, podrían pararse los siete sobre el estrecho puente e impedir el paso a ese amenazante ejército invasor.

Aceptaron los compañeros la iniciativa de Domingo, quien se situó en el centro del puente con el *Gaucho* Riberos y *Barrilito.* Los restantes se ubicaron de a dos a cada lado de la acequia y entre todos acopiaron piedras mientras la turba se acercaba vociferante. Cuando la patota sarmientina los tuvo cerca, les arrojaron una granizada de guijarros, muchos de los cuales dieron en el blanco y los atacantes se alejaron desordenadamente dando gritos de dolor.

Pero Domingo no había calculado que las mismas piedras que los siete valientes tiraban desde el puente podían ser utilizadas por los pilluelos de la liga "Colonovaldiviana". Tampoco había advertido que sus adversarios tenían a su retaguardia la calle San Agustín, tan rica en guijarros, que hasta los jinetes la evitaban para cuidar los cascos de sus cabalgaduras. De modo que a los pocos minutos los invasores se habían recuperado y habían acumulado proyectiles a montones y se encontraban prestos a devolver con creces el fuego recibido. Un muchacho avanzó a modo de parlamentario y les propuso pelear a sable con los palos que portaban. Pero Domingo, teniendo en cuenta que eran siete contra varias decenas, rechazó el ofrecimiento.

Al minuto, las piedras les llovían encima en medio de los gritos de guerra y eran muy pocas las que los siete podían devolver a sus enemigos. Al *Piojito* le lastimaron la cabeza y, en medio de la sangre y los mocos por el llanto, disparaba pedradas como catapulta mientras puteaba a sus nutridos atacantes. El *Chuña* había caído semidesvanecido en medio de la acequia con riesgo de ahogarse, mientras la refriega continuaba y los atacantes estaban cada vez más cerca del puente. Dos defensores huyeron silenciosamente mientras Domingo, con tantas pedradas recibidas en los brazos, casi no podía moverlos: los pocos guijarros que por orgullo podía lanzar, iban a caer sin fuerza a los pocos pasos.

Fue entonces que uno de los cabecillas del ejército ocupante ordenó desde la primera línea:

—No tiren, que el general no puede mover los brazos...

Cesó entonces la pedrea y los vencedores se acercaron en silencio hasta Sarmiento, gozosos por el triunfo y disfrutando de los moretones y golpes que veían en los vencidos. Domingo, el *Gaucho* Riberos y *Piojito,* éste todavía chillando e insultando, sacaron de la acequia al *Chuña,* que miraba desconcertado para todos lados.

Algunos atacantes pretendían llevar prisioneros a los heroicos defensores del puente, pero Domingo se opuso con la poca energía que le quedaba y casi sin mover el cuerpo, por el dolor que resultaba cada vez más intenso. Al final pudieron retirarse a sus casas, casi bamboleantes por el cansancio y el sentimiento de humillación.

Con el mayor sigilo, Domingo se administró durante una semana frecuentes paños de salmuera, para hacer desaparecer los cardenales que daban a su cuerpo el aspecto de un potro overo.

Como es típico en los adolescentes, las fechorías con sus compañeros de pandilla no le impedían a Domingo desarrollar otras inquietudes casi místicas, relacionadas con el antiguo anhelo de su madre de que siguiese la carrera eclesiástica. Durante el tiempo que había sido monaguillo de su tío el cura, el muchacho había aprendido los mecanismos de la misa y sabía encontrar en el misal el evangelio y la epístola que correspondían a cada fecha. Así, los domingos a la mañana asistía a la capilla de la familia Rodríguez, dedicada a Santo Domingo, que contaba con sacristía y campanario, además de incensario y candeleros como toda iglesia grande que se precie. Allí el joven cantaba la misa a voz en cuello como si fuera ya un cura ordenado, y hasta los frailes de

Santo Domingo acudían a verlo con una sonrisa benevolente y admirativa.

La actitud religiosa matinal, sin embargo, no obstaba para que Domingo saliera a atorrar por las tardes por las calles del Carrascal o los otros barrios de San Juan.

Por aquellos días, el adolescente tenía frecuentes choques con todos los habitantes de su casa: padres y hermanas. Y sobre todo con una tía que también vivía con ellos, quien manifestaba que el joven le contestaba mal.

La madrina de Domingo, Paula de Oro, invitó al muchacho a vivir con ella, para sustraerlo del clima de conflicto permanente en que se encontraba en su hogar. El ahijado recibió el convite con entusiasmo y sus padres aprobaron la idea, pensando que su naturaleza respondona podría suavizarse con una temporada lejos del ambiente de reyerta en que vivía con sus familiares.

3

UN CLÉRIGO REBELDE
(1825-1826)

Domingo vivía todavía en casa de su madrina, cuando se produjo en San Juan la llamada Rebelión de los Clérigos contra el gobierno liberal de Salvador María del Carril.

Desde la declaración de la autonomía sanjuanina, se habían sucedido varios gobernadores en un clima de permanente inestabilidad. En enero de 1823, la Sala de Representantes convocó a elecciones a los hombres libres mayores de 21 años y resultó elegido el doctor Salvador María del Carril, joven graduado en leyes que había sido ministro del anterior gobernador.

Hombre de espíritu progresista y de tendencia unitaria, Del Carril gobernó inspirándose en el modelo de la administración bonaerense del general Martín Rodríguez, quien contaba a Bernardino Rivadavia como su ministro. Dictó una constitución provincial llamada Carta de Mayo, que consagraba la libertad de cultos y otros derechos individuales provenientes de la ilustración francesa y la constitución norteamericana, a la vez que realizó una reforma religiosa que consistía en declarar disueltos algunos conventos por falta de frailes, transfiriendo al fisco los bienes vacantes.

Esta política fue despertando resistencias entre el clero y los sectores tradicionales sanjuaninos y, a mediados de 1825, aparecieron pasquines pegados en las paredes condenando al Ejecutivo por sus "ataques a la santa religión católica, apostólica y romana". Pocos días después estallaba una revolución clerical encabezada por el comandante Joaquín Paredes que, bajo el lema de "Religión o Muerte" y en nombre de "Jesucristo y el Orden", se proponía deponer al gobernador del Carril y "quemar la Carta de Mayo, porque fue introducida entre nosotros por la mano del diablo para corrompernos y hacernos olvidar la Religión Católica Apostólica y Romana". El manifiesto sedicioso agregaba que el nuevo gobierno disolvería la Sala de Representantes y repondría al Cabildo, a la vez que "cerraría el teatro y el café, lugares profanados por libertinos que hablan en ellos contra la religión."

Ante el cariz que tomaban los acontecimientos, el gobernador Del Carril y los miembros de su gobierno se trasladaron a Mendoza, donde solicitaron auxilio al ex fraile Félix Aldao, entonces al mando de esa provincia. Aldao organizó una expedición militar y marchó al frente de sus tropas hacia San Juan: cerca de la localidad de Pocito, venció a los amotinados de Paredes en Las Leñas. Poco después entraba en la capital provincial con Del Carril y sus compañeros, a quienes repuso en el gobierno.

Los clérigos que habían inspirado y acaudillado el movimiento subversivo fueron desterrados de San Juan, y entre ellos se contaba José de Oro, hermano de la madrina de Domingo y miembro de una familia pariente por varios lados y muy allegada a los Sarmiento-Albarracín.

El cura José de Oro debía partir confinado al pueblito de San Francisco del Monte, en la provincia de San Luis. Siempre había sentido mucho afecto por Domingo y se le ocurrió invitar al muchacho a compartir allí su estancia. Aunque el joven había comenzado a hacer unas prácticas de agrimensura con el ingeniero francés Barreau que mucho lo entusiasmaban, aceptó de inmediato el convite del fraile. Tanto la madrina Paula como los padres de Domingo estuvieron de acuerdo con la medida, ya que la convivencia en San Francisco del Monte mitigaría la soledad de José de Oro y serviría a la vez para la formación del adolescente, siempre ávido de educación y necesitado de buenos consejos.

A las pocas semanas de haberse marchado José de Oro a su confinamiento, partía Domingo a reunirse con él.

Los caballos iban al paso y el camino se hacía monótono. Domingo y el peón que lo acompañaba viajaban en silencio. El clima era seco y la vegetación escasa: espinillos, totoras y algunos talas. Pero la luz era radiante y las sierras despedían un tono celeste que los animaba.

Domingo estaba ansioso por llegar y reunirse con su tío José: mientras cabalgaba, su mente pensaba en ese hombre tan particular, que había marchado afligido hacia el destierro. La tristeza de la partida contrastaba con su habitual carácter, pues el muchacho siempre lo había visto arrebatado, corajudo. Precisamente, esa naturaleza tempestuosa era lo que más le atraía en la figura de su tío: percibía su fuerza y le fascinaba escuchar en las tertulias familiares las anécdotas sobre las rarezas del pintoresco clérigo.

Ya desde niño, José se había mostrado travieso y alborotador. Con su hermano Antonio se dedicaban a hacer víctima de maldades al hermano mayor, el manso y pulcro Justo Santa María: le tiraban con las almohadas cuando dormía; le meaban las botas durante la noche; a toda hora lo acechaban y se burlaban de él, acusándolo ante la madre de diabluras que ellos mismos hacían para ponerlo en aprietos.

Tanto Justo Santa María como José habían sido enviados a Chile para seguir la carrera eclesiástica, pero los caminos habían sido diversos: Justo Santa María se recibió a los 21 años y, nombrado director de los recoletos dominicos, en 1816 asistió al Congreso de Tucumán que declaró la Independencia; José, en cambio, ordenado clérigo sin tanta disciplina ni estudios, se dedicó a hacer arreos de ganado hacia Salta, para satisfacer sus instintos ardientes y gauchos. Acompañó luego al general San Martín en Chacabuco y allí auxilió a varios moribundos en medio de la metralla.

Enemistado con San Martín regresó a San Juan, donde se enroló en las filas de los hombres liberales y, durante la administración de Salvador María del Carril, fue nombrado representante de la Junta Provincial. Para escándalo de sus colegas religiosos, propició y logró la abolición de los derechos de óleos.

Díscolo como era, no tardó José en disgustarse con Del Carril y abandonó entonces el partido unitario. Se encontraban ya alejados estos dos hombres cuando el gobernador Del Carril, a punto de sancionar la Carta de Mayo, se reunió en el Tapón de los Oro con un grupo numeroso de gente, para conversar sobre el proyecto de Constitución provincial. Para expresar su desagrado por no haber sido invitado, el cura José de Oro se desnudó en su casa y marchó en pelo a caballo hacia la represa formada sobre el arroyo. Allí, a la vista de los convidados a la reunión, se arrojó al agua y se bañó de manera tranquila durante un rato. Luego saltó con gracia nuevamente sobre el caballo negro, sobre el cual resaltaba su cuerpo blanco y nervioso como el de un atleta clásico. Sin responder a quienes lo llamaban entre risas y sorpresas, José volvió despreocupadamente a su estancia.

Posiblemente por este encono personal —más que por discrepancias ideológicas—, el extravagante cura se había reincorporado al partido federal y había participado de la Rebelión de los Clérigos, hecho que le había valido el destierro.

Cabalgando por la llanura puntana, Domingo recordaba a su tío cuando descendía de su hacienda de ganado de Los Sombreros, para participar en la fiesta del Acequión. Lo evocaba manejando un brioso potro (seguramente domado por él mismo), protegidas sus piernas por espesos guardamontes con los que salvaba barrancas y esteros y arremetía contra los altos y tupidos espinos. Vestía siempre de paisano y, valiente provocador, una chapa de pistolas adornaba la cabecera de su apero.

El adolescente iba pensando en su tío cuando, de golpe, la presencia de algunos olivos les advirtió que podrían estar cerca de una población. El cálido rumor de un río, el cacareo de unas gallinas asustadas y el ladrido de dos famélicos perros les confirmaron que habían llegado a destino: el pueblito consistía solamente en una capilla modesta y unos pocos ranchos diseminados en las inmediaciones. Cuando el cura José de Oro apareció por la puerta de una habitación lateral a la rústica iglesia, acomodándose las bombachas, a Domingo se le alegró el corazón.

Los largos meses que pasó en San Francisco del Monte fueron, para Domingo, de felicidad y formación.

A la sombra de unos olivos contiguos a la capilla, José enseñaba latín a su sobrino. Como el joven ya conocía la gramática castellana, el cura la comparaba con la latina y le comentaba las diferencias. Llevaban un cuaderno en el que, bajo el título de *Diálogo entre un ciudadano y un campesino*, anotaban el progreso de las conjugaciones y, luego, la traducción de un libro de geografía de los jesuitas. Pero el maestro, que se llamaba a sí mismo el Campesino, ponía el acento en la historia de los pueblos más que en las fatigosas declinaciones y por ello el alumno —el Ciudadano— se mostraba encantado con la vitalidad de su aprendizaje.

A pesar de su comportamiento recio y varonil, José de Oro no estaba exento de ternura. Una tarde, mientras dictaba a Domingo un sermón para el día de San Ramón, recordó un episodio de su infancia en que una tapia le había caído encima y, para poder liberarlo de su sitio, fue necesario romper la mampostería de gruesos ladrillos de adobe a golpes de azada. El niño Oro estaba de bruces sobre pies y manos y soportaba la pesada pared sobre sus espaldas, mientras respiraba con dificultad y dolor. Su madre lloraba y solicitaba la intercesión de San Ramón, temerosa de que cada golpe de azadón pudiera herir más o matar a su hijo.

—Cada mazazo sobre los ladrillones me hacía ver las estrellas —contaba el cura—, pero igualmente les gritaba desde abajo: "Den nomás que todavía aguanto".

Mientras expresaba su gratitud por la obra de San Ramón, la voz del sacerdote comenzó a humedecerse por la emoción. Y Domingo, mientras simulaba seguir anotando el sermón, sintió sus ojos nublados hasta que, sin poder evitarlo, gruesas lágrimas mal contenidas empezaron a caer sobre el papel.

Esto acentuó la emotividad del cura, quien soltó el llanto abiertamente y abrió los brazos a su sobrino. Domingo se unió a él fuertemente y ambos sollozaron sin vallados, hasta que el tío pasó el dorso de su mano por los ojos y se disculpó:

—Dejémoslo para mañana... ¡Somos unos niños...!

José y su alumno no sólo se dedicaban a la enseñanza intelectual, sino que plantaron legumbres y cultivaron flores. Cuando nació el primer alhelí, se pasaban las horas mirándolo con satisfacción, mientras renovaban los cuidados de la huerta.

Aprovechando su experiencia de tres meses con el agrimensor Barreau, a Domingo se le ocurrió realizar el plano de una villa, puesto que la capilla estaba aislada en medio del campo. Diseñó una plaza triangular, delineó una calle y demolió con la ayuda de su tío y algunos pobladores el frente de la Iglesia, pues un rayo lo había calcinado. Luego construyeron, con robustos pilares de algarrobo, un primer piso con torre y coro, coronado con la madera de un garabato sobre el cual el joven talló con su propia mano la siguiente inscripción: San Francisco del Monte de Oro, 1826.

Además de aprender, cultivar y construir, Domingo encontró allí una nueva dimensión: fundó una escuela con su tío y descubrió la maravillosa sensación de compartir sus conocimientos con los semejantes. El maestro tenía 15 años y dos de sus alumnos, los "niñitos Camargo", tenían 22 y 23. Otro muchacho, mayor que Domingo, fue sacado de la escuela porque se había obstinado en casarse con una linda muchachita, a quien el adolescente profesor enseñaba el deletreo. A pesar de su poca edad y de estas dificultades, Domingo sintió el respeto y el cariño de sus alumnos y esta sensación lo llenaba de gozo y satisfacción. Sobre la puerta de la modesta escuela, en el dintel de algarrobo, Domingo practicó su latín y difundió las ideas aprendidas con su tío grabando la unificadora leyenda: *"Unus Deus, Una Ecclesia, Unum Baptisma. D.F.S."*.

El contacto con la naturaleza dejó también en el alma del muchacho una impresión inolvidable:

Vagaba yo por las tardes, a la hora de traer leña, por los vecinos bosques; seguía el curso de un arroyo trepando entre las piedras; internábame en las soledades prestando el oído a los ecos de la selva, al ruido de las palmas, al chirrido de las víboras, al canto de las aves, hasta llegar a alguna cabaña de paisanos, donde conociéndome todos por el discípulo del cura y el maestro de la escuelita del lugar, me prodigaban mil atenciones, regresando al anochecer a nuestra solitaria capilla, cargado con mi hacecillo de leña, algunos quesos o huevos de avestruz con que me habían obsequiado estas buenas gentes. Aquellas correrías solitarias, aquella vida selvática en medio de gentes agrestes, ligándose, sin embargo, a la cultura del espíritu por las pláticas y lecciones de mi maestro, mientras que mi físico se desenvolvía al aire libre, en presencia de la naturaleza triste de aquellos lugares, han dejado una profunda impresión en mi espíritu, volviéndome de continuo el recuerdo de las fisonomías de las personas, del aspecto de los campos, aun hasta el olor de la vegetación de aquellas palmas en abanico, y del árbol peje tan vistoso y tan aromático.

A esta vida bucólica, el temperamento alegre de José de Oro le añadía un encanto adicional: los domingos por la tarde, luego de la plática vespertina, se reunían afuera de la iglesia todas las huasitas blancas o morenas de la zona y una guitarra y otros instrumentos empezaban a entonarse. Al cura le gustaba con pasión bailar y no tardaba en iniciar el jaleo, enredándose en pericones y contradanzas con las bellas muchachas e invitando a su sobrino a participar del fandango, que se matizaba en los breves intervalos con algunos tragos de buen semillón.

Después de los paseos vespertinos, Domingo concurría a la cocina y allí escuchaba los cuentos de una mujer llamada Ña Picho, a quien le gustaba hablar de fantasmas y aparecidos. La historia de la Mula Anima, una negra acémila que corría por los campos de noche echando fuego por la boca y haciendo un ruido de cadenas, le provocaba una extraña fascinación. Según Ña Picho, la Mula Anima había sido en su origen una mujer que había tenido amoríos con un cura, por lo cual se la había transformado en animal hasta purgar su falta.

Cuando el clima de encantamiento y temor ya se había creado en el fogón, Ña Picho solía narrar también los casos en que la Viuda se había aparecido a conocidos de la zona: más de una vez, esa mujer cubierta con un velo negro se había subido al anca de los caballos de varios mozos y los había abrazado, produciendo un ruido similar al de una bolsa de huesos.

El adolescente dudaba sobre la veracidad de estos episodios y personajes, pero no podía sustraerse al ambiente de inquietud que las narraciones provocaban. Regresaba nervioso al lado de su tío y maestro, muchas veces creyendo ver en las sombras los contornos de una mula o una señora vestida de luto.

Don José de Oro, sin embargo, pese a su condición de clérigo y federal, trataba de inculcar a su sobrino un espíritu racional y librarlo de supersticiones y temores. Una vez, el tío le pidió que le alcanzara un libro que estaba sobre la cómoda y, al tomarlo, Domingo causó un movimiento en el mueble. Esto provocó que también se moviera un crucifijo allí apoyado y la corona que estaba sobre la cabeza de Jesús se deslizó hasta sus hombros. Al ver la expresión del muchacho, el cura desechó toda interpretación sobrenatural y le explicó que el Concilio de Trento había establecido requisitos muy rigurosos para poder considerar como milagrosos ciertos fenómenos.

Una noche, en la iglesia se velaba el cuerpo de una mujer mientras el maestro y su discípulo estaban ya en su habitación.

—Por favor, Domingo —pidió Don José—, anda hasta la sacristía y tráeme el misal, que quiero revisar una frase latina.

Partió el muchacho hasta la capilla, pero al llegar a la puerta y ver desde allí el ataúd rodeado por velas, tuvo temor a entrar. Debía pasar al lado de la muerta y seguir hasta la sacristía, pero permaneció inmóvil en la entrada, transpirando frío. Derrotado, regresó a confesarle a su tío que tenía miedo a los difuntos, pero al ver a su maestro por la ventana, echando tranquilo el humo de un cigarro, sintió vergüenza de su actitud. Tomó coraje, volvió a la iglesia, pasó presuroso al lado del cajón y llegó casi corriendo hasta la sacristía.

En el momento de tomar el misal, pensó que al regresar no había espacio suficiente y que la extinta podía agarrarlo de las piernas. Puso su espalda contra la pared y caminó de costado sin quitar la vista del féretro, hasta que llegó a la puerta y prácticamente disparó hasta su habitación. No le dijo una palabra a su tío del terror que lo había embargado, pero sintió que al haber podido superar el pavor al más allá había logrado estar a la altura de su aprecio.

Así transcurrió un año inolvidable para Domingo, hasta que a fines de 1826, uno de los tíos del muchacho se presentó una mañana en San Francisco del Monte: tenía el encargo de llevarlo de vuelta a San Juan, pues había una posibilidad de que el nuevo gobernador lo enviara a estudiar a Buenos Aires.

Sin demasiada alegría por la perspectiva, el joven Ciudadano miró interrogativamente al viejo Campesino. El cura Oro encogió su garganta como si tragara algo y espetó:

—Tienes que decidirlo tú, muchacho...

Esa tarde, Domingo se sentó a la mesa y escribió una larga carta a su madre, explicándole que con su tío José estaba recibiendo una educación maravillosa y expresándole su deseo de permanecer allí.

A las dos semanas, el propio Clemente Sarmiento llegaba con su caballo hasta la modesta población. Domingo abrazó a su padre con alegría, pero entendió de inmediato el sentido de la visita.

—Hay que partir, hijo —le dijo Clemente, y luego se enredó en una larga charla con su pariente y amigo José.

A la mañana siguiente, los dos caballos estaban ya ensillados. El día era claro y el mate cocido cálido, pero Domingo casi no habló durante el desayuno. Apenas probó el bollo, pese a que estaba recién amasado y su aroma matizado con chicharrón habitualmente lo atrapaba.

Parados al costado de la capilla, sobre la tierra apisonada y en la semisombra de un olivo, tío y sobrino se miraban en silencio. Algunas gallinas cacareaban a pasos, mientras avanzaban rítmicamente intentando picotear unos granos invisibles. El cura le estiró la mano y el muchacho se la estrechó fuertemente. Con un nudo en la garganta, Domingo subió al caballo casi al unísono con su padre. Los dos jinetes partieron hacia el noroeste y Domingo no sabía si mirar atrás. Habían avanzado unos treinta metros cuando se animó a hacerlo y vio al cura gaucho, plantado con las piernas abiertas enfundadas en bombachas, con lágrimas cayéndole por las mejillas.

Desolado, el adolescente miró hacia las sierras y le pareció que ese día el color celeste era muy pálido.

4

TENDERO ILUSTRADO
(1826-1828)

Cuando Domingo regresó a San Juan, gobernaba la provincia el coronel chileno José Antonio Sánchez, quien había prometido al matrimonio Sarmiento-Albarracín tratar de conseguir una beca para su hijo en el Colegio de Ciencias Morales de Buenos Aires, esa meta tan preciada que hasta el momento había resultado inalcanzable.

Hasta tanto los trámites que estaba realizando el gobierno se concretaran, Domingo debía hacer algo. El ingeniero Barreau se había alejado de la provincia, de modo que no había posibilidad de que continuara con él las prácticas de agrimensura que tanto lo habían entusiasmado.

Una pariente, Ángela Salcedo viuda de Soriano Sarmiento, vino a ofrecerles una interesante posibilidad: necesitaba un habilitado para que atendiera la tienda que le había dejado su extinto marido. Consciente de los apremios económicos que pasaban en su hogar, Domingo aceptó de inmediato la función, pero no lo hizo con alegría. Con sus escasos 15 años tenía suficiente madurez para entender que debía contribuir a sostener la familia, pero había dos cosas que lo entristecían: extrañaba la vida de San Francisco del Monte y la compañía de su tío José; y había elaborado ideales que pasaban por el estudio y tendían a la vida intelectual, la gloria guerrera, la constitución de la república. Y no veía que su participación y trabajo en un almacén pudieran servirle para eso.

Inició de todos modos su labor en la tienda, que consistía en barrer el local a la madrugada y luego permanecer en él esperando a los pocos clientes que lo visitaban. La despensa estaba ubicada en el cuartel de San Clemente y tenía muy poco movimiento, de modo que Domingo pensó que podía aprovechar el tiempo leyendo muchos libros que se habían mencionado en sus conversaciones con el cura de Oro. En casa de Tomás Rojo encontró los *Catecismos* de Ackermann y empezó a devorar la historia antigua: quedó fascinado con las narraciones de Persia y la historia de Egipto con el Nilo y sus pirámides, tan mentados por su tío en San Luis. Luego estudió con delectación la evolución de Grecia con sus personajes de leyenda con los que mucho se identificaba, sintiéndose sucesivamente el defensor de las Termópilas o el ejecutor de los tiranos que pretendían someter a la noble Atenas. De allí pasó a la historia de Roma y llegaba a encenderse con la tarea de los generales que vencieron a los galos o con los senadores que, durante el imperio, trataban de evitar los abusos de poder de los altos magistrados.

Enfrascado en estos temas que le hacían revivir conceptos ya acercados por el fraile de Oro sobre historia, geografía, moral, política o religión, el joven se disgustaba sobremanera cuando la entrada de un ocasional cliente pidiendo una arroba de yerba o una de azúcar lo distraía de ese mundo en que él prefería quedarse, pues advertía que su espíritu se elevaba a través de esos conocimientos.

Volvía Domingo a sus lecturas que lo llevaban al mundo clásico de Europa y a siglos tan distantes, cuando aparecía una chinita que con tono cantarín le reclamaba:

—Diz mi patrona que le mande tres varas del mesmo tocuyo que antier le mercó...

Se apresuraba el empleado a despachar la humilde tela de algodón solicitada, para retomar el hilo de los hechos que le develarían la suerte que Arístides, el vencedor de Maratón, habría de correr en el destierro de Atenas al que Temístocles lo había condenado.

Tanto leía Domingo y con tanto entusiasmo, que una vecina, que al pasar de ida y vuelta a la iglesia lo veía día a día en esa actitud, comentó:

—¡Este mocito no debe ser nada bueno! ¡Si leyera libros sanos no los leería con tanto ahínco!

Absorto vivía Domingo con estas atrayentes lecturas históricas, cuando en enero de 1827 el coronel Sánchez renunció a su puesto de gobernador. Clemente y Paula quedaron muy decepcionados con la noticia, pues significaba una nueva frustración en la ansiada beca para el Colegio de Ciencias Morales. El muchacho también experimentó una gran desilusión por la novedad, pero se enfrascó con más ímpetus en sus textos clásicos, quizás para olvidarse de tantos contratiempos.

A los pocos días, ante la acefalía de la provincia, los principales vecinos fueron convocados en la iglesia de Santa Ana y eligieron gobernador al coronel Manuel Gregorio Quiroga. Un caudillo riojano de igual apellido, Facundo Quiroga, se encontraba entonces no lejos de allí, en el paraje denominado Valle Fértil.

Al cerrar la tienda, donde compartía lecturas con mercadeo, Domingo se reunía con su tío, el cura Juan Pascual Albarracín, rivadaviano y progresista a pesar de su condición clerical. Entre los dos comentaban párrafos de la Biblia que iban leyendo, desde el Génesis hasta el Apocalipsis, y el clérigo proporcionaba al muchacho la interpretación canónica de los textos, que Domingo no siempre compartía. A instancias del padre Albarracín, el joven tendero leyó *La teología natural* y *Evidencia del cristianismo, verdadera idea de la Santa Sede,* ambos de Paley, y alguna obra de Feijóo, completando una educación religiosa iniciada con su tío Oro y que se caracterizaba por lecturas ortodoxas oxigenadas con el ejercicio de la razón y los ejemplos de temperamentos liberales.

Mientras platicaban una tarde a la espera de la cena, el cura Albarracín anunció a su hermana Paula y su sobrino que en los próximos días llegaría a San Juan el presbítero Pedro Ignacio Castro Barros, ex miembro del Congreso de Tucumán, para cumplir un período de sermones en la ciudad.

Atraído por el personaje y sabedor de que sus charlas no sólo tocaban aspectos religiosos sino también políticos, Domingo resolvió asistir a las mismas. Durante quince días, Castro Barros predicó en las iglesias y en las plazas de San Juan, a veces a la luz de la luna y congregando a gentes apiñadas que lo escuchaban con delectación.

El muchacho oía con silencioso respeto a esa personalidad tan exaltada, que poseída de cólera sagrada se pronunciaba contra los impíos y herejes, condenando con énfasis a Rivadavia y los partidarios de la reforma religiosa.

Una noche, durante una disertación en una iglesia, Castro Barros calificó de viborezno al escritor español Juan Llorente por haber calumniado a la Santa Inquisición, asegurando que había muerto comido por los gusanos en castigo por sus iniquidades.

Ávido de conocimientos y de ideas, Domingo escuchaba las imprecaciones del clérigo contra Rousseau y otros autores que no conocía, advirtiendo que la rabia del orador le inyectaba los ojos de sangre y de su boca surgían maldiciones acompañadas de babas resecas que volaban como escupitajos.

De golpe, el religioso avanzó unos pasos empujando su sotana con las rodillas y, extendiendo dramáticamente los brazos y levantando su voz ya estentórea, exclamó:

—¡Lucifer! Te ordeno que te presentes ante mí...

El llamado resonó en las bóvedas del templo y la sorpresa de la concurrencia convirtió el silencio respetuoso en un sentimiento de temor.

—¡Demonio inmundo! —llamó de nuevo el fraile—. El cielo me ha dado la potestad de convocarte y en nombre del Altísimo te intimo a que comparezcas a esta casa y rindas pleitesía a Nuestro Señor...

Domingo estaba tieso como un palo y mantenía los ojos clavados en el rostro encendido de Castro Barros. El clérigo, a su vez, señalaba con sus manos crispadas los rincones oscuros de la iglesia, mientras se agachaba y miraba hacia esos lugares oscilando su cuerpo, como indicando que por allí habría de aparecer la presencia satánica. Las mujeres se movían inquietas y seguían sus ademanes con temor, muchas de ellas casi a punto de huir.

El joven salió de la iglesia muy impresionado, impactado por la fisonomía y el dramatismo del clérigo, interrogándose sobre la naturaleza y el alcance del mensaje político-religioso que había recibido.

Con sus dieciséis años sedientos de enseñanzas, Domingo solicitó a Castro Barros hacer confesión general con él, pero el contacto personal no mejoró el concepto que el joven estaba delineando de un espíritu que le resultaba demasiado fanático y no muy sólido de conocimientos. Aunque el presbítero sostenía las mismas ideas federales que Domingo había escuchado de su mentor José de Oro, la oratoria frenética y la excitación furibunda del sacerdote riojano produjeron en el muchacho un efecto contrario y le originaron las primeras dudas en relación con un ideario que le resultaba familiar.

Prosiguió Domingo con sus lecturas apresuradas, realizadas en las largas horas que la morosa actividad del almacén le permitía. Llegó a a sus manos la *Vida de Cicerón,* de Middleton, y quedó maravillado por la personalidad de ese hombre capaz de defender causas tan justas, a través de una oratoria tan fascinante. Si pudiera ser abogado, se decía a sí mismo Domingo, cómo me gustaría ser como este poderoso Cicerón.

Luego se encontró con la *Vida de Franklin* y el salto de tantos siglos lo enfrentó con una figura mucho más próxima y a la vez diferente de los modelos de santos con que sus tíos curas lo habían fatigado hasta entonces. Franklin no hacía milagros ni se sometía a un ascetismo mortificante con fines sobrenaturales, sino que siendo un niño pobrísimo y estudioso como el mismo

Domingo, se había formado a sí mismo y había llegado a ser doctor *honoris causa* y a ocupar un lugar importante en las letras y en la política norteamericana. Además, pensaba el ávido lector provinciano, Franklin tenía como él una clara aspiración a lo bello y lo perfecto, pero la había canalizado a través de una actividad productiva, había trabajado con sus manos para vivir, había hecho ilustre su nombre ayudando a la patria a desligarse de sus opresores, y todavía había salvado millones de vidas otorgando a la humanidad un instrumento sencillo para someter a los rayos del cielo. Quedó maravillado con este personaje puritano, creativo y tolerante, tan alejado de las características que predominaban en su ambiente sanjuanino y tan próximo a los ideales de civilización que el muchacho se encontraba elaborando.

El 25 de mayo se celebraba un baile en la ciudad y, con el fruto de sus ingresos, Domingo llevó a su casa dos vestidos de espumilla para que sus hermanas mayores, Paula y Bienvenida, pudieran asistir a la fiesta. Les anunció que él también concurriría, con un traje que había encargado. Esa noche, el muchacho llevó al baile a sus hermanas y les dijo que volvía a su casa, para esperar su ropa.

Pero Domingo nunca llegó de vuelta al salón y, a su regreso, las chicas se enteraron de que no existía tal traje, porque no le alcanzaba el dinero, y que no había ido a la fiesta porque no tenía cómo presentarse.

Una tarde, mientras Domingo alternaba lecturas furtivas con el despacho de géneros y comestibles, le avisaron que las tropas de Facundo Quiroga, que desde hacía unas semanas estaban operando en la zona preparándose para marchar sobre las fuerzas unitarias, se aprestaban a entrar en la ciudad. Salió a la puerta de la tienda y advirtió que en el plácido vecindario una sorda conmoción agitaba a hombres y mujeres.

Se sentó sobre una roca a la sombra de un aguaribay y veía descender apresuradamente por el rugoso tronco a dos cucarachas, que parecían encontrarse con obstáculos invisibles, se enfrentaban, se alejaban entre sí, y luego proseguían su apresurado camino hacia el suelo.

Poco después vislumbró una tenue polvareda que fue agrandándose y se aproximó matizada con interjecciones, gritos y ruido de cascos de caballos. Unos seiscientos jinetes avanzaban por la estrecha calle ciudadana con el alarde que proporcionan el polvo y la embriaguez militar. Briosos corceles obtenidos en requisas en campos de pastoreo brindaban vistosa monta a los soldados federales que usaban enormes guardamontes, parapetos de cuero crudo que servían para salvar piernas y aun el torso del contacto con las hirientes espinas de los talas y garabatos. El rumor sordo fue agrandándose con las blasfemias y carcajadas de los montoneros que, nerviosos por la proximidad con el espacio urbano y el insólito atractivo de la presencia femenina, renovaban los choques entre las indumentarias protectoras que sonaban como el encuentro entre escudos y armas medievales. Aunque la calle sin empedrar nutría de más tierra al pintoresco espectáculo, la proximidad de las cabalgaduras permitió a Domingo distinguir en los soldados rostros sudorosos, greñas y harapos.

Cuando el vociferante batallón se alejaba rumbo al vecino cuartel de San Clemente en colorido entrevero, Domingo pensó que esa turba mal entrazada difícilmente podría defender con altura los ideales de una causa federal que, hasta ese instante, le había resultado conocida y noble. El joven dependiente mercantil, lector incansable de modelos clásicos, advirtió de improviso que acaso el mal de su país podría estar identificado con esas desarrapadas tropas colecticias de lanza y chiripá.

El trabajo de la tienda de su tía le proporcionó a Domingo algunas experiencias adicionales: debió viajar a Mendoza para comprar azúcar y allí se admiró por el intenso tránsito de carretas y contempló la actuación de una banda militar uniformada con muchos tambores y pífanos, que lo dejó deslumbrado. Partió después a Chile a arreglar algunas cuentas y lo hizo con su amigo Saturnino Laspiur, a lomo de mula. Laspiur leía y recitaba durante la marcha la comedia de Moreto *El desdén por el desdén,* y Domingo disfrutó de los textos, de la belleza de la cordillera y de las novedades de todo viaje: lugares, gente, climas.

5

MILITAR FORZADO Y POR CONVICCIÓN
(1828-1831)

Las conmociones que vivía el país entre unitarios y federales habrían de sacar al dependiente de tienda del ambiente de lecturas y mercaderías en que se había refugiado. Intimado por el gobierno a cerrar el almacén y marchar a montar guardia con el grado de subteniente de milicias que se le otorgaba, Domingo lo hizo de muy mala gana. Aunque su padre, su tío José de Oro y la mayoría de sus parientes estaban enrolados en el bando federal, el muchacho no se sentía demasiado cómodo sirviendo a esta parcialidad, a la que adherían las autoridades sanjuaninas.

Disconforme y activo, al realizar la tercera guardia el mocito presentó un informe destacando que no había novedades en ese servicio "con que se nos oprime sin necesidad".

De inmediato, su superior lo relevó de su puesto y le ordenó presentarse ante el gobernador de la provincia.

El coronel Manuel Gregorio Quiroga trataba de disfrutar del tibio sol de invierno en el patio de la casa de gobierno, cuando se presentó ante él el jovencito desacatado. Un tímido piar de pajaritos, que saltaban de una parra a una morera ignorando los temas oficiales, se esparcía hasta las galerías iluminándolas con sus ecos.

Sentado y con el sombrero puesto, Quiroga levantó la vista y contempló al adolescente que, parado frente a él, se quitaba su gorro a modo de saludo y lo mantenía entre sus manos mientras lo miraba con el ceño fruncido. Hombre experimentado, el mandatario intuyó que ese porte serio escondía seguramente el temor ante el jefe.

Sin responder a la reverencia, el gobernador levantó el parte que había originado la citación y, pretendiendo intimidar, preguntó:

—¿Es ésta, señor, su firma?

Al ver que el gobernador no se quitaba el sombrero para saludarlo, Domingo convirtió su miedo en altivez y, calándose desafiantemente el birrete, respondió:

—¡Sí, señor...!

Sorprendido, Quiroga lo miró con fijeza. Simuló estar encolerizado, mientras pensaba que el muchacho tenía mucha más fuerza de la que podía esperarse de un hijo de Clemente Sarmiento. Cuando vio que el subordinado no bajaba la vista, ni se descubría, ordenó a un edecán:

—Lleve a este insolente al calabozo.

Una vez en su celda, Domingo recibió la visita de su padre. Enterado de los pormenores del incidente, le dijo:

—Ha cometido usted una tontería. Ahora deberá sufrir las consecuencias.

Iniciado proceso contra Sarmiento, un oficial le tomó declaración en una de las habitaciones del cabildo:

—¿Ha escuchado usted quejas contra el gobierno?

—Sí, a muchas personas.

—¿Quiénes son esos individuos?

—Los que han hablado en mi presencia no me han autorizado a comunicar sus dichos a la autoridad.

El sumariante lo miró con ojos inexpresivos, como si no entendiera bien su manifestación. Se rascó la cabeza y luego lo mandó de vuelta al calabozo.

Allí lo visitaron varios amigos, entre ellos Saturnino Laspiur, quienes le aconsejaron deponer su intransigencia.

El joven subteniente se negó pero, al cabo de un tiempo, pensó que era necesario poner fin a la situación. Una tarde se sentó en la humilde mesa de que disponía, tomó una pluma y escribió:

Excelentísimo Señor Gobernador:

Lamento en el mayor nivel el desagrado que ha causado a V.E. el oficio que le he dirigido y que ha dado motivo a mi prisión. El no estar inteligenciado en el modo cómo un oficial subalterno debe exponer sus quejas al Superior Gobierno, ha sido la causa de haber incurrido en esta falta. Debí haber presentado a V.E. un memorial en que significándole mi situación le pidiese el ser eximido de este empleo que, aunque honorífico, me pone en el caso de perder el único medio que tengo de subsistencia y de socorrer a mi pobre familia; pero habiendo omitido este paso, me queda el recurso de suplicar a V.E. se digne dispensarme el error cometido.

Pido que se haga lugar a mi súplica y se sirva sobreseerme en esta causa.

Domingo Sarmiento

Al día siguiente, Domingo volvía al mostrador de la tienda de doña Ángela.

Mientras el general José María Paz se había puesto en Córdoba al frente de las tropas unitarias, Facundo Quiroga preparaba sus huestes federales en San Luis para atacarlo.

En San Juan, el gobernador Manuel Quiroga había sido sucedido en el cargo por José María Echegaray, también persona bien mirada por Facundo.

Se celebraba una fiesta en el Pueblo Viejo y estaban allí hombres, mujeres y jóvenes. El clima era de algarabía y había comida, música y bebidas. Domingo caminaba por el lugar cuando vio que había un grupo grande de jinetes y, entre ellos, estaba el ex gobernador Manuel Quiroga. El muchacho encendió con una cerilla un cohete y, como si fuera parte del clima festivo, lo tiró entre las patas de las cabalgaduras. Los animales se encabritaron y, en medio de la confusión, Quiroga arremetió con su caballo y encaró con enojo al jovencito:

—Usted, atrevido, lo ha hecho con mala intención.

Los restantes jinetes se habían ido acomodando detrás del coronel y presionaban amenazadoramente. Domingo balbuceó una explicación, manteniendo la vista fija hacia su interlocutor para evitar una atropellada. De golpe, el muchacho advirtió que detrás de él también se había apiñado un grupo en su defensa. Sintió que alguien apoyaba un objeto en su espalda, ofreciéndoselo. Estiró una mano hacia atrás y palpó el cañón de una pistola que le entregaban. El arma y las presencias en su respaldo animaron al mozalbete.

Luego de algunas recriminaciones, el coronel Quiroga optó por retirarse con los suyos y no darle más importancia al asunto. Domingo intentó entonces recomponerse y se estiró los bordes de la chaqueta. Cuando empezó a caminar entre los adherentes que lo palmeaban y alentaban, terminó de darse cuenta que él ya pertenecía al bando unitario y que no era en Roma o en Grecia donde debería buscar la libertad y la patria —como los protagonistas de sus lecturas—, sino precisamente allí en San Juan, en la resolución de ese conflicto político que tenía dividida a la república.

En su campamento de Renca, San Luis, Facundo aprestábase a marchar sobre Córdoba. Además de su provincia, La Rioja y de San Luis, el Tigre de los Llanos contaba con Mendoza, donde gobernaba el ex fraile Félix Aldao, y con San Juan. Pero en esta última provincia se produjo un alzamiento y se hicieron cargo del mando tres personalidades unitarias: Francisco Narciso de Laprida, ex presidente del Congreso de Tucumán, el general Rudecindo Rojo y el coronel Nicolás Vega, un ex marino español que se había pasado a las filas criollas durante las guerras de la Independencia.

Nicolás Vega se hizo cargo de las tropas unitarias y se dispuso a enfrentar a las fuerzas federales que venían desde Mendoza al mando de Francisco Aldao, hermano del ex fraile. Para preparar sus huestes, el coronel Vega montó su campamento en Pocito, unas pocas leguas al sur de la ciudad.

Domingo, en su tienda, no podía concentrarse en las ventas ni tampoco en las lecturas. Se avecinaba la guerra y él no iba a quedarse allí contemplando los hechos. No podía aguantar esa inacción. Ordenó los papeles de las últimas transacciones, cerró el almacén y partió hacia la casa de la propietaria.

—Doña Ángela —le espetó a su tía—, aquí está la llave. Me voy al Ejército.

La señora no tuvo tiempo de reaccionar, pues ya Domingo marchaba de prisa hacia la casa paterna.

Entró en la morada familiar, cruzó el patio con la higuera y anunció a su madre y hermanas que se iba hacia Pocito. Ensilló un caballo en el fondo y luego recogió algunas ropas y una espada con guarnición de entorchado que pertenecía a su padre.

Abrazó a doña Paula y luego a Bienvenida, Procesa y Ña Cleme, quienes permanecieron en fila y le recomendaron que se cuidase. Montó su cabalgadura y, echando una última mirada a sus seres queridos, enfiló al trotecito hacia el sur. Cuando dejó las últimas casas, se acordó de la marcha de Julio César hacia las Galias y de la primera salida de Don Quijote. Hacia su derecha, la quebrada del Zonda destellaba tonos ocres que se azulaban en las alturas.

Domingo llega a Pocito y es destinado al batallón que comanda Javier Angulo. A los pocos días, el coronel Vega ordena el traslado de sus fuerzas y el encuentro con los federales se produjo en Niquivil: comienzan las escaramuzas y tiroteos y Domingo, con sus 18 años, arde de impaciencia de entrar en combate. El estampido de las detonaciones, los relinchos de los caballos y el ruido de cascos en medio del tierral que se levanta, van enardeciendo al jovencito. El flamante teniente se acerca a su jefe para informarle de una comisión que ha recibido y en ese momento también se encuentra allí el coronel Vega. Éste le pide a Sarmiento que lleve al comandante de escuadrón la orden de flanquear al enemigo por la derecha.

Lleno de entusiasmo, Domingo atraviesa el campo de fuego a todo galope y, antes de arribar adonde está el comandante, advierte que éste está movilizando ya sus tropas en el sentido de la indicación, como si la hubiera adivinado. El muchacho cree sentir el silbido de las balas hasta que llega al lugar del comandante y le transmite la orden.

El jefe lo escucha casi sin detenerse y luego espolea nuevamente a su caballo arengando a sus tropas con gritos y ademanes. Domingo lo sigue a pocos cuerpos de distancia y ambos galopan cada vez más rápido. En medio del vértigo de las cabalgaduras alzadas, el polvo del combate y los alaridos salvajes de ambos bandos, los atacantes logran imponerse en el primer choque.

La táctica ha sido acertada y los unitarios logran una rápida victoria sobre los adversarios. Pero Domingo y otros compañeros continúan exaltados y, todavía gritando, salen en persecución de algunos combatientes que huyen.

Un oficial va revoleando su espada hasta que logra ponerse al costado de un soldado federal y le descerraja un sablazo en la cabeza. Domingo ve que una corona del cráneo del infeliz, como si fuera una sandía partida, vuela girando en torno de sí misma, hasta caer en el revuelto suelo.

Como la carrera se hace entre matorrales, los perseguidores deben hilarse en el camino y los fugados terminan por desaparecer.

Agotado, todavía tremendamente excitado y desbordando su satisfacción, el teniente Sarmiento se detiene con sus compañeros para reorganizarse y tomar conciencia de que ha triunfado en su bautismo de fuego. Van a saber quién soy yo, piensa eufórico.

La división unitaria entra a la capital sanjuanina y el batallón de Angulo es enviado hasta Pocito para apoderarse de algunos pertrechos dejados allí por las tropas de Aldao. Al llegar al pueblo, el jefe ordena a Domingo atacar una casa, pero los federales huyen y el teniente se apropia de municiones y tercerolas sin necesidad de combatir. También incautan setecientos caballos, de modo que se aprestan a regresar con un buen resultado.

Se dirigen a San Juan pero, en el camino, se enteran de que los federales han recuperado la ciudad. El coronel Vega, la mayoría de sus oficiales y los unitarios más prominentes están detenidos.

Angulo no sabe qué hacer y Domingo participa de esta perplejidad: no tienen adónde ir. Cabalgan hacia el oeste para evitar un encuentro con las tropas adversarias y se enteran de que en

Mendoza ha habido una sublevación de tropas federales y la ciudad ha sido tomada por los unitarios.

Domingo no vacila: hacia allí habrá de marchar. Está a punto de partir cuando llega un grupo de jinetes sanjuaninos. Clemente Sarmiento, con uno de los hermanos de Paula, viene afligido en busca de su hijo. Se saludan con afecto, se cuentan recíprocamente las últimas novedades y pasan la noche juntos en el campamento.

Al día siguiente, Domingo mantiene su decisión de ir hacia Mendoza y su padre y su tío resuelven acompañarlo. Parten junto con un peón que atiende los caballos y, en el camino, se unen con otro grupo de unitarios que tienen el mismo destino: entre ellos está Francisco Narciso de Laprida.

El camino es árido y la vegetación escasa, animada por erizados y escuálidos algarrobos. A la derecha, los Andes azulados impresionan por su presencia misteriosa. Los jinetes perciben a lo lejos el verdor de unos álamos: a poco andar, los potreros con alfalfa dejan ver las primeras casas y todos saben que están llegando a Mendoza.

Aunque Domingo ya conocía la ciudad, no tenía amigos ni relaciones en ella, salvo José Ignacio Flores, compañero de correrías en la adolescencia. Valora las calles arboladas, surcadas por acequias de rumor cantarino.

Se presentan ante el jefe de la plaza, el general Rudecindo Alvarado, quien destina a Domingo a un batallón.

Las tropas federales, al mando de Félix Aldao, *El Fraile,* se rearman en los alrededores de Mendoza. Cuando *El Fraile* se siente ya fuerte, pone sitio a la ciudad. Alvarado, a su vez, se dispone a resistir, pero sin entrar en combate franco. Las acciones se limitan a esporádicas escaramuzas, encuentros circunstanciales.

Domingo, instalado en el cuartel, quería comenzar la acción. Cada vez que escuchaba tiros, partía de inmediato sin esperar ninguna orden, para tratar de mezclarse en el entrevero. De noche, se despertaba por los estampidos lejanos y se escabullía sin más trámite por calles desconocidas, guiándose por los fogonazos hasta el sitio del combate. Allí gritaba y azuzaba el tiroteo, valiéndose de un fusil que había conseguido.

Su jefe, sin embargo, le quitó el arma y le ordenó pasar a servir como edecán. La medida había sido sugerida por el padre de Domingo, para sacarlo de las zonas álgidas.

Integrando un batallón de sanjuaninos, Sarmiento parte después hacia las tomas de agua de Luján, al sur de la ciudad. Pero al llegar al potrero del Pilar, advierten que están rodeados por las fuerzas sitiadoras y el encuentro armado parece inminente.

Domingo está desesperado por combatir. Un oficial le facilita una partida de 20 hombres para ir a escaramucear con los enemigos, y el teniente Sarmiento arde de entusiasmo. Parte de inmediato al frente de su tropa que le parece imponente: desemboca en una calle de largas paredes en cuyo fin está un grupo federal.

Ordena un tiroteo para hacer saber a los adversarios que está dispuesto a la lucha, pero percibe que ni sus hombres ni los contrarios —todos ellos milicianos— desean irse a las manos. Avanza con su caballo y provoca a los gritos al oficial contrario:

—Montonero, avestruz, cobarde...

El jefe federal da una orden a tres subordinados suyos, quienes levantan sus fusiles hacia Sarmiento y, luego de unos segundos, disparan.

Domingo mueve su cabalgadura para esquivar los balazos y ordena cargar. Los dos grupos de jinetes se encuentran y, luego de un brevísimo entrevero sin demasiado entusiasmo, cada uno se retira por su lado.

Sarmiento es el último en volver, acompañado por un jinete que viste poncho, como todos los soldados de ambos bandos. Al reunirse con los suyos, se dan cuenta de que el acompañante es un combatiente federal, que en el bochinche se ha confundido de lado. Algunos amenazan matarlo, pero Sarmiento los contiene con un gesto y el jinete huye hacia su sector. Domingo sale por detrás y con un empujón de su caballo y un manotazo sobre la espalda, lo desmonta cuando está a punto de reunirse con su gente. El hombre cae a la acequia y Domingo se apodera del caballo y retorna a su bocacalle. Ha triunfado en su primera batalla como jefe y la cabalgadura ensillada es su trofeo.

Pocas horas después, Sarmiento habría de comprobar que en la guerra no todo era victoria ni idealismo.

La batalla del Pilar se desata abiertamente y el fuego de artillería llueve sobre las tropas unitarias, que responden también con cañonazos y tiros de fusil. A la mañana siguiente se reanuda el fuego y las caballerías parecen prontas a enfrentarse. Pero la población de Mendoza, que desde la distancia ha escuchado durante dos jornadas el sombrío ruido de las armas, resuelve encomendar a una comisión de sacerdotes y ancianos una misión de paz.

A la siesta, se inician conversaciones entre los bandos y un respiro de optimismo se establece en ambos ejércitos. El aire es diáfano y en el campamento unitario se recibe a Francisco Aldao, para arreglar las condiciones de un armisticio. Hacia el oeste, la cordillera recibe el sol primaveral y esparce sus rayos entre las áridas quebradas, que parecen tragar los resplandores.

Aldao comienza a conferenciar con el comandante unitario y los oficiales permanecen expectantes. A lo lejos se advierten movimientos de artillería en las tropas sitiadoras. La inquietud nace entre los jefes unitarios, quienes interrogan con la mirada a Francisco Aldao, quien tampoco se explica el porqué de esas maniobras.

De golpe, los cañones federales inician el fuego y la artillería cae en el lugar de la deliberación. También la caballería federal parece iniciar una marcha de ataque.

La confusión es general y Aldao está atónito. Mira despavorido y sus ojos parecen decir:

—¡Mi hermano debe estar borracho...!

—Traición —grita un oficial unitario. Saca su pistola y dispara sobre Francisco, quien cae muerto en medio del atolondramiento.

El comandante unitario nota que su caballería está pronta a desbandarse y a atacar y corre hacia ella, para contenerla. Domingo oscila entre el desconcierto y la indignación y atina a disparar, con otros oficiales, detrás de su jefe: la metralla pica alrededor y los gritos de confusión alternan con los primeros ayes. Cuando llegan a los caballos, los relinchos y corcovos hacen girar a jinetes y monturas y los soldados salen en todas direcciones, sin control ni objetivo.

En medio del desorden, Domingo advierte que infantes y jinetes federales avanzan sobre ellos a través de algunos tapiales abiertos a cañonazos al grito de "Federación o Muerte". El combate es desigual porque la infantería unitaria también ha sido víctima de la sorpresa. Sarmiento pelea a sable y, en medio del tierral, ve acercarse a su padre:

—La batalla está perdida, Domingo. Vámonos ...

El hijo responde con un gesto negativo y sigue tirando sablazos a diestra y siniestra.

También Francisco Narciso de Laprida se acerca al joven comprovinciano indicándole el peligro y la conveniencia de cesar la lucha. En el fragor del combate, Domingo lo ve alejarse en busca de su destino trágico.

El sol se escondía detrás de los Andes y los tonos azulados se derramaban sobre las estribaciones. Los resplandores rojizos chocaban entre sí e iluminaban a fugaces nubecillas.

Cuando Domingo vio que a su lado moría un compañero, decidió montar y emprender la retirada. Ya nada más podía hacerse. Tomó por un callejón en dirección a Mendoza, mientras el crepúsculo parecía descender desde las montañas. Un soldado enemigo les cerraba el paso, pero entre Sarmiento y un compañero lo sacaron del lugar. Aunque se alejaba del sitio de la batalla, la confusión no disminuía. En los callejones había jinetes y los adversarios se mezclaban con los compañeros. Pasó al lado de unos soldados que peleaban a sable y lanza, pero no pudo distinguir a qué bando pertenecían.

La noche está comenzando a caer y la cordillera es ya más una mole presentida que imponente. El combate del Pilar se extingue y sólo subsisten duelos aislados, gritos y persecuciones. Diezmados y desbandados, el grueso de los unitarios ha huido pero quedan en el campo heridos y prisioneros.

José Félix Aldao, el temible *Fraile,* llega con su caballo hasta el sitio donde habían deliberado los jefes de ambos bandos. Al sujetar su cabalgadura se lo ve bambolear muy suavemente, como si el alcohol o la violencia lo hubieran mareado. Sobre una cureña, reposa un bulto cubierto con un poncho negro. Un grupo de oficiales y soldados federales lo rodea en silencio.

El caballo culmina su frenada sentándose brevemente sobre sus patas traseras. Siguiendo el impulso de la bestia al enderezarse, *El Fraile* apoya su peso sobre el estribo izquierdo mientras su pierna derecha se alza hacia atrás y describe un arco sobre su cabalgadura. Pisa tierra y se dirige resueltamente hacia la cureña. Levanta el poncho y ve el rostro rígido de su hermano Francisco.

Medita un instante. Toma la lanza de un soldado y camina unos metros hasta donde están varios oficiales unitarios hechos prisioneros. Se para frente a uno de ellos y lo atraviesa de un lanzazo en el estómago. La sorpresa se convierte en furor colectivo y *El Fraile* y sus tropas se abaten con lanza y cuchillo sobre los enemigos apresados. El degüello se extendió hasta la madrugada.

Ofuscado de dolor e impotencia ante la traición y la derrota, Domingo avanza por una callejuela tapiada, que divide alfalfares de viñedos. Unitarios aislados huyen como él, mientras se cruzan con soldados federales que vienen en sentido contrario, hacia el campamento de los vencidos, para sumarse al degüello y al festín de la victoria. El anochecer agrega una nota sombría a las escenas.

Adelante de Sarmiento, dos unitarios huyen en un solo caballo. Un soldado federal los persigue tratando de clavar su lanza en el hombre que va en ancas. Domingo y otros camaradas apresuran sus cabalgaduras y se ponen al lado del agresor, tratando de agarrar la lanza, que ya casi toca la espalda del perseguido. Pero es tarde: el grito de triunfo del atacante y el movimiento de dolor del enancado, que se bambolea y cae, confirman que el embate se ha consumado.

Domingo piensa que se ha salvado de caer prisionero, pero una partida se interpone a su paso y no tiene más remedio que entregarse. Obligado a bajar de su caballo y entregar sus armas y su uniforme, escucha los comentarios sobre los degüellos que están produciéndose en el sitio de la batalla. Pero al menos la tensión de la huida ha disminuido y experimenta un leve alivio. Poco después, es entregado al coronel José Santos Ramírez, jefe federal que marcha hacia Mendoza con un grupo de heridos y prisioneros. Paralelamente a la columna de Ramírez, otros grupos federales comienzan a dirigirse a Mendoza para dedicarse al saqueo.

Un trompa azul viene tocando a degüello. Cuando está a unos diez metros, Sarmiento y el soldado se reconocen mutuamente: es un mulato sanjuanino, ex criado de una familia amiga, a quien Domingo en Niquivil castigara con unos mandobles. El morocho deja la corneta, empuña el sable y con gesto entre triunfante y vengativo recrimina al teniente por aquellos golpes.

Sarmiento no se amilana y de inmediato, como si más que un prisionero fuese un oficial del bando ganador, lo amenaza:

—Cuando vuelva a mandarte te daré otros palos, mulato atrevido...

Sorprendido, el moreno lo mira en silencio unos instantes. Masculla una maldición, guarda el sable y, tomando otra vez el instrumento, espolea su cabalgadura y sigue su camino.

Ramírez tenía amistad con el general Benito Villafañe, quien a su vez era amigo de varios parientes de Sarmiento. Por ello le dio buen trato y, al llegar a Mendoza, lo alojó en su propia casa.

Al cabo de un par de días de encierro en la casa del comandante Ramírez, llegó la orden de fusilar a todos los oficiales sanjuaninos que hubieran sido tomados prisioneros en la batalla de Pilar.

Domingo estaba en su habitación cuando escuchó que Ramírez conversaba en la galería con una comisión militar. Por el tenor de las voces, intuyó que venían a buscarlo. Y la palabra de su anfitrión le llegó con toda nitidez:

—No caeré en el oprobio de entregar un huésped de mi casa, para que sea llevado al patíbulo. El teniente Sarmiento es mi prisionero de guerra y no saldrá de acá...

Minutos después, Ramírez entraba a la habitación para charlar con Sarmiento:

—He prometido a sus tíos y al general Villafañe —le dijo— ocuparme de usted.

Serio, ceñudo, Domingo lo miró con reconocimiento en sus ojos.

En los días siguientes, varios oficiales sanjuaninos caían fusilados.

Domingo fue entregado a su tío José Ignacio Sarmiento, el marido de su madrina Paula de Oro, quien había venido desde San Juan a buscarlo y protegerlo. Tío y sobrino se despidieron del coronel Ramírez y sus familiares y partieron a caballo a San Juan. Domingo marchaba furibundo, a pesar de haber salvado la vida. Aunque agradecido hacia Ramírez, los hechos del Pilar le habían confirmado que los federales eran unos bárbaros.

José Ignacio lo dejó desahogarse, pero luego sentenció:

—Los unitarios son ilustrados y quieren constituir el país, pero las masas están con nosotros y hemos de vencerlos siempre...

Rumiando su rencor, el joven teniente se quedó pensando.

Al llegar a San Juan, Domingo queda detenido en su propia casa. Allí se estrecha en un abrazo con Paula y sus hermanas. También está Clemente, quien al huir de la batalla del Pilar se había quedado en los alrededores, tratando de averiguar la suerte corrida por su hijo. Como si estuviera avergonzado de haberse salvado, Clemente anduvo rondando las avanzadas hasta que cayó prisionero y fue enviado a San Juan. Allí estaba Facundo, quien ordenó que lo fusilaran. Puesto en capilla y avisado que le daban un plazo de dos horas para prepararse, Clemente había pedido al oficial que le comprara empanadas y vino: comió, bebió el tintillo y se adormiló. Vencido el plazo, le comunicaron a Quiroga que el reo se encontraba durmiendo. El *Tigre de los Llanos* se sonrió y admitió que fuera rescatado mediante una contribución de dos mil pesos, que la pobre Paula debió conseguir con gran esfuerzo.

Domingo abrazó a su padre con afecto, sintiendo que el trato que le había dado Facundo significaba una nueva humillación para toda su familia. Federales brutos, pensó.

¿Qué hacer con 18 años de edad y en prisión domiciliaria? Domingo decide estudiar francés. Había llegado a la ciudad un ex soldado de Napoleón, quien viene a la casa a darle algunas clases, pese a que no domina la gramática de su idioma ni habla bien el español. Pero el empeño del joven cautivo es impresionante y se pasa todo el día en la mesa del comedor con los libros, estudiando y traduciendo, con la ayuda de un diccionario, palabra por palabra. Solamente aparta los volúmemes para cada comida y, por las noches, a la luz de una vela, estudia hasta las dos de la madrugada. Aunque no conoce la pronunciación, al cabo de varias semanas puede leer y se despacha varios libros. Lee las *Memorias* de la emperatriz Josefina y recuerda que Napoleón quería entrar en la historia con el Código Civil bajo el brazo. Cuando el emperador partía en campaña, iniciaba las cartas a su amada con el idioma de su infancia corsa: *Mio dolce amore...* El lenguaje de esa juventud en la que había sufrido tantas humillaciones.

En diciembre de 1829, mientras Domingo continúa afanoso el estudio del francés, es elegido gobernador de Buenos Aires Juan Manuel de Rosas, a quien la legislatura de esa provincia le concede facultades extraordinarias. Poco después, Facundo Quiroga era vencido en Oncativo, provincia de Córdoba, por el general José María Paz.

En esos días, Sarmiento recupera la libertad pero no se siente bien en San Juan. Junto con otros oficiales unitarios resuelve cruzar la cordillera hacia Chile, en grupos aislados de dos o de tres. Se reúnen en Santiago y, entre doce, alquilan una casa espaciosa con el objeto de almacenar armas y municiones para continuar la campaña contra los federales en su provincia.

Enterados de que tropas del general Paz marchan sobre Mendoza, resuelven unirse a ellas: cruzan de vuelta la cordillera por el paso de Los Patos y llegan hasta Leoncito. Allí les avisan que ha habido una nueva revolución en San Juan, realizada por los unitarios. Alegres, ahora optimistas, Domingo y sus compañeros regresan de inmediato a su provincia.

El joven teniente Sarmiento se presenta ante el nuevo gobernador, quien lo asciende a ayudante del Escuadrón de Dragones de la Escolta y lo designa asistente del comandante Bárcena, importante jefe militar, con asiento en el cuartel de San Agustín.

Bárcena es hombre de muy mal carácter, aficionado a la bebida y tiene fama de haber ordenado muchos degüellos, pero Domingo logra convivir y servirle sin mayores problemas. Sus tareas —como la de cualquier oficial, en un ejército de tropas improvisadas— consisten en pasar listas, ordenar las guardias, enseñar a marchar de cuatro en fondo y distribuir raciones.

También está encargado de supervisar el castigo de azotes, que se aplica a los soldados indisciplinados. Una tarde, debe dirigir una azotaina en presencia del comandante Bárcena. Se desnuda la espalda del castigado y un cabo debe golpearlo con una vara de membrillo. Domingo se para detrás del suboficial con una espada desenvainada, para corregirlo si éste castiga suavemente o con demasiado rigor.

Comienzan los varillazos a marcar el lomo del infeliz soldado, pero la intensidad no es la correcta. Sarmiento intenta enmendar el procedimiento con un par de planazos sobre el cabo, pero no lo logra. Impaciente y con algunos aguardientes encima, Bárcena se arroja sobre el suboficial y le pega unos cintarazos. Como el deficiente castigador intenta cubrirse, el jefe saca su espada y le tira unas estocadas, pero no logra atravesar su ropa de cuero. Domingo primero se sorprende, pero luego avanza unos pasos y se interpone:

—Repórtese, mi comandante. Ésta no es su función, sino la mía.

Bárcena lo mira, envaina su sable y se retira mortificado por no haber podido herir al cabo.

Aburrido con las tareas comunes, el ayudante Sarmiento se dedica a aprender y enseñar táctica militar a los otros oficiales, además de llevar registros y libros de órdenes.

A las pocas semanas arriba a San Juan un contingente de tropas enviadas por el general José María Paz, el jefe unitario que está haciéndose dueño del centro de la república. Al frente viene el coronel Albarracín y lo integran un escuadrón de coraceros de la Guardia y una compañía de negros, veteranos de la guerra con el Brasil. Bárcena recibe orden de integrar su batallón a las fuerzas de Albarracín y, de ese modo, Sarmiento pasa a ser un oficial de Coraceros, con destino en el cuartel de San Clemente, a dos cuadras de la tienda de su tía. Se trata ya de un ejército de línea, con cierta profesionalidad, y el joven está orgulloso con el cambio.

Como tiene una buena instrucción, sabe redactar notas y hasta conoce algo de francés, se constituye en un oficial insustituible para ciertas tareas intelectuales. Por ello, además de sus quehaceres castrenses, se le otorga el rol de fiscal en todos los procesos militares. Incansable lector, se dedica a estudiar las ordenanzas castrenses y piensa que ha llegado a dominarlas casi a la perfección.

Todas las noches Domingo debe enviar su parte al jefe del Detall, un oficial de origen inglés. Las dos palabras invariables son "Sin novedad". Pero Sarmiento no ha olvidado su afición por el dibujo y su desenvoltura intelectual le permite hacer algunos juegos de humor: cada jornada, enmarca la frase sacramental en un arco de triunfo, el tímpano de un frontis griego, una corona de laureles o una guirnalda de flores. Finalmente, un día escribe simplemente *All right.* El jefe se ríe, pero exhorta al ayudante a comportarse con seriedad.

Además de dar instrucción militar a los reclutas, un Ayudante debe inculcarles la severa disciplina del cuartel y proporcionarles nociones de táctica. Domingo lo hace con verdadera vocación docente y entonces el jefe de la Academia de Táctica para oficiales lo pide como secretario. A los tres meses, se realiza un ejercicio de estrategia y Sarmiento es el primero en resolverlo. El jefe lo mira aprobatoriamente y dice:

—Ayudante, desde ahora usted será mi segundo y podrá sustituirme...

Domingo mira a sus compañeros, saca levemente el pecho y su satisfacción llega a los límites de la infatuación.

El Escuadrón de Coraceros se apresta a partir en operaciones hacia los llanos, pero debido a la comisión que cumple en la Academia de Táctica, Sarmiento se queda en el cuartel de San Juan.

A los pocos meses llega a la ciudad el coronel Indalecio Chenaut, a quien el general Paz ha encargado levantar un nuevo regimiento. Chenaut solicita a Domingo como asistente por 30 días y, al finalizar el plazo, le dice:

—Nos entendimos muy bien. Por eso siento que nos deje, ayudante...

—Capitán Sarmiento, si Ud. lo dispone.

Chenaut se sonríe ante la insinuación de Domingo, y le explica que le resulta imposible otorgarle un ascenso solicitado en forma tan intempestiva como original.

A solicitud del gobernador, Sarmiento colabora en la formación de nuevos cuerpos de milicia, que se establecen en la quebrada del Zonda.

En noviembre de 1830, una rebelión de presos conmueve a San Juan. Los comanda un detenido apodado el *Negro* Panta, quien al frente de los amotinados se apodera de la Casa de Gobierno, luego de asesinar a un oficial y encerrar a varios militares. Posteriormente, los sublevados prenden a varios vecinos ricos con el objeto de obtener rescates y se dedican al saqueo. En un primer momento, se interpreta que podría tratarse de una sublevación política de carácter federal y esto produce una gran conmoción en la ciudad.

Sarmiento, quien es amigo del oficial ejecutado, se asusta al conocer la noticia. Le presta su caballo a su padre, para que huya, y él decide buscar refugio en la casa de un amigo federal: José Ignacio Flores.

A la mañana siguiente, sin embargo, el coronel Rudecindo Rojo logra retomar el control de la ciudad. Con sólo 7 hombres, Rojo se presenta en la Casa de Gobierno y reduce a los amotinados. Luego se dirige a la plaza donde sesenta rebeldes se encuentran en fila con su cabecilla. Al advertir la resolución del coronel, los insurrectos huyen y se dispersan en varias direcciones, mientras algunos son apresados y conducidos al cuartel de San Clemente.

Al enterarse de que el peligro había pasado, Domingo se dirige presuroso hasta el cuartel y llega en el momento en que se procede a fusilar a cuatro de los amotinados. Las ejecuciones van a continuar, pero a los pocos instantes llegan el propio coronel Rojo, el coronel Vega, y otros jefes unitarios, con la orden del gobierno de suspender los fusilamientos.

Instruyendo reclutas en la quebrada del Zonda, Domingo cumple sus 20 años. En esos días, Facundo Quiroga parte de Buenos Aires con un batallón de 400 hombres hacia el centro de la república y se apodera de Río Cuarto. Sus tropas van engrosándose y *El Tigre de los Llanos* marcha hacia San Luis, donde vence y derroca al gobernador unitario, que responde al general Paz.

Estas noticias inquietan a San Juan y el gobernador resuelve salir en campaña para tratar de atajar a Facundo: se alistan los batallones del Zonda y parten hacia Las Lagunas. Con ellos va el ayudante Sarmiento.

Mientras están en Las Lagunas, los hechos se precipitan: Facundo vence a los mendocinos en Rodeo de Chacón y, al conocerse en San Juan esta alternativa, caen las autoridades unitarias y asume la gobernación el federal José Tomás Albarracín. De inmediato, designa a José de Oro como su ministro, el antiguo exiliado de San Francisco del Monte.

Una noche, doscientos jinetes sanjuaninos llegan al campamento de Las Lagunas: van huyendo hacia Chile y sus rostros sombríos presagian oscuras perspectivas. Se reúnen con los militares unitarios y les cuentan los sucesos de Mendoza y San Juan. Enterados del desastre, se dan cuenta de que no queda otro recurso que huir otra vez hacia Chile.

Se resuelve partir en dos grupos: uno pasará por el camino de Coquimbo y hacia allá van el general Vega, los Del Carril y otros sanjuaninos destacados. El otro atravesará la cordillera por el paso de Los Patos: Domingo irá por allí, con el encargo de cuidar la retaguardia y conducir un arreo de ganado. Sarmiento parte acompañado de su padre, veterano en estas lides que tampoco ahora van a enriquecerlo.

Sobre el filo de una montaña, ven un desfiladero cubierto de tropas federales. Se limitan a observarlos y no son atacados. Detrás de los picos más altos, Chile los atrae por su atmósfera de libertad y salvación, pero también les anticipa los sinsabores del exilio.

Durante la marcha, un último episodio habrá de conmoverlos: una noche, en la Quebrada del Tilo, se produce un encuentro entre federales y unitarios. El general Benito Villafañe y dos de sus subordinados caen asesinados. Es el jefe federal que, con su recomendación a Ramírez en Mendoza, había salvado a Domingo del fusilamiento.

6

AMOR EN LOS ANDES
(1831-1836)

El descenso alivió la marcha de los animales y tranquilizó el ánimo de los fugitivos: se encontraban ya en tierra chilena, donde no podía alcanzarlos el fragor de la guerra civil ni las persecuciones políticas.

Las vacas marchaban adelante con sus cabezas agachadas, avanzando con pasos cortos sobre el suelo árido y pedregoso, tornando a derecha o izquierda en busca de terreno más firme. Los caballos se limitaban a seguirlas, intuyendo que el rumbo vacuno era el más seguro.

Obligado por el descenso, Domingo extendía sus piernas hacia adelante y sostenía su cuerpo sobre los estribos: marchaba ceñudo, rumiando sus pensamientos de flamante proscripto. Después de la corta victoria de Niquivil, las dificultades militares se le habían venido encima. Con veinte años y medio de edad, por segunda vez marchaba derrotado a Chile.

Al doblar una curva, divisaron allá abajo el pueblo de Putaendo, que Clemente conocía muy bien por sus travesías.

Un pariente de ellos era el gobernador de la región y los recibió en su propia casa con hospitalidad. Una mañana el funcionario llevó a sus familiares a la esquina noroeste de la plaza y señaló a un aguaribay:

—Acá ató su caballo el general San Martín —les dijo—, cuando llegó con su ejército desde Mendoza.

A los pocos días, Domingo decidió pasar al pueblo vecino de Los Andes, que por ser más grande podía ofrecer mejores oportunidades de vida. Se despidió de su padre, que regresaba a San Juan, y partió para allí.

Instalado ya en Los Andes, un bucólico sitio al pie de la cordillera rodeado por cuatro alamedas, recibió las primeras noticias de su tierra: al enterarse Facundo Quiroga en Mendoza del asesinato del general Benito Villafañe y de que su propia madre había sido desterrada desde La Rioja a Chile, tuvo una cruel reacción. Hizo llamar a su presencia a veintiséis oficiales unitarios que tenía prisioneros y, cuando éstos creían que iban a ser liberados, ordenó su fusilamiento.

Consciente de la imposibilidad de su regreso inmediato, Domingo decidió ofrecerse como maestro de la única escuela de la población, que consistía en un simple cuarto en el edificio de la gobernación, en una esquina de la plaza de armas. La pieza era humilde y carecía de todo mobiliario. Debido a las recomendaciones de las familias que allí lo conocían, el puesto le fue concedido con un sueldo de 13 pesos, que si bien era exiguo, al joven exiliado le resultó una ayuda inapreciable.

Los Sarmiento tenían amistad con un ciudadano de origen sueco, don Pedro Bari, cuya quinta en la alameda del Recreo estaba rodeada de rejas de hierro y cubierta con floridas enredaderas. Domingo asistía a su tertulia y a las de otros vecinos quienes, enterados de que había sido docente en San Luis e instructor del ejército unitario, comenzaron a enviar a la escuela a sus hijos e incluso a algunas de las hijas mujeres. Entre otras concurrían como alumnas tres de las hijas de Bari: Agustina, Dolores y Merceditas.

Cada vez que sus alumnos vacilaban sobre alguna respuesta o cuestión, el maestro dirigía la pregunta a Merceditas Bari, pretendiendo que la jovencita se luciera. Merceditas solía ponerse colorada y toda la clase comenzó a darse cuenta de que la preferencia que Domingo mostraba por esta bella adolescente parecía exceder la finalidad académica.

A los conocimientos teóricos que Domingo había adquirido en la Escuela de la Patria y luego con su tío, se habían sumado las múltiples lecturas y la experiencia militar, de modo que frecuentemente se encendía en sus alocuciones y éstas resultaban vibrantes y apasionadas.

Una alumna menos agraciada, Jesús del Canto Avendaño, miraba siempre admirativamente al maestro, pero los ojos y la atención del sanjuanino estaban destinados a Merceditas.

Una noche, durante una tertulia con música en la quinta de los Bari, Domingo invitó a bailar una contradanza a Merceditas. Pero ella se excusó, mientras se retiraba haciendo miradas significativas a sus amigas y hermanas.

Poco después, Jesús se acercaba a él y le decía:

—Usted es un tonto. Sólo tiene ojos para ella y no se da cuenta de que Merceditas se burla de usted: lo llama carantón y basilisco, por su mirada...

El frustrado maestro sintió el impacto de la humillación. Por primera vez se fijó en el rostro de Jesús y notó sus ojos encendidos.

Las novedades que llegaban de las Provincias Unidas no eran buenas: el general José María Paz había caído preso y el ejército unitario estaba descabezado. Aráoz de Lamadrid había asumido el mando y había marchado hacia su provincia, Tucumán, para tratar de rearmar sus tropas.

Facundo, a su vez, había entrado en San Juan, para reunir dinero y soldados. Quería marchar sobre Tucumán a derrotar a Lamadrid, quien había desterrado a su madre. Para costear su expedición, el *Tigre de los Llanos* había impuesto contribuciones a sus vecinos y, entre ellos, Paula Albarracín de Sarmiento debía entregar seis novillos gordos.

Angustiada, Paula no sabía qué hacer, pues no tenía dinero ni podía reunirlo. Pero el mismo ministro que había firmado la imposición, el clérigo José de Oro, se presentó en su casa.

—No llore, no sea zonza —le dijo de entrada—. Acabo de mandar a un hombre a mi estancia de Los Sombreros para que le baje ocho novillos gordos: seis para que pague la contribución y dos para que haga sus provisiones de invierno...

Domingo cruzó la plaza y, al llegar a la Gobernación, le avisaron que había recibido carta.

Querido hijo:

Una de tus cartas en la que hablas mal de Quiroga ha llegado hasta sus manos por una infidencia y me hizo llamar a la Casa de Gobierno. Aunque no conocía yo la causa, fui muy inquieta pensando en tu seguridad y en la de tu padre. Ni siquiera se paró al recibirme y, desde su silla, me mostró una misiva diciéndome: su hijo me califica de bandido. Es un insolente. Cuando lo prenda lo haré fusilar.

Salí con la angustia que te imaginas y quiero pedirte que seas prudente y que te cuides. En estos momentos en nadie puedes tener confianza. Te quiere como siempre, tu

Paula

Sentado en su aula, Domingo apoyó la misiva sobre sus rodillas y murmuró:

—Miserable...

Despechado por el desdén de Merceditas Bari, el joven maestro empezó a fijarse más en Jesús del Canto Avendaño, hija también de una de las principales familias del lugar. Durante las clases, la muchacha lo miraba embobada y siempre estaba dispuesta a expresar su asentimiento o demostrar su admiración. Fuera de la humilde escuelita, en las actividades sociales de los jóvenes de la población, Jesús buscaba la compañía y la palabra de Domingo.

Al llegar la primavera, los días más templados animaron el ánimo del exiliado sanjuanino. Los árboles lanzaban sus tímidos brotes y las primeras flores coloreaban los jardines. Un sábado de octubre, las chicas y chicos de la población resolvieron ir de paseo hasta el río Colorado. Las muchachas prepararon canastas con vituallas y, acompañadas por algunas damas mayores, partieron todos por la alameda del Recreo. El aire era fresco y diáfano y la cordillera se mostraba clara e imponente. Sauces mecidos por la brisa, durazneros con incipientes frutos y naranjos con hojas de un verde terso y apabullante, enmarcaban la alegría juvenil. Jesús caminaba a la par de Domingo, escuchando su charla. Consciente siempre de su papel de maestro, Sarmiento se mostraba exuberante y conversaba y explicaba en voz alta, como pretendiendo ser oído por todos. Pero la mayoría de los excursionistas se dispersaban por el camino, más atentos a la naturaleza y a los ardores de la juventud, que a las voces del ceñudo docente.

Almorzaron en un vado del río, acariciados por el rumor fragoroso del agua entre las piedras, que a Domingo le recordó los sonidos de los baños del Zonda.

Al caer la tarde regresaron casi en silencio, acompañados por la melancolía de los árboles que oscurecían sus follajes taciturnos. Sin romper su mutismo, Jesús tomó la mano de Domingo y los dos jóvenes aminoraron el paso, sintiéndose unidos por una calidez espiritual exaltada por el ambiente de la montaña. Estaban ya cerca del pueblo cuando se sentaron en un recodo, sobre un pedazo de hierba que bordeaba la ladera. Los pájaros espaciaban sus trinos y aleteaban sobre las ramas, esperando el sueño.

Se confundieron en un beso largo y luego hicieron el amor. Domingo sintió que se perdía en un olvido que lo redimía de sus humillaciones como hombre y de las amarguras del destierro.

La fiesta de Nochebuena se prolongaba y uno de los jóvenes propuso:

—Subamos a la torre de la iglesia, para ver el amanecer desde allí...

Partieron para allá, con la idea de contemplar la aurora sobre la cima de los Andes. Cuando clareaba y los primeros resplandores trepaban por detrás de las montañas, empezaron a bajar por la escalera guiándose por el pasamanos pues el interior de la torre permanecía oscuro. Domingo era uno de los últimos y de golpe sintió que su mano no tocaba madera, sino estiércol humano o animal. Tanto él como los que habían descendido adelante habían sido objeto de una pesada broma de Navidad, pero Sarmiento decidió no dejarla pasar. A cada uno de los muchachos que veía le decía en voz baja:

—¡Qué buen chasco...! A mí no me tocó porque venía último, pero estuvo genial... ¿Quién habrá sido el autor?

Finalmente, la vanidad perdió al bromista.

—Fui yo —contestó en voz baja— pero no digas nada.

Poniendo su mano recargada y maloliente sobre la cara del pícaro y apretándola sobre su boca, Domingo le espetó:

—Anda a lavarte, cochino, y cuenta con mi silencio, que ahora aprenderás a no profanar escaleras...

El maestro Sarmiento consideraba que los elementos que tenía para su enseñanza eran "librotes abominables", por lo dogmáticos y confusos. Eliminó las *Cartillas cristianas* y dio preferencia al aprendizaje de la lectura y escritura, además de suplantar el método del deletreo por el del silabeo, por entender que rendía mejores frutos intelectuales.

El gobernador de la región no compartió las novedosas técnicas del exiliado docente y ordenó su supresión, pero Sarmiento las defendía:

—Son métodos modernos que mejoran la enseñanza —le explicaba— y no llenan las mentes infantiles de supersticiones o terrores religiosos...

—Pues tendrá que ir a practicarlos en otro lado, jovencito, pues aquí gobierno yo —concluyó terminante el funcionario.

Al cabo de un año de exiliado en Los Andes, Domingo se encontraba sin trabajo y sin saber qué hacer. Volver a San Juan no era posible. Facundo había ido con tropas hasta Tucumán y allí había vencido en la Ciudadela al general Aráoz de Lamadrid. El jefe derrotado se había exiliado en Bolivia y los federales tenían el control de todo el país.

Sin dinero, Sarmiento debió pedir unos pesos prestados a sus amigos, para poder sobrevivir. Al cabo de unas semanas, recibió una ayuda económica desde su provincia y decidió instalarse en Pocuro, una pequeña aldea dos leguas al sur de Los Andes.

Pagó sus deudas y marchó para allí, con la idea de montar un bodegoncito con la pequeña suma de que disponía. Como en Pocuro no había escuela, unos padres del lugar lo alentaron a instalar una, para enseñar a leer a sus hijos.

Alquiló un pequeño local donde despachaba bebida a los parroquianos, reviviendo de algún modo las tareas de dependiente de tienda que había ejercido en San Juan.

Los vecinos le prestaron unos muebles viejos y resolvieron pagarle una modesta suma por cada alumno, de modo que Domingo alternaba en el mismo ranchito sus tareas de bolichero con las de maestro. Más le satisfacía esta última y entre sus alumnos se contó un pariente, Domingo Soriano Sarmiento.

Como el bodegón no le rendía, decidió cerrarlo y continuar su labor de docente de primeras letras. Se divertía con las chicas y muchachos del lugar, con quienes iba de valle en valle a los bailes y festivales, entre Putaendo, Los Andes y San Felipe de Aconcagua.

Fue durante una de esas giras que se encontró de nuevo con Jesús.

Domingo estaba muy contento de verla, pero ella parecía esquivarlo y algo misteriosa. Finalmente le confesó la razón:

—Estoy embarazada de varios meses, Domingo....

Una fría mañana de julio, Domingo estaba con sus alumnos en el aula cuando se llegó hasta allí una amiga de Jesús, que venía desde Los Andes. Hicieron un aparte y ella le dijo en voz queda:

—El parto va a ser esta semana, según parece...

Sarmiento avisó a sus discípulos que estaría unos días afuera y partió para Los Andes. Se hospedó en casa de un amigo y le hizo avisar a Jesús que ya estaba allí. Una tarde, una criada de los Del Canto le avisó que la comadrona había ido hasta la casa, pues la niña estaba con contracciones. Domingo marchó hacia los fondos de la morada y se paseaba nerviosamente por el lugar, mirando hacia la tapia posterior. Al cabo de una hora asomó la cabeza la empleada. Sarmiento se trepó a una roca y vio que la muchacha envolvía en sus brazos a una criatura.

—Es una mujercita... —dijo la sirvienta con orgullo.

Domingo sintió que su respiración se agitaba y lágrimas le subían hasta los ojos. Extendió sus brazos y recibió a la beba, envuelta en paños. Regresó hasta la casa de su amigo lentamente, lleno de emoción y pesadumbre. Las mujeres de la casa acostaron en una cuna a la bebita y Domingo, esa noche, le escribió a su madre. Le contó del nacimiento y le anticipó que, cuando el frío disminuyese, se la enviaría a San Juan para que ella y sus hermanas la criasen. "Se llamará Faustina", anunció.

A los dos años de destierro en Chile, Domingo resolvió dejar Pocuro y marchar a Valparaíso: ya que no podía volver a su patria, quería vivir en una ciudad más grande y conocer el mar y la vida portuaria.

Al llegar a Valparaíso, le impactó la belleza de la bahía y la inmensidad del océano Pacífico. Se alojó en una posada de la zona del puerto, al pie de unos morros que se levantaban imponentes y otorgaban al área un entorno muy pintoresco. En sus cimas algunos extranjeros, alemanes e ingleses, empezaban a construir coloridas casitas.

Aunque no era una ciudad mucho más grande que San Juan o Mendoza, impresionaba su movimiento comercial derivado del tráfico marítimo.

Con algunas recomendaciones que traía de Pocuro y Los Andes, consiguió trabajo como dependiente en una casa de comercio, con un sueldo de una onza por mes. Era un salario exiguo, pero le alcanzaba para pagar una pensión y todavía le quedaba una buena parte. ¿Qué hacer con ese dinero? Se decidió a estudiar inglés, pues le atraía caminar por la calle de la Aduana y ver los almacenes y negocios de firmas británicas con letreros en ese idioma.

Aprenderé lo que significan esas palabras —se dijo— y podré leer los libros de autores ingleses en su propia lengua.

Contrató a un profesor de inglés para que le diera clases y destinaba todas las horas libres a este empeño. Al sereno de la posada le daba una propina de dos reales por semana para que le despertara a las 2 de la madrugada, y así poder estudiar cinco horas antes de marchar al trabajo. A las 7 desayunaba prontamente y partía hasta la tienda. B-R-I-T-I-S-H H-O-U-S-E deletreaba Sarmiento un cartel mientras caminaba y, en cuanto podía, consultaba el diccionario para enterarse de que "ouse" significaba casa, sin que nunca más pudiera pronunciar la palabra correctamente con la hache aspirada.

En la provincia de Atacama se habían descubierto unas ricas minas de plata y muchos emigrados argentinos habían marchado hacia allí, en busca de trabajo y fortuna. Luego de casi un año en Valparaíso, Domingo decidió partir también.

Comunicó su decisión a su patrón, se despidió de sus amigos y relaciones y tomó un pasaje en barco hacia el puerto del Huasco.

Acodado en la cubierta del velero, Domingo pensaba en su suerte y en su destino mientras avanzaba hacia el norte por el Océano Pacífico. De chico no había podido ingresar al Colegio de Montserrat en Córdoba ni al Colegio de Ciencias Morales de Buenos Aires, pese a pertenecer a una antigua familia sanjuanina, emparentada con sacerdotes y hasta obispos.

La bahía de Valparaíso había quedado atrás y Sarmiento divisaba las costas marrones satinadas de algunos chañares, cada vez más raleados en los toques verdosos de sus pequeñas hojas. Onduladas montañas le anticipaban la presencia de minerales y, mucho más al este, detrás de su conocida cordillera, intuía la presencia de ese país al que no podía regresar, por estar ahora completamente en manos federales.

En San Luis, en San Francisco del Monte, se había empeñado en aprender todo cuanto su tío José de Oro podía enseñarle y además, pese a sus pocos años, se había convertido en maestro de los ignorantes jóvenes del lugar.

Al desatarse la guerra civil, se había enrolado en el bando unitario por entender que la razón y el progreso del país estaban del lado de estos hombres, que buscaban superar el atraso y las supersticiones de los tiempos de la colonia española. Pese a sus años de aprendizaje y empeños, sin embargo, la suerte militar le había sido adversa y ya llevaba tres años desterrado, con todos los sinsabores que esto significaba. Extrañaba a su madre y hermanas, añoraba San Juan con su clima de sociabilidad y amistades, le indignaba tener que vivir en un lugar no elegido, forzado por las circunstancias.

Había leído todo cuanto había llegado a sus manos y mucho más de lo que leía cualquier sanjuanino y posiblemente cualquier porteño, cordobés o tucumano. Había estudiado francés en San Juan e inglés en Valparaíso. Había sido maestro en Los Andes y en Pocuro y tendero en San Juan y en Valparaíso. ¿Por qué las cosas le costaban tanto? ¿Por qué veía triunfar y con ínfulas a mediocres e insignificantes, mientras él, con tantas lecturas, con tanto empuje, seguía postergado y exiliado?

Si ese buque se hundiera, ¿quién se acordaría de él, además de sus familiares? ¿Qué dejaba hecho? Todavía no había realizado nada de todas las cosas grandes que quería hacer en su vida.

Miró hacia el norte y se dijo que en Copiapó iba a seguir luchando y esforzándose. Algún día —se prometió— volveré a mi patria y mostraré a todos los demás cuánto valgo yo.

Al llegar al Huasco, el intenso movimiento del pequeño puerto mostraba el auge sobrevenido con el hallazgo de las minas.

Tomó un birlocho hasta Copiapó y desde allí se llegó hasta la vecina población del Chañarcillo, donde su antiguo jefe militar de San Juan, el coronel Nicolás Vega, explotaba la mina de plata llamada la Colorada. La mayoría de los encargados y capataces eran emigrados argentinos, de modo que recibieron a Domingo con cordialidad y éste se sintió bastante cómodo. El coronel Vega acogió a su ex oficial de Niviquil con calidez y le dio de inmediato un puesto de mayordomo.

Aunque el sueldo no era malo, las condiciones de trabajo en la mina no eran fáciles. No obstante ello, Sarmiento encaró las tareas con entusiasmo y aprovechaba todos los momentos libres para leer. Un residente inglés le prestaba novelas de Walter Scott en su idioma original y el culto mayordomo prácticamente se las devoraba. Muchas veces, al día siguiente de recibir un tomo se presentaba a devolverlo, pidiéndole el siguiente. Por economía, comodidad y algo de espíritu festivo, Domingo había ido vistiéndose con el pintoresco vestido de los peones, de modo que terminó habituado a las babuchas y el escarpín, calzoncillo azul y cotón listado, además del gorro colorado y una ancha faja de donde pendía una bolsa en la que guardaba un par de manojos de tabaco tarijeño. Los otros capataces se habían acostumbrado a verlo de ese modo extravagante al sanjuanino que vestía como peón y leía como maestro.

Por las tardes, los argentinos se reunían en la cocina, donde se formaba una tertulia de exiliados que comentaban las últimas noticias de la política chilena y las novedades llegadas desde su patria.

Durante una de esas reuniones, a fines de febrero de 1835, al cabo de duros y monótonos doce meses de labor en la mina, llegó una información que conmocionó a los presentes: Facundo Quiroga había sido asesinado en Barranca Yaco, cuando volvía de una misión de mediador entre los gobernadores de Tucumán y Salta, que Rosas le había encargado. Los autores del crimen aparentemente respondían al gobernador cordobés Reynafé, pero el beneficiario del atentado parecía ser el propio Rosas, ya que Facundo era la única figura que podía hacerle sombra.

Domingo se acordó de aquella tarde en que, sentado en la esquina de su tienda de San Juan, vio entrar a la ciudad a las desgreñadas tropas montoneras de Quiroga. En los días siguientes, Facundo se instalaba en una casa a timbear y, valiéndose de la intimidación, desplumaba jugando al monte a varios vecinos principales. Había sido entonces, precisamente, cuando él decidió alinearse en el bando contrario. Recordó también que luego de la derrota del Pilar, el *Tigre de los Llanos* había condenado a muerte a su padre, humillándolo luego a través de la imposición de un rescate de 2.000 pesos, que la pobre Paula debió conseguir.

Con un dolor que casi le llegaba a la repugnancia, y que se mezclaba en su interior con sentimientos encontrados ante la noticia de su asesinato, Sarmiento imaginó la escena en que Facundo atemorizó a doña Paula diciéndole que iba a matar a su hijo.

—Bandidos federales —se dijo a sí mismo Domingo—. No sé cuál de todos es peor...

En los meses siguientes la situación se agravó para los exiliados argentinos, pues Rosas pidió y recibió facultades extraordinarias de la Sala de Representantes y el país se consolidó bajo su tutela.

La mina de la Colorada, por su parte, no marchaba económicamente bien y el coronel Vega empezó a atrasar los salarios de los peones y mayordomos. A la angustia por las noticias que recibía de San Juan, a la añoranza que sentía por su tierra y sus familiares, a la impotencia que experimentaba por tener que trabajar en una mina en vez de ocuparse de tareas docentes o cumplir tareas políticas en su provincia, se agregaba ahora el fracaso económico. No sólo que no había podido hacerse de un capital para lograr independencia, sino que se encontraba retrocediendo en todas las áreas.

Al cumplir los 25 años, Domingo se encontraba totalmente deprimido. Algunos compañeros de trabajo se acercaron a saludarlo, pero el joven desterrado no tenía ánimo para nada. A los pocos días no se presentó en su lugar de tareas, por lo cual un asistente se llegó hasta su habitación: lo encontró en la cama con intensa fiebre y casi delirando, preso de una gran agitación.

El médico diagnosticó que tenía fiebre tifoidea y la alta temperatura le duró más de una semana, hasta que finalmente empezó a declinar. Quedó delgado y macilento, pero el facultativo pronosticó que mejoraría paulatinamente. Sin embargo, pasaban los días y Sarmiento, aunque ya estaba levantado y trabajando, permanecía ensimismado y abúlico, como preso de una insondable tristeza que no se compadecía con su carácter habitual. Esta melancolía se acompañaba de algunos momentos de inadaptación, en los cuales solía responder con agresividad y extrañeza, por lo cual sus amigos argentinos empezaron a temer por su salud mental.

En esas semanas llegaron noticias de que había asumido como gobernador de San Juan Nazario Benavídez, un hombre patriarcal con buenas relaciones con Rosas.

Los compañeros de Sarmiento pensaban que el deplorable estado de éste exigía su retorno a San Juan y pensaron que el cambio político en la provincia podía favorecer esa posibilidad. Escribieron a la familia de Domingo y, poco después, llegó la respuesta: el exiliado podía volver con tranquilidad, pues el clima se había distendido y no se tomarían represalias.

Desanimado, desalentado, flaco y con mal color, Sarmiento ascendía con su caballo la cordillera de los Andes rumbo a su patria, luego de cinco años de destierro. Parecía indiferente a la naturaleza que, con senderos de piedra y la vista de picachos nevados, le anticipaba los ocres de su tierra. Al doblar un recodo, la presencia de un rancho amparado por un par de sauces le indicó que estaba llegando a suelo argentino. Poco después se iniciaba el descenso y la vista de unos llanos azulados empezó a animarlo. Los colores de la infancia y el aroma a hierbas de una pequeña brisa le traían la imagen de sus seres queridos: Paula, Clemente, sus hermanas y parientes.

A las pocas horas, Domingo entraba en las calles de San Juan y su emoción no le impedía percibir que muchos vecinos lo miraban como un personaje singular. Detuvo su caballo frente a la casa familiar y un pequeño alboroto de polleras se arracimó para saludarlo: cuando Paula lo estrechó en un abrazo impresionada por su mal aspecto y con lágrimas en los ojos, el hijo sintió el calor materno casi tan intenso como en la primera infancia.

7

FRUSTRADO GALÁN Y ESCRIBA (1836-1840)

Domingo llegó apocado a San Juan: los cinco años de destierro y el hecho de haber vuelto bajo un clima político federal, lo hacían sentirse fuera de tono. La mayoría de las figuras políticas unitarias con las que había coincidido y a quienes había seguido, continuaban en el exilio.

Pero la convivencia con su madre y hermanas, Bienvenida, Paula, Rosario y Procesa, lo fue recomponiendo. La tibieza del hogar, después de las rudas tareas en las minas del Chañarcillo, lo hizo recuperar física y espiritualmente.

Además, en ese tiempo estaban regresando a San Juan los condiscípulos de escuela primaria que habían viajado a Buenos Aires para estudiar en el Colegio de Ciencias Morales y luego en la Universidad: el año anterior, en colaboración con todos los demás jóvenes inquietos de la ciudad, habían creado una sociedad dramática y filarmónica, que presidía Antonino Aberastain. Domingo se incorporó de inmediato al grupo y, por su afición al dibujo, fue nombrado "decorador" de las funciones teatrales que la entidad realizaba en la amplia casa de don Javier Jofré.

El barbero de Sevilla y *El alcalde de Zalamea* fueron algunas de las obras representadas, con la actuación de Concepción Jofré, Rosario y Procesa Sarmiento, Pedro Laspiur, Manuel de la Roza y el propio Aberastain, entre muchos otros. El acompañamiento musical lo brindaban Manuel Grande, Antonio Lloveras, Domingo Zavala, Saturnino Laspiur, Juan Dios de Jofré, Zacarías Benavídez con violín y José Sánchez Basavilbaso al piano.

Al terminar las representaciones, se corrían las sillas del patio y la misma orquesta comenzaba el baile, al que concurrían todas las familias principales, que miraban con simpatía la actuación de estos jóvenes selectos que movilizaban la tradicional apatía provinciana. Alguna vez, cuando faltaba algún actor, el propio escenógrafo Sarmiento, "primer decorador del teatro y del salón bailable", asumía alguno de los papeles y mostraba su vocación escénica.

Pero al margen de estas actividades culturales, Domingo tenía que trabajar para vivir. ¿Cómo conseguir el sustento? Valiéndose de los conocimientos de geodesia que había aprendido con el agrimensor Barreau, que lo habilitaban para levantar planos, el joven actuó como perito partidor, de modo de obtener algunos pesos. En otros casos judiciales, se desempeñó como defensor sin título, autorizado al efecto por la escasez de abogados, con todo lo cual podía proveer a su subsistencia.

Al año siguiente, regresó también a San Juan Manuel Quiroga Rosas, cargado con una biblioteca que había obtenido en Buenos Aires, donde había alternado con los jóvenes que habían fundado la Asociación de Mayo: Esteban Echeverría, Juan Bautista Alberdi, Juan María Gutiérrez.

Quiroga Rosas facilitó estos libros a sus amigos y así Sarmiento pudo devorar los estudios literarios de Abel Villamain y Schlegel; los escritos filosóficos e históricos de Lerminier, Guizot y Coudin; y los tratados políticos de Alexis de Tocqueville y Pierre Leroux. Por las noches, estos dos compañeros se reunían con Indalecio Cortínez, Antonino Aberastain y Dionisio Rodríguez en cotidiana tertulia, donde a través de la discusión terminaron imbuyéndose del romanticismo literario y el liberalismo económico y político, ideas que estaban de moda en Francia y algunos otros países avanzados.

Los domingos y feriados, los jóvenes solían concurrir a los baños del Zonda: chicas y muchachos se bañaban allí en verano en las límpidas aguas, escenarios muchas veces de coqueteos juveniles y del nacimiento de romances. En otoño y primavera, almorzaban a la vera de los arroyos y, por las tardes, tendían un cuero vacuno sobre el césped y se sentaban a contar cuentos. Domingo buscaba la compañía de Clarita Cortínez, hermana de su amigo, originando los habituales comentarios. Aunque la muchacha era generalmente esquiva, Sarmiento estaba ilusionado y el menor gesto de Clarita servía para convencerlo de que tenía posibilidades.

Cuando finalmente le declaró su amor, la joven le dijo que ella estaba enamorada de un primo. El muchacho quedó estupefacto y no pudo articular más palabra. Durante el regreso a la ciudad marchó callado, solitario y como ausente, indiferente a las conversaciones del grupo y a los últimos rayos de sol que se diseminaban sobre las montañas azuladas. Esa noche, en su cuarto, tendido sobre la cama, lloró de dolor, de humillación y de impotencia.

Durante todo el año siguiente continuaron las funciones de teatro, las lecturas y tertulias culturales con sus amigos, y los paseos a los baños del Zonda. Al volver de una de estas excursiones, Domingo se sintió inspirado por las circunstancias y compuso unos versos.

Inseguro sobre sus condiciones poéticas (ya una vez Antonino Aberastain había subestimado unas estrofas satíricas que compusiera sobre un tema político), Sarmiento decidió someter su obra a la opinión de uno de los redactores del periódico *La Moda,* que se había publicado un tiempo antes en Buenos Aires.

Sentado a la mesa del comedor de su casa, escribió:

San Juan, 1 de enero de 1838

Don Juan Bautista Alberdi

Buenos Aires

Aunque no tengo el honor de conocerle y por mi timidez prefiero ocultar mi nombre, deseo someter a su ilustrada crítica la adjunta composición. En ella quise celebrar la felicidad de un amigo y una escena de los baños del Zonda.

Como carezco de maestros, desearía que su indulgente opinión me confirme si realmente he compuesto versos.

Soy un admirador suyo que, por el momento, prefiero apellidarme bajo el seudónimo de

García Román.

Al tiempo, Domingo recibió una respuesta de Alberdi, elogiando algunos versos y criticando otros. El sanjuanino sintió una sensación contradictoria: estaba halagado por la atención que Alberdi le había dispensado, pero vislumbró que sus versos no habían gustado demasiado.

Decidió revelar esta vez su verdadera identidad y le escribió a su mentor:

Don Juan Bautista Alberdi

He recibido las indulgentes observaciones que se ha dignado hacer a la producción que le enviara bajo el nombre de García Román.

Considero que su crítica ha sido justa.

Entiendo que a mis versos

"Que del baño el terso espejo en su seno feliz oculta" los ha corregido por estar mal medidos y por no estar sostenida entre ellos la metáfora.

Mas hay un verso que no ha llamado su atención y que desea-

ría conocer su juicio sobre él. Son los que utilizo para describir los Andes: "Cuyas nevadas cúpulas osan penetrar el cielo".

Dejando de lado esta ligera producción, paso a referirme a la recomendación de poetas modernos que usted me formuló: conozco a Byron y a Lamartine, pero son tan grandes que me resulta imposible imitarlos.

Como he nacido en esta provincia alejada del foco de civilización americana, y no he podido sino leer algunos poetas franceses e ingleses sin regularidad, diría que las reglas del arte me son desconocidas.

En cuanto a la gloriosa tarea de dar una marcha nacional y peculiar a nuestra literatura que ustedes, los jóvenes de la capital se han propuesto, la considero indispensable, necesaria y posible. Con un grupo de amigos contribuiremos desde aquí a esa finalidad.

No he podido recibir una educación regular y sistematizada, sino que he bebido ciertas doctrinas por considerarlas verdaderas y he tenido desde muy temprano el penoso trabajo de discernir, de escoger los principios que forman mis convicciones. Por eso he adquirido una especie de independencia, de insubordinación ante lo que el tiempo ha sancionado. Y este libertinaje literario, esta falta de respeto que en mí existe, me ha hecho abrazar con ardor las ideas del Salón Literario que ustedes han formado en Buenos Aires.

Deseo ser considerado su amigo y quedo de usted servidor

Domingo Faustino Sarmiento

Domingo despachó su carta y se quedó con la sensación de que estos jóvenes de la capital, aunque fueran de origen provinciano como Alberdi, no valoraban en su justa dimensión sus calidades poéticas ¿No sería el caso de insistir por el lado del periodismo y la docencia?

El primer obispo de Cuyo, Fray Justo Santa María de Oro, había muerto a poco del regreso de Sarmiento a San Juan, dejando inconcluso un noble proyecto: la creación de un colegio para niñas, que iba a estar a cargo de monjas. Al momento de fallecer, el edificio estaba casi terminado: un caserón con muchas piezas, galerías cómodas, patios amenos y salones espaciosos para aulas y refectorios.

Si Fray Justo era un tío allegado a Domingo, su sucesor en el Obispado no lo era menos: fue ungido el cura Eufrasio de Quiroga Sarmiento, hermano de Clemente y el sacerdote que le había enseñado sus primeras letras.

A Domingo, que ya había sido maestro en San Luis con José de Oro y en Los Andes y en Pocuro, se le ocurrió que él podría hacerse cargo de la fundación de ese colegio. Interesó en la iniciativa a su tío Eufrasio y logró que le cediera el inmueble que había construido el anterior obispo.

Habló también con Tránsito de Oro de Rodríguez, hermana de Fray Justo, y le pidió que fuera la rectora, ya que este proyecto consistía —le dijo— en la concreción de la idea que se frustrara con la muerte del prelado.

A su propia hermana, Bienvenida, la designó prefecta, mientras que se reservó la dirección para él.

A principios de marzo de 1839, se distribuyó en San Juan un prospecto, en que se invitaba a "los vecinos amantes de la civilización y de la mejora de su país" a inscribir a sus hijas en el "establecimiento de educación para señoritas dirigido por don Domingo Faustino Sarmiento". Una vez que se contara con la matrícula de quince pensionistas, además de las externas, se procedería a abrir el Colegio de Santa Rosa de América. Su estatuto, elaborado por el propio Domingo, establecía que las niñas no podían leer libros sin especial permiso de la rectora o el director, ni podían jugar de manos ni desnudarse en presencia de las compañeras. El plan de estudios comprendía lectura, escritura, gramática, ortografía, geografía, inglés y francés, religión, música según el método de Alberdi, canto, baile e industria (cocina, costura y demás quehaceres del hogar).

Aunque el reglamento era similar al de los noviciados religiosos, incluidos los jesuíticos, aparecían ya algunos elementos particulares: la reforma de la sociedad mediante la escuela; la incorporación de la mujer al cambio social, complementando la tarea del hogar con la educativa; la presencia de un laico a la cabeza de la institución, otorgándole un carácter mixto a la función educadora.

El 9 de julio, en solemne ceremonia presidida por el gobernador Nazario Benavídez y por el obispo Eufrasio Quiroga Sarmiento, se inauguraba el colegio con un discurso del director.

En la cabecera del salón se había colocado un retrato de Fray Justo Santa María de Oro, y Domingo leyó inicialmente el acta de la Independencia de 1816, por celebrarse ese día el aniversario y por llevar la firma de Fray Justo. Después hablaron Manuel Quiroga Rosas sobre la educación de la mujer; Antonino Aberastain; el boticario norteamericano Aman Rawson, quien explicó las relaciones entre la democracia y la educación; Indalecio Cortínez y Dionisio Rodríguez, quien recordó la frase bíblica: "No es bueno que el hombre esté solo; hagámosle ayuda digna de él".

Al retirarse el gobernador y el obispo, Domingo indicó a las alumnas que fueran al aula y marchó detrás de ellas. Estaba cansado por el trabajo organizativo y las emociones del día, pero feliz: ¡ahora era docente en su propia provincia, y nada menos que director del primer colegio de mujeres!

En esos mismos meses, Sarmiento y Manuel Quiroga Rosas solicitaron al gobierno provincial la autorización para editar un semanario en la imprenta oficial (la única que existía). La publicación no tendría carácter político y los ingresos por suscripciones serían destinados a pagar los gastos de impresión, según lo establecía una ley sanjuanina.

Su primer número apareció el 20 de julio de 1839 y en uno de sus artículos, al explicar por qué se había elegido el título de *El Zonda,* aparece la pluma de Domingo: Zonda es un valle delicioso y alegre; un viento abrasador, impetuoso; un baño refrigerante, cuyas saludables aguas alivian mil dolencias, donde la juventud goza, donde el baile gracioso, el canto alegre y la jarana bulliciosa se suceden sin interrupción...

Aunque no entraba de lleno en los asuntos políticos, el espíritu mordaz e incisivo con que encaraba los temas de costumbres provocó irritación en el ambiente pueblerino. Las chanzas se dirigían incluso a los propios redactores:

Que un Quiroga y un Sarmiento
sean hombres de talento,
ya lo veo.
Pero que como editores
ellos sean los mejores,
no lo creo.

A pesar de estas ironías sobre sí mismos, o de las permanentes alusiones sobre "nuestro paternal gobierno" o "la prudente conducta de las autoridades", la tolerancia gubernamental se agotó antes del quinto número: un artículo titulado "una perrita" mencionaba a una faldera llamada Critiquilla a quien mucha gente idolatraba.

La esposa del gobernador, Telésfora Borrego de Benavídez, se sintió aludida y la suspicacia popular aumentó esa sospecha. Don

Nazario Benavídez, que no estaba demasiado cómodo con la existencia de este periódico que orillaba los temas sociales y podía suscitar fermentos peligrosos, cedió de buen grado a la indignada sugerencia de su cónyuge. Se reunió con su ministro Timoteo Maradona y decidieron estrangular la publicación. En vez de clausurarla o prohibirla, le impondrían el pago de 12 pesos por pliego, una suma exorbitante.

El café de Aubone, sobre la plaza principal, ardía de comentarios esa mañana. Un dependiente con delantal a la cintura servía un humeante chocolate de mesa en mesa y el olor de las confituras recién hechas otorgaba un cálido clima al establecimiento. Quiroga Rosas estaba sentado con sus principales amigos cuando Sarmiento entró al local y se dirigió hasta ellos.

—Dicen que la Telésfora echa humo por la boca. Todas las amigas se le ríen —comentó mordazmente Aberastain.

—Pues me parece que ahora va a reír Benavídez —terció Cortínez mientras dejaba la taza y se pasaba el dorso de la mano por los labios—. Dicen que ha ordenado cobrar desde ahora doce pesos por pliego...

—¿Qué haremos? —preguntó Quiroga Rosas mirando a Domingo, quien acababa de sentarse.

Todas las miradas se concentraron en Sarmiento. Hosco, ceñudo, pero con una leve sonrisa burlona, espetó:

—Resistiremos...

Luego engulló los cuatro pedazos de bollo que estaban sobre la mesa y ordenó al camarero que le trajera un chocolate grande.

El domingo amaneció muy soleado y, aunque los vientos de agosto todavía eran fríos, los jóvenes resolvieron ir a almorzar a los baños del Zonda. La consigna circuló de boca en boca y, a las once y media, adolescentes y mayores estaban ya en la puerta de la casa de los Aberastain. La mayoría partió a caballo, aunque algunos muchachos preferían caminar. Los arroyuelos estaban casi secos y muchos árboles presentaban un ramaje esquelético. Al pie de los sauces reposaba una crujiente hojarasca amarronada y unos pocos algarrobos ofrecían su modesto verdor. Clarita Cortínez marchaba junto con su primo Lucas, pero Domingo parecía haber superado, con la fuerza de sus 28 años, la profunda desilusión causada por el desdén de la muchacha.

Almorzaron al borde de un débil curso de agua, cerca de la sombra de un chañar. Domingo estaba contento: había saboreado unas ricas empanadas y un par de presas de pollo asado, que conservaban la tibieza lograda por un canasto bien armado por las manos de Elena Rodríguez. De postre, comió queso de cabra mezclado con un dulcísimo arrope de tuna, que le pareció un manjar. Reconoció la mano maestra de su madre para el punto y Bienvenida le confirmó que había sido hecho por Paula. Tenía que ser, se dijo a sí mismo mientras hacía recorrer gozosamente su lengua por el paladar.

Aspiró el olor a hierba seca y pensó que podía estar satisfecho de sí mismo. El colegio empezaba a marchar y lo que parecía imposible se estaba dando: aumentaba el número de niñas matriculadas y las clases transcurrían normalmente. En cuanto a *El Zonda,* había podido expresarse y los comentarios que despertaban sus artículos, aun los desfavorables, lo llenaban de agrado.

Lo preocupaba el tema de la mujer de Benavídez porque el asunto estaba yendo mucho más allá de lo prudente, pero pensó que podía arreglarse. Espero —se ilusionó— que el proyecto de aumentarnos el precio de la impresión sea solamente un rumor infundado.

Elena se acercó y le ofreció una cucharada de jalea de membrillo. Aceptó y mientras disfrutaba de la suavidad del espeso y dulce líquido distribuyéndose por su boca, contempló el rostro de la también dulce y suave Elena. La conocía desde niñita, pues era hija de Tránsito de Oro y de José Genaro Rodríguez, su maestro de la Escuela de la Patria. Cuando la muchacha había llegado a la adolescencia, Fray Justo Santa María de Oro les había recomendado a sus padres que dejaran algunos aspectos de su educación en manos de Domingo, pues el joven estaba capacitado para ello. Así, Sarmiento había contribuido a su desarrollo intelectual y, ahora, al contemplarla casi una mujer, sintió que la atracción natural de todo docente podría estar transformándose en un sentimiento varonil.

Al día siguiente, al concurrir a la imprenta para corregir las pruebas del número sexto, el administrador del organismo comunicó a Domingo que, por orden del gobernador, a partir de la fecha cada número de *El Zonda* pasaba a costar 12 pesos por pliego.

—Está bien —contestó Sarmiento—. Proceda nomás a imprimir la edición...

A los pocos días, como los editores del periódico no habían pagado el costo de la edición, Domingo fue citado por el gobernador Benavídez.

Altivo como siempre, el periodista ingresó al despacho del mandatario y lo saludó de igual a igual. Benavídez había sido también alumno de la Escuela de la Patria y conocía desde siempre a Sarmiento.

—Me informan —empezó el gobernador con acento patriarcal— que no ha satisfecho usted el importe del último número de *El Zonda*...

—¿Por qué habría de hacerlo, señor? —contestó Domingo con una pregunta mientras sus facciones toscas se endurecían aún más.

—Porque así lo he ordenado —Benavídez empezaba a perder la paciencia.

—El administrador me comentó esa medida, señor gobernador, pero en materia de imprenta hay una ley vigente que dispone otra cosa...

—Señor edecán —ordenó el mandatario mirando enojado a su secretario—, a las cuatro de la tarde concurrirá usted a la casa del señor Sarmiento a cobrar los 26 pesos que adeuda. La audiencia ha terminado...

A esa hora, se presentó el edecán en la vivienda de los Sarmiento Albarracín y, como Domingo mantuvo su negativa al pago, le pidió que lo acompañara hasta la prisión.

Hasta allí marchó el periodista intimado y, ya en el lugar, el edecán le manifestó:

—Tengo orden de intimarle que pague antes de la oración. Si no lo hace, deberá marchar desterrado a donde el gobierno le indique...

—Quedo notificado —respondió el rebelde hombre de prensa—, pero mi respuesta será la misma. Más que el dinero, estoy defendiendo un principio...

—Señor, por favor, reflexione usted... —suplicó apesadumbrado el secretario.

Antes de una hora, Manuel Quiroga Rosas se presentaba en el calabozo, junto con Indalecio Cortínez y Antonino Aberastain, que también colaboraban en *El Zonda*.

—Domingo —opinó Manuel—, debemos pagar. Esto ha llegado demasiado lejos...

—Es necesario salvar el colegio —asintió Indalecio—. Si no aflojas, perderás todo...

Aunque Antonino apoyaba la idea de resistir hasta el final, el deseo de continuar con el colegio terminó por decidir a Sarmiento. Firmaron una letra de cambio contra un comerciante y Domingo añadió que se pagaba bajo protesto.

Pocos minutos después, el edecán marchaba aliviado hasta su despacho con el problema resuelto.

Domingo salió erguido y puteando del presidio, porque tenía conciencia de que su experiencia periodística estaba terminando de mala forma.

—Federales brutos... —masculló.

Sarmiento quedó muy disgustado consigo mismo por la forma en que había cedido en el tema de *El Zonda*. Contrariado, descargaba su rabia despotricando contra el gobierno en las ruedas del Café de Aubone o en las mesas del Café del Comercio. También en las tertulias familiares se despachaba contra Benavídez.

La situación nacional, sin embargo, empeoraba para los unitarios.

El general Juan Lavalle, quien estaba exiliado en Montevideo, había invadido con un ejército improvisado la provincia de Entre Ríos, con el objeto de luchar contra Rosas.

A los pocos meses, se produjo el pronunciamiento de la Liga del Norte: los gobernadores de Tucumán, Salta, Catamarca y La Rioja se declararon contra Rosas e iniciaron operaciones militares que llegaron hasta Cuyo.

Félix Aldao fue vencido en Mendoza y se anunció su llegada a San Juan. Como *El Fraile* venía derrotado y resentido, en los sectores unitarios sanjuaninos cundió el temor: Aberastain decidió viajar a Salta y Quiroga Rosas y Cortínez marcharon a Chile. Sarmiento resolvió quedarse y se hizo cargo de un pleito que llevaba Aberastain.

Aldao finalmente no llegó y Domingo, algo aliviado, continuó criticando al gobernador y hasta habló con el ex ministro Maradona y con representantes de la Sala, a quienes decía que había que impedir que Benavídez continuara su marcha hacia el despotismo.

Un día, don Nazario lo citó en su casa particular.

—Sé que usted está conspirando, don Domingo —Benavídez hablaba con modales lentos.

—Está equivocado, señor, no conspiro.

—Sé que usted está agitando a los representantes...

—Uso mi derecho de petición, para evitar que usted siga aislándose y avanzando hacia la concentración del poder...

—Me está forzando a tomar medidas severas...

Sarmiento advirtió que en las palabras del gobernador había, más que amenazas, señales de respeto y de consideración, y quiso responder a su actitud:

—No se manche, señor gobernador. Cuando no pueda tolerarme más, destiérreme a Chile. Pero hasta entonces trabajaré por impedir que usted caiga en el caudillaje...

Privado de amigos, Domingo acentuó su inclinación hacia Elena Rodríguez: la visitaba por las tardes en su casa y hablaba con ella de política y de literatura. La muchacha se interesaba en los temas de su ex maestro y lo recibía con interés y hasta con dulzura. Sarmiento, cumplidos ya sus 29 años, se fue enamorando cada vez más de ella y, por la calidez de los diálogos que mantenían, interpretó que era correspondido.

Su timidez le dificultaba una declaración expresa de amor, por lo cual una noche se decidió por un recurso propio de la época: se sentó a la mesa y escribió una carta a Tránsito pidiendo la mano de su hija.

Un sentimiento que se ha hecho irresistible en mi corazón, Señora, me obliga a aventurar un paso que creí tener fuerzas suficientes para haber diferido por largo tiempo. Este paso que influirá poderosamente en mi suerte futura, es pedir a usted la mano de su digna hija, para poder salir de la triste incertidumbre que me atormenta.

Negado por la naturaleza y la fortuna de todo aquello que pueda halagar las solícitas aspiraciones de toda madre, tengo sin embargo el deseo de hacer la felicidad de este caro objeto de su tierno interés y del mío.

Me permito rogarle que me haga conocer del modo que crea conveniente su manera de sentir al respecto, en la seguridad de que una resolución adversa no alterará mi deseo de bienestar para usted y su hija, suplicándole que este tema sea siempre un secreto entre usted y yo.

En la esperanza de no haberle dado un mal rato, se despide de usted,

Domingo Faustino Sarmiento

A la tarde siguiente, Domingo visitó a Elena en su casa y la notó seria y esquiva. Finalmente, mientras el joven sentía que su corazón latía apresuradamente y la ansiedad lo corroía, la muchacha le habló del tema:

—Mi madre me ha comentado acerca de su carta. Creo que usted, Domingo, ha interpretado mal mis sentimientos...

Sarmiento sintió como si lo hubieran golpeado con una maza. Avergonzado, su único deseo era escapar pronto de allí.

Continuó expresándose en todos lados en contra de la política seguida por Benavídez, quien había solicitado facultades extraordinarias a la Sala de Representantes.

El mandatario era un hombre de escasas luces y poco expresivo y Sarmiento no entendía cómo alguien tan mediocre podía ser gobernador, mientras él, con mucha más inteligencia y lecturas, era apenas un maestro a quien todo el mundo podía humillar.

La Liga del Norte continuaba operando y el gobernador de La Rioja, Tomás Brizuela, estaba al frente de parte de sus tropas. Sarmiento había recibido unos documentos enviados desde Salta y otros desde el campamento de Brizuela y, un día, fue citado nuevamente a la casa de gobierno.

—He sabido que ha recibido usted papeles de Salta y de Brizuela...

—Sí señor, y me preparaba para traérselos —Domingo no se amilanaba.

—Sabía que los había recibido —afirmó Benavídez. Y agregó con tono de sorna—: Pero ignoraba que quisiese mostrármelos...

—Es que no había terminado de redactar un escrito mío con el que quería acompañarlos: aquí tengo lo uno y lo otro...

Con voz encendida, Domingo leyó el documento que había preparado sobre la situación del país, enfatizando los peligros de la concentración del poder y exhortando al gobernador a sumarse al movimiento civilizador que habría de institucionalizar a la república. Al terminar su propia arenga que le había parecido brillante y convincente, miró a Benavídez y lo vio impasible y hierático, como si el tema no le hubiera interesado.

—Es un animal —pensó Sarmiento—. No entiende nada de lo que se le dice...

Las derrotas de Lavalle en Córdoba y en Tucumán, y las de Brizuela en Mendoza, consolidaban la situación de Rosas y sus gobernadores adictos. En San Juan, la repercusión de estos sucesos hacía cada vez más difícil la posición de Sarmiento: la sociedad se radicalizaba y se gestaban medidas contra los unitarios.

Cuando fue citado por cuarta vez a la casa de gobierno, sus amigos y parientes le previnieron:

—No vayas, Domingo, te van a arrestar...

—Me daría vergüenza no presentarme. Me haré acompañar por un sirviente, para que avise si me pasa algo...

Al llegar a la gobernación, el jefe de la guardia le avisó que debía quedar detenido. Sarmiento no se sorprendió, pero fingió estupor y manifestó contrariedad.

A la oración se presentó una escolta de soldados y el oficial de turno le dijo que se preparara a partir. Domingo pensó que iba a ser ejecutado y el ruido de sables le causó pavor. Se sintió flojo, débil y el terror le dificultaba sus movimientos. Todo se acaba de una forma indigna, oscura, sin gloria, creyó.

Sin embargo, los soldados se limitaron a trasladarlo hasta un calabozo de la planta alta, donde le remacharon una barra de grillos. Cuando quedó solo, fue recuperando la tranquilidad y el aliento: aunque la celda era sórdida y oscura, con paredes descascaradas y sucias, cubiertas de inscripciones, predominaba en él una sensación de alivio.

En los días siguientes, solamente lo visitaron sus parientes, de modo que pudo meditar y experimentó una gran soledad política.

Una noche, a las dos de la madrugada, sintió que un grupo de jinetes se paraba frente a la cárcel y gritaban:

—¡Mueran los salvajes unitarios!

A las cuatro se repitieron los ruidos de caballos y los gritos y un andaluz que parecía borracho se paseó frente a las celdas diciendo:

—Las tropas vienen a la plaza. Van a asesinar a los prisioneros...

Domingo se dio cuenta de que la situación era seria y logró que un guardia pidiese a su casa que mandaran un niño. Escribió una carta a su tío el obispo Eufrasio Quiroga Sarmiento, solicitando que intercediese o se presentase a salvarlo, y la despachó con el muchacho.

Pero a los pocos minutos ya había abajo, en la calzada, unos ochenta soldados gritando:

—Que bajen a los presos...

El oficial de guardia abrió la celda y le ordenó a Sarmiento acompañarlo. Salieron al balcón y los jinetes movieron amenazadoramente sus sables mientras pedían:

—Abajo, abajo...

El oficial intentó hacer descender a Sarmiento, pero éste advirtió que Benavídez no estaba entre los jinetes. Se dio cuenta entonces de que si lograba ganar tiempo, el gobernador intervendría y haría detener ese absurdo linchamiento.

—Baje usted, señor —ordenaba el oficial. Pero Domingo no se movía.

—Baje usted, por Dios —insistía casi suplicante el militar, mientras los jinetes vociferaban y blandían sus espadas desde la calle.

Finalmente, doce soldados desmontaron y subieron hasta la baranda, lo agarraron de los brazos y lo hicieron descender por la fuerza. Mientras lo arrastraban, Domingo miraba hacia la casa de Benavídez, que estaba a cuadra y media de esa misma arteria, esperando que desde allí viniera la orden salvadora.

Cuando llegó a la calle, reconoció a uno de los jefes de las tropas de Benavídez. Éste levantó su lanza y le arrojó un golpe al detenido, quien se atajó con el brazo. Sarmiento sintió un profundo dolor y retrocedió instintivamente hasta la recova, cuando advirtió que el edecán del gobernador llegaba presuroso con la orden de suspender el irregular procedimiento. Paula y dos de sus hijas se habían llegado hasta la casa de Benavídez y habían logrado la medida.

Degradado, golpeado, Domingo sintió sin embargo que su estrategia había resultado exitosa: al ser notificado del desborde, Benavídez no tuvo más remedio que ordenar su cese.

Devuelto a la prisión y a la vida, Sarmiento recibió del gobernador Benavídez otra concesión: se le permitiría marchar al destierro en Chile.

Antes de partir, recibió en su calabozo la más grata de las visitas: seis de sus alumnas del colegio, adolescentes de dieciséis años, concurrieron a verlo y le dijeron que querían darle las lecciones de los últimos días. A la luz de una vela de sebo colocada sobre un ladrillo de adobe, el cautivo maestro escuchó, con lágrimas presionando sobre sus ojos, los conocimientos de geografía, francés, aritmética y gramática que las suaves estudiantes querían brindarle con tal devoción que constituía un homenaje. Examinó después los ensayos de dibujo de dos semanas que él había inspirado, mientras el paso de una laucha arrancaba chillidos contenidos a las criaturas que tanto quería.

Las agasajó con golosinas que había recibido de sus familiares y luego las jovencitas le cantaron un cuarteto de Tancredo que sabían era la debilidad de su profesor.

Al despedirlas, se dio cuenta de que ese colegio de mujeres que estaba dejando abandonado había sido una de las cosas más importantes de su vida y que la docencia, sagrado menester, era sin duda el remedio para hacer progresar a esa sociedad bárbara que lo estaba expulsando de su seno. Domingo, no abandones la escuela, se dijo a sí mismo mientras abrazaba a la última muchacha y el nudo que tenía en la garganta era casi tan fuerte como su desolación.

A fines de noviembre de 1840, Domingo y su padre, el inefable pero fiel compañero Clemente, partían en mula desde el presidio de San Juan hacia Chile. Llevaban chambergos de ala ancha y ponchos y alforjas hechos por Paula en su telar. Entraron a la Quebrada del Zonda y, al paso firme de las cabalgaduras, marcharon en silencio por los lugares tan familiares. Domingo reconocía los sitios donde solían acampar en los paseos y contemplaba los sauces mecidos por el viento. Bajo los algarrobos, sus vainas desprendidas formaban alfombras compuestas por collares vegetales de color marfil. Cañas tacuaras orientaban las aguas esmeraldas que corrían melancólicas, mientras las montañas ocres, que otrora alimentaban su optimismo, ahora le resultaban opresivas. Racimos de nubes avanzaban desde el sur, vistiendo de humedad las estribaciones.

Al llegar a una barranca con piedras calizas, unas pálidas leyendas sobre el borde de la ladera le recordaron que los enamorados solían grabar allí sus nombres. Alguna vez, él mismo había dibujado un corazón y había escrito adentro con letra cursiva: Clarita y Domingo. Se le ocurrió que ahora podría escribir "Elena y Domingo" y detuvo el paso. Bajó de la mula y, mientras caminaba hacia la barranca, pensó en la barbarie que lo obligaba a irse de su país. Tomó una piedra amarronada y polvorosa y, sobre un pedazo de superficie plana, escribió: *"On ne tue point les idées"*.

—Vamos Domingo, que se viene el agua —lo llamó Clemente.

Montó nuevamente, se acomodó para atrás el poncho y espoleó su cabalgadura. No me van a vencer, pensó, en el momento que la tenue neblina los alcanzaba y los sumergía en sus tristes meditaciones.

8

CABALLO CUYANO
(1840-1844)

Padre e hijo descendían con sus mulas el territorio chileno, cuando vieron allá abajo los álamos y las casas de San Felipe de Aconcagua. Clemente se alegró porque allí tenían conocidos y parientes y siempre eran bien recibidos, pero Domingo venía reflexionando sobre su futuro y estaba clarificando sus planes: no quería quedarse en ninguna de las poblaciones cordilleranas, sino que prefería establecerse directamente en Santiago. En la capital, en una gran ciudad, podría tener mejores oportunidades laborales y seguir más de cerca la situación de su país.

Al cabo de dos días de permanecer en San Felipe, el joven desterrado resolvió seguir. Su padre le pidió que en Santiago visitara en su nombre a su amigo Domingo Castro y Calvo, quien acababa de casarse en segundas nupcias con una joven sanjuanina, Benita Martínez Pastoriza. Le dio una carta para él y para otras relaciones y se despidieron con afecto. Domingo trocó su mula por un caballo y siguió viaje hasta la capital, cruzando la cuesta de Chacabuco.

Al entrar en los suburbios de Santiago, las calles con acequias flanqueadas por árboles le recordaron el aspecto de Mendoza. Cruzó el río Mapocho y bajó por la Alameda, hasta la Casa de la Moneda. Dobló y siguió hasta la cercana plaza de armas, pues sabía que allí, en los portales de Sierra Bella, sobre la esquina de la calle Ahumada, vivía su comprovinciano Manuel Quiroga Rosas.

Ató su caballo en un palenque, frente a la recova, y trepó por las escaleras hasta el segundo piso, donde estaba el cuarto que alquilaba su amigo. Manuel abrió la puerta y se estrecharon en un abrazo. La habitación era cuadrada y espaciosa: en el centro había una mesita con una silleta de paja y, en un rincón, una cama humilde y pequeña. Se sentaron sobre el lecho y conversaron largo y tendido, contándose las últimas novedades. Quiroga

Rosas le dijo que conseguirían un catre y podría quedarse a vivir allí. De todos modos, como Manuel estaba pensando mudarse, en un par de semanas Domingo podría permanecer en ese cuarto como único inquilino.

Santiago de Chile albergaba a muchos emigrados argentinos. Militares, abogados, escritores, que habían tenido que exiliarse por la oposición a Rosas y su sistema despótico de gobierno, se ganaban la vida de distinta forma. Habían constituido una Comisión que presidía el general Juan Gregorio de Las Heras (el héroe de la Independencia) y cuyos otros directores eran Gregorio Gómez (amigo del general San Martín), Gabriel Ocampo, Martín Zapata y Domingo de Oro, este último un sanjuanino pariente de Sarmiento. A través de Oro y de Manuel, Domingo se conectó de inmediato con los desterrados y compartía cotidianamente su tertulia.

Al margen de estas conversaciones políticas, debía trabajar para poder vivir. ¿Qué hacer en Santiago? En algún momento pensó en dedicarse al comercio y un compatriota lo tentó diciéndole que en Rancagua podría fundar una escuela con éxito.

Pero Domingo quería quedarse en la capital y pensó que tenía dos medios de lograrse el sustento: el periodismo y la docencia. En enero de 1841 consultó al general Las Heras, recurrió a sus recuerdos familiares y escribió un artículo sobre la batalla de Chacabuco, que envió al único diario que se editaba en Chile: *El Mercurio* de Valparaíso. Lo firmó con el seudónimo "Un Teniente de Caballería" y, a los pocos días, el director Manuel Rivadaneira le hizo saber que se publicaría el 11 de febrero, el día anterior al aniversario de la batalla que había decidido la independencia de Chile y la Argentina.

Ese día, al llegar los ejemplares de Valparaíso, Domingo recibió el suyo y se encerró en su cuarto lleno de emoción: leyó y releyó su propio artículo con fruición, pero estaba totalmente ansioso e incierto sobre la repercusión que tendría en el público santiaguino.

Cerca del mediodía, un amigo le comunicó que había sido bien recibido entre los emigrados argentinos. Se alivió. A la noche le dijeron que había obtenido comentarios favorables en los corrillos y se fue llenando de confianza. Al día siguiente le informaron que don Andrés Bello, el poeta y académico venezolano que era toda una celebridad, lo había elogiado.

Esa tarde, en casa de un amigo, se encontró con el gramático español Rafael Menviele quien, sin saber que estaba en presencia del autor, ponderó el artículo de *El Mercurio*.

Domingo no cabía en sí de gozo: había superado una prueba decisiva y se sentía consagrado por los críticos más exigentes de Chile. Era ya periodista serio y debería seguir por ese camino.

En Valparaíso el suelto también había tenido éxito y el director de *El Mercurio* le ofreció ser un colaborador permanente: debía escribir cuatro notas por semana y recibiría 30 pesos al mes. Con ese dinero podría vivir con sobriedad, de modo que se sintió contento y tranquilo.

Y ahora, a escribir. Todas las noches, Domingo se sentaba en su humilde cuarto del portal de Sierra Bella, con desnudo piso de ladrillo, y dejaba correr su pluma sobre toda clase de temas: los monumentos y fiestas de la ciudad; los malos caminos; las riquezas mineras; las representaciones teatrales; la intolerancia clerical; las costumbres pacatas; la necesidad de traer inmigrantes; los libros que se publicaban; el exceso de sacerdotes y el celibato; los temblores y la agricultura; la industria de la seda; los paseos al campo.

Cualquier episodio ocurrido en Santiago o en Valparaíso le daba motivo, no sólo para narrarlo y criticarlo, sino para expresar sus propias ideas sobre educación pública, sobre la necesidad de traer el progreso a los atrasados países de origen español, y sobre la tremenda dictadura que Rosas había impuesto en la Argentina.

Metido de lleno en la vida chilena, a los pocos meses Sarmiento había criticado mordazmente la vida política, las actividades económicas, las costumbres vitales y lo que él llamaba la modorra cultural de sus clases dirigentes. El director de *El Mercurio,* el español Manuel Rivadaneira, estaba muy satisfecho con esos artículos, pero muchos sectores y personalidades se habían sentido afectados con los comentarios del avispado sanjuanino, que se había revelado como un brillante hombre de prensa.

En 1841 había elecciones en Chile: los conservadores estaban en el gobierno desde hacía una década y los liberales querían desplazarlos. Dirigentes de este último partido quisieron contar con el trabajo de Sarmiento y le ofrecen dirigir un periódico a editarse en Santiago.

Domingo medita el tema y lo discute con los emigrados argentinos: opina que si en su país Rosas los ha denominado perturbadores y sediciosos, en Chile no deben dar motivos a ser llamados opositores permanentes. Más les conviene apoyar a los moderados que gobiernan y tratar de insuflarles ideas progresistas. En definitiva, Domingo adopta esta decisión y rechaza el ofrecimiento del partido liberal.

El ministro de Instrucción Pública, Manuel Montt, quiere conocer a Sarmiento y Rafael Menviele se lo presenta: durante la entrevista, Domingo queda encantado con el funcionario. Le parece que es un hombre talentoso, que escucha y habla poco, que es partidario del progreso y la inmigración. "Las ideas, señor, no tienen patria", le dice Montt, y el sanjuanino advierte de inmediato que tienen una particular afinidad humana e intelectual.

A su vez, el ministro resulta fascinado por la inteligencia y la expresividad de Sarmiento y le encarga que se ocupe de la redacción de un periódico que apoyará al partido oficialista en las elecciones, por un sueldo de cien pesos fuertes. Domingo acepta y, en abril, aparece el semanario *El Nacional.*

Las elecciones se realizan en junio y triunfa el candidato conservador, Manuel Bulnes. Pero existirá un clima de concordia con los liberales por dos razones: porque se ha acordado previamente un acercamiento, cualquiera fuera el ganador, y porque la hija del candidato perdedor, Enriqueta Pinto, va a casarse con el presidente electo. Enriqueta ha nacido en Tucumán y es hija de la tucumana Luisa Garmendia, a quien el general Aníbal Pinto desposó en esa provincia cuando luchaba junto al general Manuel Belgrano.

Una de las primeras medidas de Bulnes es confirmar a Manuel Montt como ministro de Instrucción Pública, de modo que esto parece abrir posibilidades a Sarmiento.

Pero Domingo, en septiembre, toma la decisión de volver a su provincia. Han llegado noticias de que las tropas restantes de la Liga del Norte, al mando del general Aráoz de Lamadrid, se aprestan a dar batalla final contra Rosas en Cuyo y el sanjuanino quiere estar presente.

Una tarde, se presenta ante Montt y le comunica su partida. El funcionario piensa que está loco e intenta disuadirlo:

—Su decisión es un disparate, Sarmiento. La situación del general Lamadrid es harto dramática. Ese gallo no tiene posibilidades...

—Por eso mismo, señor ministro, quiero estar allí. Debo prestarle mi apoyo...

Domingo ha partido de Santiago con José Posse, un exiliado tucumano con quien ha hecho amistad, y dos amigos más. Con Posse se entienden muy bien, acaso por ser muy parecidos: los dos son malhumorados, intemperantes, francos, explosivos.

Hacen el camino a pie y, una tarde, llegan cansados a la cima de los Andes: han venido hollando la nieve que el sol derrite y los miembros exigen reposo. Batidos por ráfagas heladas, miran hacia el este tan querido y, allá abajo, entre valles claros y montañas que comienzan a azularse, descubren la casucha de ladrillo que, del lado argentino, sirve de descanso a los viajeros. Reposan emocionados ante el encuentro del territorio que tantos sentimientos y recuerdos les suscita, cuando notan bultos humanos deslizándose cerca de la posta. Aunque el encuentro con semejantes es siempre bienvenido en aquellos páramos, un mal presentimiento los embarga. Inician el descenso y, antes de llegar al reparo, los primeros viajeros les confirman la mala nueva: Lamadrid ha sido derrotado y ellos, sus tropas, vienen huyendo a Chile en busca de asilo.

El frío exterior, a Domingo, se le clavó dentro del pecho. Adiós esperanzas de regresar a su hogar y su provincia. Adiós las posibilidades de vivir en libertad dentro de su país. Miró a Posse y su rostro adusto, reflejando odio, decía lo mismo.

Los soldados y oficiales de Lamadrid seguían llegando y Sarmiento reparó en su penoso estado: desharrapados, sucios, hambrientos y casi congelados. Era necesario actuar de inmediato.

Despachó un hombre hasta Los Andes pidiendo que enviaran mulas a la cordillera y esperó en el lugar hasta que se reunió una cantidad apreciable de prófugos argentinos. Luego de darles ánimo, volvió a remontar la cima y condujo a las tropas hasta Los Andes, en donde se estableció en casa de su amigo Pedro Bari.

Desde allí, desarrolló un trabajo incesante durante una sola tarde: contrató y despachó doce peones de cordillera para auxiliar a los fatigados; compró y envió seis fardos de cuero de carnero para forrar los pies de los congelados, además de sogas, charqui, yerba, azúcar y otras vituallas; despachó un mensajero a San Felipe de Aconcagua comunicándole la emergencia al intendente y solicitándole auxilios; envió cartas a la Comisión Argentina para ponerla en campaña y al ministro Montt reclamando la asistencia gubernamental y pidiendo médicos; escribió un artículo para *El Mercurio* tratando de atraer la atención chilena sobre el episodio; y, además, como entre los prófugos venía el actor Juan Aurelio Casacuberta, le escribió a Manuel Quiroga Rosas pidiéndole que gestionara una función teatral, con la actuación del cómico, para recaudar fondos.

Al día siguiente regresó a Santiago y allí recibió muchos elogios y agradecimientos por su gestión. Esto lo consoló de la frustración de no haber podido regresar a su patria y del desencanto ante la derrota de Aráoz de Lamadrid. Vencidos Lavalle en Tucumán y Lamadrid en Mendoza, la única posibilidad de lucha contra Rosas queda en manos del general Paz, quien se encuentra en Corrientes. Pero es solamente una débil lucecita de esperanza y Sarmiento sabe que no hay más remedio que quedarse en Chile y trabajar desde allí. Ante ello, reanuda su tarea como colaborador de *El Mercurio.*

El periodista cuyano entra a un café de la plaza de armas y un amigo le muestra un periódico: lo acusan de haberse quedado con parte de los fondos recaudados para las tropas de Lamadrid. Domingo se pone rojo de la rabia y, casi sin despedirse, se dirige a su cuarto (vive solo, pues Manuel ya se ha mudado) y escribe un artículo de defensa en *El Mercurio* y redacta notas a las instituciones que colaboraron, pidiendo que se expidan sobre su honorabilidad. Además, se despacha contra el colega chileno que lo ha ofendido sin razón, calificándolo de mil maneras. Sólo al desfogarse se queda algo más tranquilo: cuando lo atacan, su defensa consiste en mandarle los palos más duros al adversario.

Al ver que el regreso a San Juan no es posible, Domingo escribe a su provincia y le pide a su madre que se trasladen ella y sus hermanas a Chile. Le solicita que traigan con ellas a su hijita Faustina, quien ya tiene 9 años y se está criando allá con su abuela y sus tías. En enero de 1842, Paula, sus hijas Bienvenida y Procesa y su nieta Faustina, cruzan la cordillera y se instalan en San Felipe de Aconcagua.

Sarmiento viaja a caballo desde Santiago a San Felipe y el encuentro es muy emotivo: hay lágrimas en el exiliado al abrazar a su madre y hermanas, a quienes no veía desde hacía más de un año. Y al levantar a su hija y estrecharla contra su pecho, el duro periodista, el guerrillero político e intelectual, el férreo militar y polemista, pierde por completo su rigidez y siente que el corazón se le derrite de ternura y sus sollozos le resultan incontenibles.

Paula, Bienvenida, Procesa y Faustina se quedan en San Felipe y Domingo regresa a Santiago. Las dos hermanas instalan allí una escuela y trabajan como maestras, siguiendo los pasos de su hermano. Con frecuencia, Sarmiento viene a visitarlas. Durante uno de esos viajes, al cruzar una cuesta, dos bandidos se le cruzan con sus caballos en el camino y uno de ellos lo amenaza con un machete. El sanjuanino saca dos pistolas y apunta con una de ellas al asaltante, mirándolo fijo a los ojos. Una de las armas no tiene ceba y la otra lleva verdín de un año, de modo que Domingo sabe que sólo su presencia de ánimo puede salvarlo. Los segundos parecen horas hasta que el malhechor retira lentamente el machete y abre paso al viajero. Domingo espolea su caballo y pasa entre los delincuentes sin bajar sus pistolas ni dejar de observarlos.

En una oportunidad, son Paula, sus hijas y su nieta las que viajan hasta Santiago para pasar unos días con "su Domingo". Allí, Faustina es visitada por su madre, Jesús del Canto, quien está ya casada y ha constituido su hogar en Los Andes. Vestida con severidad, Jesús llora al abrazar a su hija.

A principios de este mismo año, el ministro Montt firma un decreto por el cual se crea una Escuela Normal de Preceptores y designa su director a Sarmiento. La finalidad del establecimiento es formar a los futuros maestros pero solamente trabajan Domingo y otro profesor: enseñan gramática, ortografía, geografía, historia, dibujo, dogma y moral religiosa. Funciona en el portal de Sierra Bella y su director tiene un sueldo de cien pesos: con ellos más otro tanto que le paga *El Mercurio* puede sustentarse sobriamente. Pero lo importante es que ha logrado trabajar en los dos menesteres que lo apasionan: el periodismo y la docencia. Desde estas dos tribunas puede expresarse y abogar por el progreso y la modernidad. Y en la prensa puede volcar todo el encono que le provoca la dictadura que asuela a su país y le obliga a tragarse la amargura del destierro.

En sus artículos sobre temas literarios, Sarmiento afirma que en Chile no hay poetas porque se respeta demasiado a los gramáticos, que sólo sirven para conservar las tradiciones. Y los idiomas —sostiene el cuyano autodidacta— los hacen los pueblos, no los gramáticos.

Don Andrés Bello, el eminente catedrático, salió a defender a los chilenos y criticó el habla de los argentinos, que habían olvidado los buenos modos españoles e introducían galicismos o palabras de otros idiomas.

Es el respeto de los modelos, el temor a infringir las reglas —contestó Sarmiento—, lo que tiene agarrotada la imaginación de los chilenos. Pero si en lugar de ocuparse de las formas, de lo que dijo Cervantes o Fray Luis de León, cultivan las ideas y sienten que su pensamiento se despierta, escribirán con corazón y eso será bueno en el fondo, aunque la forma sea incorrecta; será apasionado, aunque tenga algo de impropio; agradará al lector, aunque rabie Garcilaso; y bueno o malo, será de los chilenos y nadie lo disputará.

Bello se retiró de la polémica pero un discípulo salió a defenderlo y calificó a Sarmiento de "extranjero". Dolido, tocado, el sanjuanino respondió que no era necesario ser nativo para señalar, en bien de Chile, los defectos de una educación literaria que malogra a la juventud bien dotada. ¡Éste es el ambiente —exclamó— en que nos crió el régimen colonial, odiando todo lo que no era español, despótico y católico! Y cuando después de tres siglos en que sólo se nos habló de los extranjeros herejes y condenados, la independencia abrió nuestros puertos al comercio, empezamos a buscar entre nosotros mismos dónde un cerro o un río posibilitaban una frontera, para decir: allá, del otro lado, están los extranjeros que hemos de aborrecer ahora, porque en algún lado hemos de poner el fondo de odio que nos ha quedado.

Amoscados por los artículos de Sarmiento que afirmaban que los jóvenes chilenos padecían una suerte de pereza espiritual, un grupo de muchachos intelectuales resolvió crear un periódico para responderle. Se tituló *El Semanario de Santiago* y, en su primer número, atacaba al romanticismo literario y hacía una alusión peyorativa a las notas del sanjuanino de *El Mercurio.*

El día de su aparición, Domingo se llegó hasta la casa de Vicente Fidel López con un ejemplar bajo el brazo:

—Tenemos fiesta, Vicente. Un periódico nuevo contra nosotros y el romanticismo... — el cuyano agitaba la hoja.

—No me digas...

—Vamos a aniquilarlos, Vicente. Mientras tú les argumentas desde tu periódico, yo les daré cotidianamente una tunda en *El Mercurio.* ¡Qué desparramo vamos a hacer!

Violento, incisivo, mordaz, Sarmiento descerrajaba artículos todos los días exaltando el romanticismo. Se divertía como un chico o un loco —así lo veían muchos de sus propios compatriotas emigrados— y se sentía como un guerrillero de las letras. ¡Vamos a darles, Vicente...!

Pero el polemista no es solamente agresividad, dureza, pasión. Es también un hombre sensible, que sufre cuando es herido, que le mortifica sentirse atacado, que busca la aprobación de los demás.

Uno de los jóvenes de *El Semanario* es José Victorino Lastarria, uno de los primeros amigos chilenos que tuvo Sarmiento. En las primeras semanas de estadía de Domingo en Santiago,

Lastarria lo había visitado en su cuarto para conocerlo: le habían impactado la pobreza de la estancia y el talento expresivo del joven exiliado, que presentaba una tosquedad de gaucho que sus palabras pronto embellecían.

Al lado del humilde lecho de Sarmiento, arrimados en orden, como en un estante, pero colocados sobre el piso de ladrillo, reposaba una larga fila de volúmenes del *Diccionario de la conversación,* que parecía ser la única posesión del argentino. Al cabo de unos pocos días, el chileno le compró esa colección por cuatro onzas de oro, con las cuales el desterrado pudo atender sus apremios.

Desde aquel primer encuentro, Lastarria admiró a ese hombre de frente calva, que parecía añadir edad a sus escasos 30 años, y mirada fija y despierta, con destellos de vivaz espíritu. Y trató de asistirlo en cuanto pudo.

En medio del fárrago de la polémica sobre el romanticismo, Domingo se encontró una noche en una fonda con José Victorino. Se sentaron a compartir un plato de charquicán y el sanjuanino le confesó su tristeza:

—Es cierto que soy cáustico y he defendido mi posición con calor irritante, pero no entiendo por qué me acusan de ignorante, de charlatán.

Mientras hablaba, el sanjuanino miraba con atención la forma de la escudilla en que comía.

—¿Por qué este odio y este desprecio de los jóvenes hacia mí? ¿Es necesario pisotearme porque no me gustan los escritores españoles, ni su estilo, ni su lenguaje castizo?

Lastarria estaba sorprendido al ver la fragilidad del rudo gigantón, al advertir que el implacable publicista, feroz en sus ataques, se sentía vulnerado por sus inexpertos adversarios. El menosprecio de los demás, real o imaginario, lo lastimaba enormemente.

El chileno habló con sus colegas de *El Semanario* y la polémica entró en sus fases finales con más moderación.

Sarmiento disfruta con su tarea como director de la Escuela Normal de Preceptores. Una vez, debe dictar una clase de francés y advierte que los alumnos, bastante mozos, escuchan con cierta prevención.

—Ustedes creen que el francés es muy difícil de aprender. Pero están equivocados: en el fondo es muy parecido al castellano —el profesor se pasea ceñudo por el aula y los estudiantes lo miran con desconfianza.

—La diferencia es que el francés es más fruncido: los franchutes dicen *cul de sac, cul de lamp* o *cul,* solamente. Mientras un español dice *culo* a boca llena, para no andarse con puñeterías como los franceses...

Además, Domingo pudo poner en práctica las medidas innovadoras que había venido madurando desde sus experiencias docentes en San Luis, Los Andes y Pocuro. Creía que, más que llenar la memoria del niño con nociones inútiles, había que despertar su conciencia y facilitarle los medios de comunicación intelectual. Así, implantó el método del silabeo en vez del deletreo, por entender que si bien ni las letras ni las sílabas expresan imágenes o ideas, las sílabas representan sonidos y conducen más rápido a la formación de palabras.

Para difundir estas ideas, publicó tres trabajos: *Análisis de las cartillas, silabarios y otros métodos de lecturas conocidos y practicados en Chile, Método de lectura gradual* e *Instrucción a los maestros de la escuela.*

En cuanto al aprendizaje de la escritura, Sarmiento postuló la necesidad de sujetar la ortografía a la pronunciación, para evitar los esfuerzos inútiles de alumnos y maestros.

Partía de la base de que el lenguaje escrito o artificial, no es sino la expresión gráfica del idioma hablado, es decir, el dibujo o los signos del habla. Por ello sostenía que debía haber una letra para cada sonido y un sonido para cada letra; y que no tenía sentido que hubiera letras sin sonido, como la *h.*

¿Para qué sirven las letras mudas como la *h* o la *u* en las sílabas *que, qui, gue* o *gui*?, se preguntaba. Consideraba absurdo que hubiera dos o más letras con un mismo sonido ($y = i$), ($c = q = k$). Como esta escritura confusa se había ido formando con el paso del tiempo, mezclándose dos sistemas distintos, el etimológico, que atiende a la raíz, y el fonético, que privilegia los sonidos, el sanjuanino proponía volver a la ortografía puramente fonética, aunque por un camino gradual.

Sistematizó sus propuestas en un escrito y, bajo el título de *Memoria sobre ortografía americana,* lo presentó en la Facultad de Humanidades, motivando un intenso debate en la Universidad y en la prensa. Se multiplicaron las polémicas y el sanjuanino defendió sus tesis en conferencias y artículos, asistiendo a todos los foros en que se discutía el tema. Finalmente, la Universidad aceptó parcialmente la reforma en los casos de la *y,* la *h,* la *g* y la *x,* que dio origen a lo que se llamó la "ortografía chilena".

Domingo no era un filólogo profesional, ni siquiera tenía formación universitaria, de modo que su participación en los debates académicos suscitaba celos y resistencias. Como sus propuestas atacaban normas seculares de la Real Academia Española, procuró demostrar que la ortografía oficial no respondía a ningún estudio serio y que carecía de un sistema lógico.

Esto le valió la reacción de su amigo, el escritor español Rafael Menviele, quien, ofendido, le dijo que antes de criticar los defectos de la Real Academia Española debía fijarse en los vicios de la política argentina.

—¡Pues precisamente por fijarme en los defectos de la política argentina es que estoy desterrado en este país! —vociferaba el cuyano en una tertulia. Y despotricaba:

—La barbarie sigue viva hoy en España. ¡Vea si no la guerra carlista! Y la dictadura de Rosas es una herencia de la Inquisición que la España despótica nos trajo a América, tan absurda como su ortografía. . .

En noviembre de 1842 sale a la luz *El Progreso,* el primer diario que se edita en Santiago. Su redactor principal es Sarmiento, quien cotidianamente va a batallar desde allí en todos los planos posibles: económico, político, cultural, costumbrista. En los días del nacimiento del diario, lo visita el marino norteamericano George Mebon, quien le habla de las ventajas de colonizar el estrecho de Magallanes fundando allí una población, de modo de hacer más segura la navegación por ese paso. Domingo acoge con interés la iniciativa y, durante varias ediciones, propulsa la idea que, finalmente, es aceptada por el gobierno chileno.

Le llegaron noticias de San Juan, anunciándole que su primo Domingo Soriano Sarmiento se había casado. Soriano era hijo de su tía Ángela, dueña del negocio en que Sarmiento había trabajado, y Domingo le había enseñado sus primeras letras. Pensó que sería oportuno brindarle algunas reflexiones sobre el amor y el matrimonio y le escribió:

Querido Tocayo:

Con el mayor placer he sabido que se ha casado con la prima Laura. Era ésta una niña por quien tenía una predilección especial, y no dudo que hará la felicidad de usted.

Tentaciones me dan de predicarle un sermón sobre los deberes conyugales y sobre ciertas líneas de conducta que yo me propongo guardar cuando tenga mujer, porque ha de saber que por pereza y por estar casi siempre muy ocupado no he salido a buscar una mujer de que, sábelo Dios, tengo suma necesidad.

Vea usted, sin embargo, cómo veo yo el casamiento.

No creo en la duración del amor, que se apaga con la posesión. Yo definiría esta pasión así: un deseo por satisfacerse. Parta usted, desde ahora, del principio de que no se amarán siempre. Cuide usted pues de cultivar el aprecio de su mujer y de apreciarla por sus buenas calidades. No abuse de los goces del amor; no traspase los límites de la decencia; no haga a su esposa perder el pudor a la fuerza de hacerla prestarse a todo género de locuras. Cada nuevo goce es una ilusión perdida para siempre; cada favor nuevo de la mujer es un pedazo que se arranca al amor. Yo he agotado algunos amores y he concluido por mirar con repugnancia a mujeres apreciables que no tenían a mis ojos más defectos que haberme complacido demasiado. Los amores ilegítimos tienen eso de sabroso; que siendo la mujer más independiente aguijonea nuestros deseos con la resistencia.

Deje a su mujer cierto grado de libertad en sus acciones y no quiera que todas las cosas las haga a medida del deseo de usted. Una mujer es un ser aparte, que tiene una existencia distinta de la nuestra. Es una brutalidad hacer de ella un apéndice, una mano, para realizar nuestros deseos.

Cuando riñan, y esto ha de haber sucedido antes de que reciba ésta, guárdese por Dios de insultarla. Mire que he visto cosas horribles: si en la primera riña le dice usted bruta, en la segunda le dirá infame y en la quinta puta. Tenga usted cuidado con las riñas y tiemble usted, no por su mujer sino por la felicidad de toda su vida. En fin, no quiero hablar más de eso.

Adiós pues,
Domingo Sarmiento

Asiduo concurrente al teatro, Sarmiento comentaba en *El Progreso* las obras a las que asistía. En una crítica sobre el drama *Adel de Zegri,* que versaba acerca de una religiosa sin vocación, mencionó el caso de la monja Zañartú que, según una tradición chilena, había sido recluida por su padre en un convento, donde murió mortificada por la pena.

La cita molestó a muchos santiaguinos, entre ellos el periodista Domingo Godoy, descendiente de los Zañartú, quien comentó en su club que había conocido a Sarmiento en San Juan y que se trataba de un individuo ruin, de una oscura familia, que había asesinado a quienes se habían rebelado con el *Negro* Panta y que había malversado los fondos de la colecta para los prófugos del general Lamadrid.

El infundio circuló con profusión y Domingo, indignado, redactó un brulote que tituló *Vaya un fresco para don Domingo Godoy* y lo pegó en el salón del mismo club, para que fuera leído por quienes habían escuchado los anteriores insultos.

Godoy contestó con otro pasquín y luego Sarmiento divulgó un nuevo ataque, donde describía la conducta de su contrincante durante su vida en San Juan.

Aunque amigos comunes intervinieron para que el escándalo cesase, los dos polemistas quedaron muy sentidos. Agraviado, escarnecido, Sarmiento redactó un opúsculo titulado *Mi defensa,* en el que pretendía mostrar que pertenecía a una familia digna y honesta y que él era un hombre de bien.

"Godoy ha dicho que recién me estoy civilizando aquí —manifestaba— y creo que tiene razón. Mis amigos se ríen de mi torpeza de modales, de mi falta de elegancia y de aliños, de mis descuidos y desatenciones. También es cierto que tengo cierta cortedad huraña, cierta descortesía, que me hace estar mal en presencia de hombres colocados en la sociedad en más alta posición que yo", reconocía. Pero señalaba luego todos los méritos de sus antepasados sanjuaninos y sus propios esfuerzos y trabajos para servir a la educación y al progreso de su país y de Chile, con probidad y decencia.

Indalecio Cortínez y Antonino Aberastain se habían exiliado en Copiapó. De los antiguos amigos de bohemia sanjuanina, solamente Manuel Quiroga Rosas, el corredactor del legendario *El Zonda,* vivía desterrado en Santiago. Un día, en el ambiente de los argentinos se supo que Manuel estaba tuberculoso. A pesar de sus múltiples ocupaciones como periodista y docente, Sarmiento lo visitaba a menudo y sufría al verlo cada vez más delgado y macilento. La tos crecía día a día y la respiración se le hacía muy dificultosa.

En el hotel donde estaba alojado Manuel, le dicen que tiene que retirarse. Domingo busca una casa donde instalarlo y lo traslada hasta allí cargado en un catre, ayudado por tres peones.

El final se acerca y Sarmiento y otros amigos se turnan para acompañar a Quiroga Rosas. Una mañana la situación es desesperante y el médico indica que el enfermo respirará mejor si puede mantenerse sentado. Domingo sube a la cama enfrentando a Manuel y estira sus piernas alrededor de su escuálido cuerpo. Abraza al moribundo y lo recuesta suavemente sobre su pecho. Manuel, agonizante, parece luchar en busca de aire y vida. Sarmiento sufre al sentirlo en ese estado y las lágrimas caen por sus mejillas. Durante horas, piensa en ese amigo con quien actuaron juntos en el teatro, escribieron en *El Zonda,* pasearon por el campo y combatieron contra el despotismo. Manuel, Manuel, tenemos que seguir peleando por nuestras ideas. Querido amigo, no nos dejes, te necesitamos. Yo, Manuel, particularmente te necesito. Es mucho esfuerzo, mucho trabajo y estoy muy solo. Únicamente vos y los otros sanjuaninos pueden comprenderme y por eso tienes que quedarte. Manuel, Manuel, hay que esforzarse. Manuel, Manuel, querido amigo, no me dejes...

El jadeo cesa y la respiración se vuelve tenue hasta que desaparece. Manuel está inmóvil y Domingo queda quebrado, desolado, roto. Acuesta a su amigo y baja de la cama, sollozando. Todos los presentes lloran y Sarmiento siente que el dolor es infinito. Pero no van a destruirnos, Manuel...

La situación política determinó que se fundara otro diario en Santiago: *El Siglo* nació para apoyar al ministro del Interior, mientras *El Progreso* respondía al ministro de Instrucción Pública, Manuel Montt. Aunque los dos cotidianos eran oficialistas, se trenzaban en furibundas polémicas. El director de *El Siglo* era José Victorino Lastarria, amigo y admirador de Sarmiento, pero sus redactores eran Domingo Santiago Godoy, su antiguo adversario, su hermano Pedro Godoy y Juan Espejo, también enemigos del cuyano.

Desde la aparición del nuevo diario, Pedro Godoy comenzó a atacar a Sarmiento, calificándolo de periodista asalariado y de "extranjero". Este epíteto irritaba sobremanera al sanjuanino, le resultaba discriminatorio e injusto, por cuanto él había abandonado su patria no por gusto sino por necesidad, y además estaba contribuyendo con su esfuerzo a levantar el nivel cultural de Chile, incluso el de la prensa.

Sarmiento contestó con violencia a sus colegas, calificando al periódico de "aborto de la ignorancia".

En la edición siguiente, *El Siglo* publicó un aviso que decía:

VENDO
CABALLO CUYANO
Educado por método moderno
Lee y escribe según la ortografía americana
Relincha como habla
Tratar en: *El Progreso.*

Domingo Faustino estaba indignado con los insultos que Espejo y los Godoy le dirigían en *El Siglo.* Había escrito a

Lastarria una carta furibunda recriminándole que, en su carácter de director, no hubiera impedido que se le injuriase permanentemente. Lo hacía responsable de las diatribas y cortaba su amistad.

Pero esta descarga no alcanzaba para calmarlo. Se sentía envenenado con el encono hacia estos mediocres que no solamente no valoraban sus méritos y esfuerzos, sino que todavía lo ridiculizaban, lo menospreciaban y se burlaban de él.

Reunido en un café con Vicente Fidel López, le decía acalorado:

—Además insisten en desmerecer mi pensamiento y mis trabajos, llamándome extranjero. No soy solamente un caballo, ¡soy un caballo cuyano...!

Sin poder reprimir una leve sonrisa, su compatriota y compañero de exilio comentó:

—Habría que escupirles en la cara...

Esa noche, Domingo no pudo dormir. Daba vueltas en su lecho como si un malestar íntimo y profundo le revolviera el estómago y necesitara sacárselo de adentro.

Al día siguiente, pasó brevemente por las oficinas de *El Progreso* y se dirigió hacia *El Siglo.* Entró sin saludar y vio que Juan Espejo estaba en la única oficina, que servía de redacción y taller de tipos. Lo encaró sin demora:

—Usted me ha llamado cobarde y me ha agraviado de mil maneras. Le exijo una retractación inmediata...

Espejo estaba tan sorprendido que no podía articular palabra y sólo atinaba a mirar la cara encendida y los ojos relampagueantes de su fogoso colega. Pensó decirle que se retirara en el acto, pero en ese momento un ruidoso e intempestivo escupitajo le pegó en la cara y lo hizo pestañear. Enceguecido, el redactor de *El Siglo* se lanzó sobre el sanjuanino y en su manoteo alcanzó a agarrarle los pocos cabellos que tenía, mientras con la otra mano trataba de golpearlo. Sarmiento, a su vez, en el entrevero, procuraba desasirse y simultáneamente propinaba trompadas con sus manazas a su adversario físico e intelectual. Finalmente, en medio de golpes e insultos recíprocos, el cuyano se retiró arreglándose la chaqueta y acomodándose los cabellos con la mano.

Cuando llegó de vuelta a *El Progreso,* la noticia había corrido como reguero de pólvora por la ciudad. El sanjuanino estaba todavía alterado pero satisfecho, pues pensaba que había cumplido con su íntimo deber. Creyó que Espejo iba a mandarle los padrinos, pero éstos no vinieron y la perspectiva se disipó. En cambio, durante esa tarde y los siguientes días, empezaron a llegarle informaciones sobre los comentarios que el episodio había suscitado: se decía que Espejo lo había golpeado duro, que lo había molido a patadas, que el cuyano se había retirado con la cola entre las piernas y que todo Santiago estaba de parabienes por la tunda que había recibido el odiado Sarmiento.

Taciturno, vulnerado, Domingo no podía entender por qué tantas personas estaban contra él, se complotaban para dañarlo, tergiversaban los hechos y se concertaban para humillarlo, aun a precio de torcer las verdades. ¡Qué ingratitud tenían estos chilenos!, pensaba. Él había prácticamente creado el periodismo de Santiago, ya que a su llegada ni un diario tenían. Había formado una Escuela Normal de Preceptores, en un ambiente opaco en que los docentes no tenían ninguna formación. Había renovado los métodos de enseñanza y actualizado la gramática española, había agitado los ambientes culturales haciendo crítica literaria, teatral, de costumbres, económica y política. Pero en vez de recibir algún reconocimiento, un mínimo gesto de agradecimiento de la sociedad a la que tanto había dado, sólo obtenía agresiones y rencor.

Hastiado, cansado, vencido, sintiéndose martirizado, el joven sanjuanino de apenas 33 años decidió inmolarse en un acto de justicia contra aquella sociedad que, por intolerancia o mediocridad, lo zahería sin descanso y sin medida. Una noche, se sentó a la mesa en su cuarto y escribió un artículo lapidario, puntualizando que la sociedad chilena estaba carcomida por la ruindad y la vileza. Las naciones pueden ser crueles y lo son a veces —meditaba el cuyano— y no hay juez que las castigue sino sus tiranos o sus escritores. Asumiendo este último rol, Sarmiento descargó toda su pasión contra periodistas y políticos, funcionarios y particulares, sin olvidar ni siquiera a Montt, al editor de *El Progreso* Antonio Vial ni a los pocos amigos chilenos con quienes todavía no se había peleado, calificándolos de infames o de ingratos.

Al día siguiente llevó la nota hasta su diario y se la entregó directamente a los cajistas, retirándose luego en silencio hasta su casa. Allí, con el sentimiento de haber hecho algo justo pero que implicaba de algún modo el final de sus días, cargó las dos pistolas que tenía y se tiró sobre la cama, esperando los acontecimientos que habrían de precipitar su fin y significarían el término de sus tribulaciones.

Observaba los ladrillos del techo imaginando que sus grietas formaban algo así como monstruos alados, mientras su mente volaba hasta dos cuadros con imágenes religiosas en la sala de su casa sanjuanina, cuando unos golpes en la puerta lo devolvieron a la realidad. Antonio Vial, a quien los tipógrafos espantados habían mostrado el manuscrito, entró a la habitación. Se sentaron a la mesa y el editor habló con voz comprensiva y lenta, sin ninguna recriminación:

—He leído el artículo que usted dejó a los impresores, Domingo...

—Ajá...

—¿Se da cuenta usted las consecuencias que provocará?

El cuyano miró las pistolas sobre la mesa, y contestó:

—Con toda claridad.

—Esto es una locura, Domingo. ¿López sabe lo que usted escribió?

—No.

Apesadumbrado, pero sin rencor, Vial tomó su sombrero y se retiró: marchó a contar la situación a Vicente Fidel López y al ministro Montt.

Domingo volvió a tenderse sobre la cama y a mirar las siniestras figuras del techo, hasta que Vicente Fidel López llamó a la puerta e interrumpió su triste divagación.

Su compatriota trató de disuadirlo de publicar ese análisis injustificado, pero Domingo se mantuvo en su posición. Finalmente, López le pidió que al menos le permitiera corregirlo y quitar los términos más ofensivos y el sanjuanino asintió con su silencio.

A la noche, Vial le trajo una carta de López en que decía que había desistido de morigerar las palabras duras, por considerarlo impropio e inútil. Que si insistía en publicar esa nota, que se tomase cuanto antes un birlocho a Valparaíso. Algo desconcertado, Domingo se quedó pensando y se acostó a dormir. Esto de huir no le gustaba nada, no cuadraba con su temperamento.

A la mañana siguiente, Montt lo citó en su despacho. El ministro era un hombre joven, pero tenía la sabiduría de una persona madura. Le habló primero de un tema de la Escuela Normal y luego, con parsimonia y calidez, se refirió a su actitud.

—Don Domingo —el funcionario abría los brazos—, usted sabe cómo lo distingue y lo respeta tanta gente importante de nuestro país. No puede dar harta importancia a los infundios de unos pocos gallos insignificantes...

Sarmiento empezó a despotricar contra sus enemigos, pero Montt lo fue calmando con sus halagos y benevolencia.

—Don Domingo, los chilenos lo necesitamos. No podemos prescindir de su talento...

El cuyano salió más tranquilo del ministerio. Se dirigió hasta *El Progreso,* saludó a Vial con un gruñido, retiró del taller su nota compuesta, y se sentó a escribir un artículo sobre la ópera *Lucía de Lamermoor:* "Domina en toda la Lucía una sensibilidad delicadamente expresada que encanta por su terneza y dulzura. Los andantes son como hebras de oro por la brillantez y suavidad del aire, por la miel con que se pegan al oído".

La brega ideológica, las polémicas políticas, la lucha por lo que él entendía eran ideas progresistas, el batallar contra el oscurantismo clerical, hacían que Sarmiento estuviese cada vez más solo. Se había peleado con sus amigos chilenos Lastarria y Menviele; y Manuel Quiroga Rosas no estaba ya en este mundo para acompañarlo, en esos diálogos con códigos secretos que sólo los comprovincianos y los amigos de infancia pueden compartir.

Era devoto del teatro, la música y la pintura, y le gustaba discurrir en las tertulias sobre estos temas, pero las violentas discusiones en que se trenzaba terminaban arruinando todas las reuniones.

Cada vez frecuentaba a menos gente: el tucumano José Posse, atrabiliario como él, y el porteño Vicente Fidel López, hijo del autor del himno nacional, eran los compañeros de exilio con quienes más alternaba. Y la única tertulia en la que encontraba paz, calidez y un ambiente amistoso era la del matrimonio de Domingo Castro y Calvo con Benita Martínez Pastoriza.

Castro y Calvo era amigo de su padre y Domingo lo había tratado anteriormente en San Juan y Copiapó. Era un hombre mayor, de mala salud, que luego de enviudar se había casado con una sobrina de su primera esposa, una jovencita sanjuanina mucho menor que él. Cuando Sarmiento llegó asilado a Chile, los Castro y Calvo lo habían recibido con hospitalidad y lo invitaban a menudo a su casa.

Cuando Domingo hablaba con voz estentórea de teatro, de historia, de política, de costumbres, de literatura francesa; cuando gesticulaba ilustrando sus dichos y parecía que diseminaba pensamientos a manotazos por la sala, Benita miraba con admiración a ese joven de 33 años que defendía con tanto ardor sus opiniones y ponía harto fuego en todo lo que hacía. La muchacha viajaba con sus palabras a otros mundos y otras dimensiones y remontaba la placidez de su hogar, donde la serenidad de un marido bondadoso y muy maduro le daba dominio pero no vitalidad.

Domingo, a su vez, encontraba en Benita una interlocutora que, con sus silencios, comprendía sus expresiones intelectuales y sus sentimientos y emociones encontradas. Si bien no era bonita, el casamiento y el contacto con la sociedad santiaguina habían dado a la joven mujer una seguridad y unos buenos modales que aumentaban a sus ojos su atractivo y distinción.

En aquellos días de abatimiento y soledad, Domingo recuperaba en las tertulias de los Castro y Calvo el interés por los temas y el entusiasmo exuberante por cualquier discusión. Pero Benita entrevió, por lo que el sanjuanino mostraba y por lo que ella sabía, que ese gigantón a veces torpe, con una frente amplísima y curvada de surcos, era también un ser humano tierno que necesitaba protección contra los ataques y las amenazas que él mismo se buscaba con su vehemencia.

La joven esposa, que ya había sido atrapada por la fuerza ideológica y el vigor humano del rudo sanjuanino, quedó también prendada de su oculta debilidad. Y muchas veces, cuando su anciano marido la "molestaba" de noche y ella lo recibía en la ancha cama de bronce de su habitación, sus fantasías la llevaban al encuentro de ese vigoroso cuyano de patillas delgadas, bigote fino y expresión de disgusto, cuya pujanza exultante la remontaba sobre la cordillera y le hacía conocer el remoto mundo del placer y la plenitud.

9

SOMBRA TERRIBLE DE FACUNDO
(1845)

Domingo marchó, en enero de 1845, a pasar unos días de descanso en San Felipe de Aconcagua. Sus hermanas Bienvenida y Procesa proseguían con su escuela. Con ellas estaban doña Paula y Faustina, ya una adolescente de doce años, a quienes su abuela y tía llamaban "la chilenita".

La madre de Faustina, Jesús del Canto, seguía viviendo en el vecino pueblo de Los Andes. Se había casado con un hombre varios años menor, Roberto Segovia, a quien le había hecho saber que anteriormente había tenido una hija. Pero por lo que ella entendía como "decoro y respeto a su marido", no mantenía contactos con Faustina.

La fuerza del verano, con sus manzanos y perales rebosantes de frutos, más la compañía de su madre, hermanas e hija, alivió los días del emigrado. Al mediodía y al atardecer, se improvisaba la tertulia en el ancho patio, cuya parra brindaba uvas y espacios claroscuros.

—¿Cómo están Benita y Castro y Calvo, hijo? —se interesaba Paula, mientras cebaba cuidadosamente el primer mate.

—Muy contenta ella con su embarazo, madre. No tenían mucha esperanza de sucesión, de modo que ahora está encantada —Domingo participaba de la alegría por la noticia.

—¿Para cuándo el parto? —terciaba Bienvenida.

—Para abril o mayo, según tengo entendido.

Recibió el mate con su manaza derecha y sus mejillas se fruncieron en un largo y profundo sorbo.

Culminaba su veraneo, cuando Bienvenida le anticipó sus planes.

—Volvemos a San Juan, Domingo. Es muy dura la vida fuera de la patria...

Sarmiento miró a su madre y a su hija. Paula estaba callada y parecía triste y envejecida. Faustina, en cambio, tenía la vivacidad que acompaña al despertar de la femineidad.

Dirigió la vista a un racimo de uvas verdes, que pendía en inestable equilibrio. Cuánto más solo voy a estar, pensó, mientras el nudo que se le hacía en la garganta parecía reflejarse en sus labios salidos y en las arrugas de su frente.

Allí recibieron la noticia de la muerte del *Fraile* Aldao, en Mendoza. Sarmiento recordó los sucesos del Pilar y evocó muchos episodios de su vida política, pletórica de sangre, atropellos y barbarie. Sintió necesidad de escribir sobre ella y de inmediato inició unos apuntes biográficos donde fue pintando con vivos colores el nacimiento de esos caudillos que, como Aldao, habían ido surgiendo de las luchas civiles para encarnar la intolerancia propia de los tiempos coloniales.

Volvió triste a Santiago, por la separación de sus seres queridos. Mientras cabalgaba por la cuesta de Chacabuco, se preguntaba cuándo volvería a verlos.

Llegó de tarde a la plaza de armas. Aguateros ofrecían su fresco líquido y otros vendedores mostraban sus canastos con frutas, huevos y verduras. Subió a su habitación en el portal de Sierra Bella, se higienizó y, a la oración, partió a la tertulia en lo de Castro y Calvo.

La presencia de Benita lo calmó y alegró. La vio radiante en su embarazo, que había llenado su rostro de tersura y vitalidad y había erguido elegantemente su figura. Un delicado vestido blanco, ajustado en el pecho, resaltaba su vientre y acariciaba el entrañable contenido, cubriendo las piernas levemente abiertas que la hacían aún más irresistible.

Le contó de su estancia en San Felipe, de la presencia de su madre y de la escuela de sus hermanas; le habló también de la adolescencia de Faustina y de su tristeza por el regreso de todas ellas a San Juan.

Benita lo miraba gesticular y mover la cabeza, dispersando sentimientos e ideas, y su ternura se desbordaba sobre ese hombretón fuerte pero desamparado, que enfrentaba a un universo de pasiones y contrastes.

El tema dominante entre los exiliados era la inminente llegada de un representante de Rosas, quien sería acreditado ante el gobierno chileno. La misión oficial de Baldomero García consistía en gestionar el cobro de pastajes en potreros fronterizos y protestar por la designación de un agente consular chileno en

Mendoza, ignorando que Rosas tenía el manejo de las relaciones exteriores.

Pero las autoridades chilenas y los desterrados argentinos sabían que el verdadero propósito era otro: pedir una mayor vigilancia de las actividades políticas de los antirrosistas, sobre todo tratar de atenuar sus prédicas en la prensa.

El arribo de García conmocionó: en la casa donde se alojó, con su joven secretario Bernardo de Irigoyen, se habían colocado cortinados celestes y esto provocó el primer incidente. El diplomático se quejó de una aparente jugarreta de los exiliados y pidió se cambiaran por brocatos colorados, conforme al color político del gobierno que representaba.

En la puerta de la legación se puso a un portero moreno, quien llevaba un cintillo rojo en el ojal, con la inscripción "Mueran los salvajes asquerosos unitarios". Un desterrado argentino, Elías Bedoya, pasó un día por allí y le arrancó la divisa de un manotón, originando otro escándalo. El enviado presentó un reclamo diplomático y una denuncia policial y trató de influir sobre algunos periódicos para que se ocuparan del tema.

Aunque el gobierno chileno no tenía ninguna simpatía por la dictadura rosista, los exiliados argentinos empezaron a preocuparse. Temían que las presiones diplomáticas pudieran producir algún efecto y se rumoreaba que García gestionaba el acallamiento e incluso el destierro del periodista Sarmiento, mortífero batallador desde *El Progreso*.

Enterado del rumor, Domingo se sintió halagado y contrariado. En realidad, nunca se había desahogado del todo en su diario contra el rosismo, para no comprometer al ministro Montt. Desde el comienzo de sus relaciones, Montt le había pedido prudencia en este sentido y él había cumplido. Ocasionalmente, había descargado su odio contra la dictadura en otros periódicos circunstanciales.

Ahora, sin embargo, estaba furibundo. Le gustaba que le hubieran otorgado tanta importancia y que el enviado de Rosas le diera entidad de enemigo. Pero también lo alteraba la posibilidad de que el gobierno chileno acogiera las peticiones.

Sin pensar, respondió con su estilo: fulminó a García con sucesivos ataques en *El Progreso* y justificó a Bedoya. A pesar de estas descargas, Sarmiento no se quedó tranquilo. Se había enterado de que las autoridades chilenas habían invocado la libertad de prensa y rechazado por tanto las pretensiones del enviado de Rosas, pero había algo en el ambiente que lo tenía desasosegado. En algunas tertulias empezaba a insinuarse que a lo mejor el gobierno de Rosas no era tan malo ni tan dictatorial como pretendían los exiliados.

Esto lo terminó de sublevar. El destierro era muy duro. Estar lejos de la familia, pasar privaciones económicas, no poder participar en la política de su propio país, era tremendo. Pero hasta el momento habían tenido una especie de consuelo: nadie en Chile dudaba de que luchaban por una noble causa.

Si ahora empezaba a recelarse de ello, sentía que el suelo le temblaba bajo los pies. La rabia lo invadía y no sabía cómo descargarla. Hasta que se decidió. Hacía tiempo que venía pensando en escribir un libro explicando el porqué del caudillaje y la dictadura en su país. Había escrito a algunos amigos pidiendo datos, y el éxito de sus apuntes sobre Aldao le había dado ánimo sobre el tema.

Benita acababa de tener un hijo varón y él se sentía también en condiciones de parir. Iba a escribir sobre Facundo Quiroga, ese miserable que había humillado a su padre y su madre, para personificar y explicar en él todas las calamidades que habían caído sobre su patria.

Iba a escribir sobre la naturaleza del suelo argentino y a explicar por la existencia de sus personajes, del cantor, del gaucho malo, el rastreador, el baqueano, el nacimiento del triunfo de la barbarie campesina sobre la civilización de las ciudades. Necesitaba explicarse de una vez por todas por qué misterios o atavismos ancestrales la intolerancia de la Inquisición española había venido a perpetuarse en estos canallas llamados Rosas, Quiroga, Benavídez o Aldao, que se imponían y desterraban a todos los hombres de bien y amantes del progreso, como él.

Juntó las pocas respuestas que había recibido, escribió de nuevo a Aberastain y Cortínez y, esa noche, se sentó a la mesa y empezó a redactar:

¡Sombra terrible de Facundo! ¡Voy a evocarte, para que sacudiendo el ensangrentado polvo que cubre tus cenizas, te levantes a explicarnos la vida secreta y las convulsiones internas que desgarran las entrañas de un noble pueblo! ¡Tú posees el secreto: revélanoslo! Diez años aún después de tu trágica muerte, el hombre de las ciudades y el gaucho de los llanos argentinos, al tomar diversos senderos en el desierto, decían: "¡No, no ha muerto! ¡Vive aún. Él vendrá!" ¡Cierto! Facundo no ha muerto; está vivo en las tradiciones populares, en la política y revoluciones argentinas; en Rosas, su heredero, su complemento: su alma ha pasado a este

otro molde más acabado, más perfecto; y lo que en él era sólo instinto, iniciación, tendencia, convirtióse en Rosas en sistema, efecto y fin; la naturaleza campestre colonial y bárbara cambióse en esta metamorfosis en arte, en sistema y en política regular capaz de presentarse a la faz del mundo como el modo de ser de un pueblo encarnado en un hombre que ha aspirado a tomar los aires de un genio que domina los acontecimientos, los hombres y las cosas.

Día tras día fue publicando en *El Progreso* las cuartillas en que volcaba noche a noche las reflexiones y los conocimientos que se avivaban al exponerlos, al punto que le parecía que la pluma muchas veces escribía sola e iba mucho más allá de lo que él mismo había pensado.

Al cabo de dos meses, sintió que había descargado una bronca de décadas, de toda una vida, que había podido transmitir su pensamiento a sus lectores y que ahora, en esas notas del folletín, había depositado un hijo que tomaría forma de libro y que echaría a andar por el mundo, abriéndose camino por sí mismo, arrastrando de la mano a su propio padre.

Una vez publicado como libro, Sarmiento envió ejemplares del *Facundo* a casi todas sus relaciones del exilio y también, en forma secreta, a sus amigos de la Argentina. Remitió uno al gobernador de San Juan, Nazario Benavídez, quien, siempre prudente y astuto, lo reenvió con una esquela a Juan Manuel de Rosas.

El Mercurio de Valparaíso y otros periódicos chilenos elogiaron el libro, pero esto no atenuó los ataques que el sanjuanino recibía por parte de los hombres de *El Siglo*. El coronel Godoy insistía en sus diatribas y la Municipalidad de Santiago —también injuriada— resolvió iniciarle juicio. El día de la audiencia el libelista fue absuelto y sus partidarios recorrieron el centro de la ciudad vociferando "Muera Montt", "Muera el cuyano Sarmiento".

Desde la ventana de su cuarto, Domingo vio pasar a los manifestantes por la calle Ahumada. Al desaparecer de su vista y extinguirse sus voces, bajó y cruzó la plaza hasta la Casa de Gobierno. Montt lo recibió con su habitual serenidad:

—Me marcho a La Paz, don Manuel. El gobierno boliviano me ofrece trabajo...

—Don Domingo, usted sabe cuánto lo necesitamos acá...

—Me fatigan, señor ministro, con tanta vileza...

—¿No había pensado usted, antes, en viajar a Europa?

Sorprendido primero, el rostro de Sarmiento se iluminó después.

Conocer Francia, Inglaterra, Alemania, era un viejo anhelo suyo. Cuántas cosas había para aprender en esos países, lo mismo que en los Estados Unidos. Montt le ofreció comisionarlo para que estudiara en dichas naciones el desarrollo de la instrucción primaria y Domingo abandonó el despacho pletórico de entusiasmo.

A las pocas semanas, provisto ya del dinero gubernamental necesario para los pasajes y los gastos de estadía, se despidió del funcionario que tanto lo había comprendido:

—Dos llaves llevo para penetrar en París: la recomendación oficial del gobierno de Chile y el *Facundo*.

Montt sonrió comprensivo:

—Buen viaje, don Domingo. —El ministro abrió sus brazos y Sarmiento, al estrecharlo contra su pecho, sintió que las lágrimas asomaban a sus ojos.

La tertulia en lo de Castro y Calvo languidecía y se servía la última copa de mistela. Domingo había hablado con entusiasmo de su viaje, destacando todos los países que visitaría y las ventajas de poder estudiar en el terreno el estado de la educación elemental.

Benita, sin embargo, permanecía triste y ensimismada. No entendía las razones de esta ausencia y no le interesaba conocer los detalles del periplo. No aceptaba esta partida, así sin ton ni son.

Gesticulante, explicativo, el sanjuanino se acercó a Castro y Calvo y estrechó su mano como despedida. Luego se dirigió a Benita y la vio bella, pero hierática y distante. Besó su mano y le expresó:

—La tendré presente, Benita.

En silencio, ella lo miró partir: ilusionado, entusiasta, los movimientos torpes de Sarmiento mostraban su optimismo y resolución.

10

LA "NUEVA TROYA", RÍO Y PARÍS (1845-1846)

Los amigos que Domingo tenía en Valparaíso habían ido hasta el puerto para despedirlo y habían subido a bordo de *La Enriqueta.* Cuando el primer oficial anunció que el velero partía, lo fueron abrazando y descendieron hasta la chalupa que los devolvería a tierra firme. Emocionado y contento, el cuyano vio que el último en abandonar la cubierta era Demetrio Rodríguez Peña. Será el primero al que escribiré, se propuso, ya que les había anunciado correspondencia y crónicas de viaje para que ellos trataran de publicarlas en los periódicos locales.

El barco partió hacia el sur y Domingo contemplaba la belleza de esa bahía, acosada por los cerros en los que ya se veían algunas casas coloridas de alemanes o ingleses. El propósito era llegar hasta el estrecho de Magallanes y remontar el Atlántico hasta Montevideo.

En los primeros días de navegación, los vientos eran contrarios o sobrevenían pesadas calmas, en las cuales las velas se agitaban levemente sin llegar a inflarse.

Por su temperamento movedizo, ansioso, Sarmiento sobrellevaba mal esa quietud. Se sentía malhumorado, contrariado, hasta que empezó a pensar en que debía acostumbrarse a estos avatares, ya que lo aguardaban muchas millas y meses de navegación.

La falta de vientos modificó parcialmente el rumbo del buque y lo llevó hasta las islas de Juan Fernández, donde durante cuatro días dieron una vuelta completa sobre la denominada De Más Afuera, una formación de origen volcánico muy elevada, sin playas ni fondeaderos seguros en todo su contorno. Señalada en los mapas como inhabitable e inhabitada, el capitán invitó a los pasajeros a hacer una incursión en ella y pasar un día en tierra, para cazar algunos chanchos del monte y aliviar la monotonía. El sanjuanino aceptó de buen grado y partió con dos viajeros más y el piloto, a bordo de un bote que se bajó. Tuvieron que remar durante muchas horas, por haber calculado mal la distancia, y sólo al crepúsculo llegaron hasta las montañas que constituían la tierra firme. Estaban tratando de avizorar un lugar para el desembarque, cuando divisaron una fogata en una de las sinuosidades del terreno. Domingo, que pensaba que se encontraba en la isla en que había sido arrojado el marinero Selkirk, historia que había originado al Robinson Crusoe con quien había disfrutado en su infancia, no podía creer lo que veía. ¡Había allí algún habitante, como en la inolvidable aventura de Daniel Defoe!

El piloto, aunque sabía hablar castellano, se paró en la chalupa y comenzó a gritar en inglés, preguntando si había alguien. Pronto le respondieron en el mismo idioma, haciéndole saber que cuatro norteamericanos vivían allí y que podrían pasar la noche en su cabaña.

Acercaron el bote hasta unas rocas y, ayudados por las indicaciones de los desconocidos, pudieron desembarcar con cautela y dificultad. Luego de los saludos de práctica, los condujeron hasta la casucha en que vivían, donde a la luz de una fogata pudieron sacarse el calzado mojado para secarlo y contarse recíprocamente sus condiciones. Habían sido enviados desde Talcahuano hacía dos años para cazar lobos marinos y, en el naufragio de una lancha, había muerto el hijo del patrón. Temían regresar a contar esa noticia al empresario, pensando que podría acusarlos de asesinato o tomar represalias, y habían preferido quedarse a vivir allí de lo que pescaban y cazaban. Sólo esporádicamente tomaban contacto con algún velero que pasaba. Los visitantes les ofrecieron cigarrillos y, a su vez, fueron obsequiados con un sabroso estofado de montería, cuyos tasajos debían sacar de la olla y comer con las manos por no contar en el lugar con tenedores ni cucharas. Luego tomaron un aromático té de yerba buena y, llegado el momento del reposo, les brindaron un espacio con numerosas pieles de cabra, que a Sarmiento le resultó una cama más mullida y elástica que la de su propio cuarto de Santiago.

A la madrugada siguiente ya estaban en pie, aspirando el aire húmedo y embalsamado de una profusa vegetación, que se elevaba a través de las dos montañas que se unían por una quebrada, a cuyo pie estaba la cabaña que los había albergado.

Ascendieron por ese camino anfitriones y huéspedes, con el ánimo de cazar unas cabras, que las había y muy numerosas. Pero los salvajes animalitos huían despavoridos ante el menor ruido y sólo pudieron cobrar una pieza. Domingo estaba deslumbrado por la belleza de los paisajes, de los árboles y matorrales tropicales que tapizaban las hondonadas y bajo los cuales permanecían sepultados largos ratos.

También quedó fascinado por los gavilanes, mansos por ignorantes del poder destructivo de los seres humanos, y se quedó con la piel y las plumas de uno de ellos con el objeto de enviárselas a su hermana Procesa, para que las añadiera a su colección de pájaros.

Almorzaron copiosamente y el más joven de los náufragos les pidió que *La Enriqueta* lo condujera hasta Montevideo. Se despidieron de los tres restantes y volvieron hacia el velero, encantados con la experiencia que la fortuna les había deparado. Nunca pensé que pudiera encontrarme con Robinsones en la propia isla de Crusoe, pensaba Domingo mientras remaba.

Los días se sucedían sin emociones: los pájaros-carneros revoloteaban majestuosamente; las toninas saltaban por pares en el agua; y, una mañana, cuatro ballenas navegaban al costado del buque, echando al aire sus columnas de agua y atrayendo la atención de los pasajeros, ahítos en cubierta.

Una jornada de borrasca, Domingo se estremeció con el grito fatídico del timonel: "Hombre al agua". Corrió hasta la cubierta y comprobó que un marinero había caído desde una verga: en medio de las olas enfurecidas, el desdichado hizo un esfuerzo y mostró su torso suplicante. Pero el océano despiadado sacudía al propio barco y sumergió de inmediato al tripulante. Aunque el velero viró en redondo y volvió rápidamente al mismo sitio, nunca más pudo ser avistado.

El sanjuanino, que gustaba de quedarse en cubierta horas enteras mirando el mar, sin pensar, sin sentir, entrando en una especie de letargo lleno de delicia y encantamiento, o de pasar las noches escudriñando el cielo polar y oyendo el silbido del viento sobre las jarcias, no logró hacerlo nuevamente sin temer ver aparecer de golpe la cabeza del infeliz marinero o escuchar gemidos lejanos, como gritos de socorro, que le oprimían el pecho y hasta lograban hacerlo acordar de esos seres queridos que habían quedado tan distantes en Santiago de Chile o en San Juan.

El cruce del estrecho de Magallanes se realizó sin mayores dificultades. El cuyano quedó impactado por la belleza de las noches crepusculares en las que, luego de la puesta de sol, un gran relumbre iba circulando por el horizonte sin mermar su esplendor, hasta anunciar la nueva salida del astro rey por el naciente.

Dejaron atrás las islas Malvinas y, mucho más al norte y luego de seis semanas de travesía, se acercaron a las costas argentinas. Una tarde en que el barómetro y los celajes anunciaban el famoso viento pampero, notaron que las aguas rojizas mostraban un claro contraste con el verde esmeralda habitual en el océano.

—Estamos en el río de la Plata —anunció el capitán. Y ensayó una broma—: Ésta es la sangre de los que allí degüellan.

Domingo, que había sufrido tanto con la tiranía federal, que tanto la había combatido con su obra y el *Facundo,* se quedó pensativo, ensimismado. Se sintió humillado por lo que sucedía en su patria, como se avergüenza un hijo por el baldón de sus padres.

Montevideo estaba a la vista, y mientras *La Enriqueta* entraba buscando el fondeadero y rodeando la ciudad, el cuyano contemplaba el damero de las calles acomodándose sobre las ondulaciones del terreno con su variedad de carruajes y jinetes de ropas multicolores. La ciudad presentaba un aspecto morisco, con algunas cúpulas de iglesias dominando sobre los techos planos y las líneas rectas de las construcciones, muchas de ellas con azoteas rodeadas de verjas de hierro sobre las que se levantaban blancos miradores de forma rectangular.

Hacía más de dos años que Montevideo estaba sitiada por fuerzas rosistas comandadas por el general uruguayo Manuel Oribe, pero el acoso no alcanzaba a la navegación y el puerto estaba lleno de embarcaciones de distintas banderas. Paradójicamente, las fuerzas de la plaza estaban al mando de un argentino: el general José María Paz.

Sarmiento presentó su pasaporte en el resguardo y, como en esos días el diario *El Nacional* estaba publicando folletines del *Facundo,* fue reconocido por algunos periodistas y literatos que asistían todas las mañanas al puerto para conocer las novedades.

Lleno de satisfacción, partió a alojarse en una posada. Se sorprendió por el intenso movimiento comercial que agitaba a la urbe, pese a las duras condiciones militares que exigía la presencia en el Cerrito de las tropas sitiadoras. La ciudad había sido amurallada y, a falta de una alameda, el paseo de la tarde se hacía por la hermosa calle central de la parte nueva de la población, que partía del antiguo portón de la Ciudadela y llegaba hasta la trinchera, donde muchas veces venían a morir las balas rosistas.

Quedó también impresionado por la cantidad de extranjeros que poblaban la capital y cubrían las funciones productivas: genoveses eran los patrones y tripulantes de barcos; vascos y gallegos los changadores y porteros; franceses los tapiceros y modistos; italianos los boticarios; ingleses los consignatarios e importadores; y españoles los comerciantes al detalle. Cuánta razón tenía Concolorcorvo —pensó Domingo— cuando decía que los criollos eran unos holgazanes cuyo trabajo debía ser hecho por los forasteros.

En cuestión de horas, tomó contacto con los principales exiliados argentinos, a quienes conocía de nombre y para quienes traía cartas de recomendación. Desde ese momento, fue invitado a las veladas y tertulias en donde se comentaba la situación en la otra margen del Río de la Plata.

Florencio Varela, ya personaje legendario por su actuación política y literaria, no le cayó bien. A pesar de ser todavía joven, le resultó un hombre antiguo, teórico, al estilo de los viejos unitarios rivadavianos, que querían introducir la civilización europea pero no encontraban la mejor forma por no entender demasiado al país.

El sanjuanino sabía que Varela no había querido publicar partes del *Facundo* en su diario, *El Comercio del Plata*. Esto lo predisponía mal. Pero además había un rechazo de piel, por parte de un hombre llano y brusco como Sarmiento, hacia el romántico pero atildado poeta y publicista.

—Me interesaron más las páginas sobre Aldao que el *Facundo* —opinó Varela en una tertulia.

—Eso prueba su poca capacidad de juicio —le contestó Domingo—. A la barbarie hay que estudiarla y analizarla, y no tratar de extirparla por decreto.

El viajero visitó en su casa a Dalmacio Vélez Sarsfield, cordobés con fama de notable jurista. Vélez lo recibió en la sala y charlaron largamente sobre la situación política en la Argentina y sobre cuestiones de derecho constitucional. Al promediar la charla, ingresó una niña de unos nueve años y don Dalmacio la hizo sentar a su lado:

—Es mi hija Aurelia —la presentó.

Al despedirse, Sarmiento miró a la pequeña desde la altura de sus 34 años y le acarició la cabeza. Se quedó admirado de la vivacidad mostrada por la muchacha, cuyos ojos seguían a los contertulios con permanente interés.

También visitó en su residencia a Mariquita Sánchez de

Mendeville. Juan María Gutiérrez le había hablado mucho de ella en Chile y sabía que también Echeverría y Alberdi tenían una particular devoción por esa señora, famosa por el coraje con que había defendido el derecho a elegir su propio marido y por el encanto que brindaba a sus salones.

Conversaron a solas sentados en el ancho sofá y, desde el inicio, Domingo comprendió que se entenderían. No sólo era una mujer culta y conocedora al detalle de la situación política en ambas márgenes del Plata, sino que hablaba de un modo muy seductor. Aunque ella le llevaba 25 años, los tonos que utilizaba y el contenido y las formas de sus expresiones lo fueron atrayendo hasta el punto que empezó a deslumbrarse por ese rostro delgado y agradable, sostenido por un torso elegante y movedizo, olvidándose por completo de la diferencia de edad. Un vestido azul de terciopelo cubría unas piernas jóvenes y bien delineadas, realzadas más que ocultadas por los pliegues del género que caía con tanta naturalidad. Mariquita le estaba hablando ahora de unas arias de la ópera *Guillermo Tell,* pero Sarmiento se sentía invadido por unas ondas viriles que le subían por el cuerpo y miraba las ondulaciones de esos labios finos pero todavía carnosos y las fugaces apariciones de esa lengua movediza sin entender demasiado el fondo de la charla. La miraba embobado y embaucado y empezó a aproximarse suavemente hacia ella en el preciso momento en que, desde la puerta, entró un criado con una bandeja y rompió el encantamiento del instante.

Domingo se acomodó en su asiento, se tiró los bordes de la chaqueta y, servidas las bebidas, siguieron departiendo como si hubiesen sido amigos de siempre.

Esa noche, todavía conmovido por el encuentro, le escribió a Demetrio Rodríguez Peña:

La señora Mendeville, por una recomendación de Gutiérrez, me hizo buscar, nos hicimos amigos. Tanto que esta mañana solos, sentados en un sofá, hablando ella, mintiendo, ponderando con la gracia que sabe hacerlo, sentí... ¡Vamos, a cualquiera le puede suceder otro tanto!, me sorprendí víctima triste de una erección, tan porfiada que estaba a punto de interrumpirla y violarla, no obstante sus sesenta años. Felizmente entró alguien y me salvó de tamaño atentado. Esto es sólo para ponderarles nuestra amistad. Me ha atosigado de cartas de recomendación.

Frecuentó también a Bartolomé Mitre, unos diez años menor que él, a quien vio como poeta de vocación, artillero como medio para regresar a su patria, hombre con sólidos instintos intelectuales y carácter mesurado con quien logró anudar una amistad.

Pero la personalidad que más impresionó a Domingo, en sus dos meses de estadía en la capital uruguaya, fue Esteban Echeverría. Aunque el autor de *La cautiva* le habló de cuestiones sociales y de la situación política, además de la educación primaria, lo vio como un poeta ardiente y apasionado, enfermo de cuerpo y espíritu por no poder regresar a su país a dar rienda suelta a su ánimo romántico y libertario.

Antes de partir para Río, Sarmiento le escribió a Vicente Fidel López contándole sus impresiones:

—*Pobre Echeverría* —le decía—, *es el poeta de la desesperación, el grito de la inteligencia pisoteada por los caballos de la pampa, el gemido del que a pie y solo, se encuentra rodeado de ganados alzados que rugen y cavan la tierra en torno suyo, enseñándole sus cuernos. En sus versos ha descripto la soledad de la pampa con su naturaleza bruta, tal como la perpetúa la impotencia del pueblo que la habita. Porque en la imaginación española no entra el progreso rápido, súbito: el rey y la república, la libertad y el despotismo pueden pasar sobre los pueblos españoles, sin cambiarles la fisonomía árabe, berberisca, fijada indeleblemente.*

Sin embargo, el sanjuanino se retiraba optimista por la gran cantidad de extranjeros que había visto trabajar en Montevideo. Nosotros —pensaba—, que tenemos por antecedentes de gobierno la Inquisición, por tradiciones populares las incursiones de los indios, y por hábitos la violencia y la arbitrariedad, construiremos sociedades mejores cuando atraigamos a los inmigrantes europeos y les reconozcamos sus derechos.

El calor era insoportable. Más que por el resplandor que se introducía por la ventana del cuarto, la aurora se anunciaba con un movimiento de olas tibias que se empujaban suavemente y empezaban a hormiguearle la sangre, dilatarle los poros y agitarle la dormida imaginación.

Domingo había llegado hacía un par de semanas a Río de Janeiro y casi todas sus madrugadas de verano comenzaban así: en las horas que el descanso debía dar paso a la actividad, llegaban de la calle los primeros ruidos acompañados de un aire templado que iba en ascenso y parecía estorbarle los movimientos, acumularse sobre sus miembros y sustituirle las fuerzas nacientes por una sensación de lasitud. Los eneros de San Juan y de Santiago de Chile eran calientes, pero el viajero los recordaba secos, sufridos, con una modorra que en las siestas surgía de adentro del cuerpo, pero no de la agobiante presión exterior.

Hizo un esfuerzo y se levantó. Se aseó y se vistió con ropas ligeras, pues tenía previsto visitar ese día, en compañía del pintor Mauricio Rugendas, el Jardín Botánico.

Lo pasó a buscar un coche y partió por la rua de Ouvidor, hacia la parte de atrás del Corcovado. Las calles estaban llenas de movimiento y colorido pero Domingo percibió en la marcha de muchos negros, que caminaban en grupos llevando cargas y cantando, el triste sonido de la esclavitud. Solamente los últimos en la escala de los pueblos civilizados, como los españoles, los portugueses y los sureños de los Estados Unidos —pensó—, mantienen esta injusta institución.

Recogieron a Rugendas en su hotel y, mientras los dos extranjeros miraban con ojos curiosos, Sarmiento peroraba:

—Mire usted, Mauricio. Me parece que la esclavitud encuentra su castigo en su propio pecado. Los blancos se debilitan y, si bien es cierto que los negros no pueden elevarse, el mulato sobresale y se ennoblece...

El artista escuchaba en silencio. Sólo tenía ojos para la gente de la calle y la exuberante vegetación. El sanjuanino continuaba su monólogo:

—Me parece ver en todos estos mulatos a un Dumas, un Plácido, un Petion... ¡Qué sentimiento para el arte, para la música...!

Empezaban a subir un morro y los árboles aparecían entrelazados entre sí por diversas lianas, plantas parásitas y musgos gigantescos. Un verde intenso, aclarado por los rayos del restallante sol, los deslumbraba al ritmo del carruaje. De vez en cuando, un corte o un derrumbe de la montaña les mostraba un paño de tierra rojiza, muchas veces bordeada de mangos, cocoteros o generosos naranjos tachonados de frutos. Las aves piaban con silbidos desmesurados y mostraban su brillante plumaje multicolor.

Al llegar al Jardín Botánico los recibió un naturalista alemán, quien los acompañó a hacer una recorrida.

Les explicó que estaban tratando de aclimatar la mayor cantidad de plantas tropicales del mundo y les fue mostrando las distintas variedades. Admiraron los bambúes, el árbol del pan, el alcanfor, el té, el clavo de olor y la canela.

—Esta variedad viene de Ceilán, su hoja está llena de nervaduras y pertenece a la familia del... —explicaba el sabio, ante la admiración de los visitantes.

Ustedes verán estas mismas plantas en los conservatorios de Europa —añadía el botánico—, pero tristes y pálidas. Acá, en cambio, están como en su país, bajo un cielo abrasado, creciendo en el clima húmedo y tibio, bajo las lluvias que las mantienen brillantes...

Al cabo de la tarde, Domingo y su amigo artista descendieron el morro fatigados pero contentos. Estaban deslumbrados por la emoción de la jornada y el encuentro apasionado con los colores y los vegetales del trópico. Algún día —anheló Sarmiento— podremos hacer algo así en nuestra desdichada nación.

El viajero llevaba una carta de recomendación para el encargado de Negocios del Uruguay en Río, quien lo invitó a cenar. Esa noche conoció al general Fructuoso Rivera, el caudillo montevideano que presidía una de las dos facciones políticas de ese país, quien se aprestaba a retornar a la sitiada capital. A Domingo le resultó un individuo fastidioso e insípido, vacío y lleno de jactancia. ¡Qué brutos son los pueblos! —pensaba Domingo mientras Rivera abusaba de la primera persona—. ¡Cómo un mediocre como éste puede arrastrar a tanta gente a los alzamientos y conflictos!

En su condición de recién llegado, el sanjuanino opinó que la situación uruguaya podría arreglarse mediante un acuerdo garantizado por los representantes de Francia e Inglaterra, si los dos bandos locales dieran garantías de cumplimiento.

—Si no se trata conmigo —lo interrumpió Rivera—, todo lo que se haga es nulo. Montevideo soy yo...

Domingo abrió la boca e iba a responder al gesto presuntuoso, pero su estupefacción se congeló y se convirtió en ataque de risa, que debió contener sacando su pañuelo y pasándoselo sucesivamente por los labios y por la frente, como si se secara la transpiración.

A los pocos días, fue invitado a una cena en casa del embajador de Inglaterra, Mr. Hamilton, a quien también había sido recomendado. Estaban presentes el representante de Francia, Ms. Saint Georges y el propio Fructuoso Rivera.

El uruguayo hablaba permanentemente de sí mismo, atribuyéndose un rol preponderante en todo lo que mencionaba. Sarmiento no podía introducir palabra y estaba furioso, se sentía impotente ante el hueco y verborrágico militarote. Cuando alguien mencionó en la mesa a la reina de Portugal, Rivera saltó:

—Pude haberme casado con ella: el emperador Don Pedro me lo propuso...

Sarmiento miró intencionadamente a Saint Georges y susurró:

—*C'est un bavard...*

A la hora del café, el cuyano y el francés se reían ya desembozadamente del pretencioso oriental.

José Mármol estaba exiliado en Río y Domingo quedó encantado con su persona y sus poemas. Una noche, se reunieron un grupo de argentinos para escuchar los *Cantos del peregrino,* recitados por su propio autor. El sanjuanino estaba deslumbrado por las descripciones de la naturaleza y las románticas apelaciones del vate, cuando Mármol, reflexionando sobre el origen hispánico de las desgracias de la patria común, concluyó:

Eso tiene este mundo americano,
como fibras de vida dentro del pecho,
desde el florido suelo mejicano,
hasta la estéril roca del Estrecho:
absolutismo, siervos y tirano,
farsas de libertad y de derecho,
pueblo ignorante, envanecido y mudo,
superstición y fanatismo rudo.

Emocionado, Sarmiento se levantó con lágrimas en los ojos y abrazó vigorosamente al dolido poeta.

Completada la visita a Río, se embarcó rumbo a Francia en el *Rose*, un hermoso paquebote que hacía el trayecto hasta El Havre. Compartía su camarote con un joven argentino, pero no le interesó demasiado su charla ni su compañía. Una tarde, Domingo bajó a la cámara del buque y encontró al capitán charlando con un pasajero de nacionalidad francesa, quien le explicaba algunos sucesos de Montevideo y Buenos Aires. El cuyano advirtió que la narración era favorable al rosismo y decidió intervenir: se había impuesto como norma no dejar pasar en silencio afirmaciones que justificaran la dictadura o, en su juicio, fueran erróneas. El francés, que se llamaba Eugène Tandonnet, aceptó la participación de Sarmiento en la conversación y, si bien discreparon sobre la naturaleza y caracterización del gobierno argentino, se estableció una corriente de simpatía y, desde ese día, se juntaron todas las tardes a cambiar ideas.

Tandonnet había sido discípulo de Charles Fourier y era un fervoroso falansteriano, que explicó a su compañero de viaje las doctrinas del "fourierismo" y le regaló varios libros del maestro. Sentados en cubierta o en la cámara, discutían sobre las obras de Fourier, y Sarmiento tomaba en broma sus predicciones sobre la reencarnación del alma, la formación de un "ácido cítrico boreal" y la creación de "animales anfibios" para servir al hombre, pero respetando sus ideas sobre la igualdad humana y la necesidad de vivir en una sociedad fraterna.

—Convénzase, Monsieur Domingo —sostenía el francés con su tono nasal—: la civilización es opresora, la moral subvierte el orden creado por Dios y el comercio es un robo...

—Creería en su sistema —le respondía Domingo— si se basara en el progreso natural de la conciencia humana. La educación desarrolla y la industria y la ciencia abren nuevos caminos. ¡No puede decirme usted que la libertad no interesa...!

Al cabo de dos meses de navegación, avistaron las costas francesas y Sarmiento se sintió emocionado: estaba al fin en el país cuya literatura lo había alimentado y sus ideas lo habían conducido. Cuando el buque entró al muelle, fue invadido por un enjambre de individuos que entregaban tarjetas promocionando hoteles. Este acoso lo molestó y, una vez en posesión de su equipaje, partió con Tandonnet hacia una posada. No encontró en el centro de El Havre más que edificios modernos, de modo que se decepcionó al no poder visitar monumentos o lugares antiguos, como se había imaginado que había en toda Francia. De todos modos, decidió festejar su arribo al país de los sueños y compró dos botellas de vino fino por 13 francos, para brindar esa noche con su nuevo amigo.

A los dos días, tomaron pasaje en el vapor *Normandie* hasta Rouen. Domingo compró una guía sobre el itinerario fluvial y, a medida que el barco remontaba el Sena, hojeaba sobre la cubierta las descripciones de los castillos o abadías que podía divisar, mientras la embarcación serpenteaba el legendario río que, a comienzos de la primavera, estaba bordeado por la renaciente vegetación. Unos músicos ambulantes alegraban la cubierta y el argentino veía pasar capillas con agujas de pizarras, campesinas normandas con su cofia en punta y su rostro severo, o un conjunto de vacas mirando inexpresivamente hacia el vapor, en tanto que devoraba las historias sobre los benedictinos de Jumièges o sobre el prior del monasterio de San Jorge que, regocijándose con la castellana de Mauny que había sido su prometida, fue sorprendido y muerto por el engañado marido.

Al llegar a Rouen, buscaron alojamiento y alquilaron caballos para hacer un paseo por los alrededores. Caminaron luego por la plaza en que había sido quemada Juana de Arco y, a la noche, fueron al teatro. Los edificios medievales, las iglesias góticas y la representación artística lo habían sumido al fin en la Europa de sus ideales.

Antes de partir, le escribió a Carlos Tejedor contándole todo lo que existía sobre el Sena hasta Rouen, según las descripciones de la guía. Saboreando ya la inminente visita a París, le citó de memoria unos versos de Henri Barbier:

Il est sur terre une infernale cuve,
on la nomme Paris: c'est une large étuve,
une fosse de pierre aux immenses contours,
qu'une eau jaune et terreuse enferme à triples tours.
Oh race de Paris! Race au cour dépravé!
Race ardente a mouçoir du fer ou du pavé!
Race unique en ce monde, affrayant assemblage
des élans du jeune homme et des crimes de l'âge.
Race que joue avec le mal et le trépas,
le monde entier t'admire et ne te comprend pas!

Tomaron billetes en el ferrocarril y Domingo quedó impresionado por la marcha de ese torbellino de humo y de fuego que se tragaba las leguas en un santiamén. Al llegar a París, se dirigieron al Hotel D'Antin, cerca del boulevard des Capucines. Se instalaron y Domingo salió a caminar en dirección a la iglesia de la Madeleine, fascinándose con los edificios y el ambiente de la gran ciudad. A la noche, Tandonnet lo llevó a cenar al elegante *Frères Provençaux,* donde comieron maravillosamente y pagaron 60 francos.

El sanjuanino se dedicó con pasión a caminar por la bellísima capital y aprendió en seguida el significado del verbo que los franceses llaman *flâner.* Se dejaba ir por las calles, marchaba como un espíritu sin rumbo fijo y solía terminar en los puentes del Sena, en el Palais Royal o en cualquiera de los ajetreados boulevares como Les Champs Élysées. Se detenía ante las litografías o grabados que se exponían en las aceras y revolvía entre los numerosos libros que los *bouquinistes* ofrecían en las inmediaciones de Notre Dame. Merodeaba los talleres de artistas que se veían desde la calle y visitaba la librería de Aubert, en la Plaza de la Bolsa, como los almacenes de novedades que se abrían por doquier y rebosaban de público. A la tarde, entusiasta y casi sin fatiga, regresaba por el boulevard des Italiens y entraba a tomar un café o un chocolate en la *Maison Dorée,* los Baños Chinescos o el Café Cardinal. Le encantaba la amabilidad que los parisinos prodigaban a los extranjeros y se sorprendía ante los buenos modales expresados por los permanentes *"s'il vous plait"* *"ayez la complaisance"* o *"je vous demande bien pardon"*.

Desde los primeros días, confirmó que todo lo importante estaba en esa ciudad tan soñada: el Jardín de Plantas reunía las variedades botánicas imaginables, mientras modernos telescopios se ofrecían para los astrónomos. Los amantes de la literatura encontraban novelas y novelistas como Dumas y Balzac, mientras los temas sociales y políticos se discutían en decenas de foros. Las ruinas de Nínive se exponían en el Museo del Louvre, junto con las pinturas y esculturas más grandes del arte universal. Allí, durante una tarde, el cuyano quedó pasmado frente al lienzo *La batalla de Isla,* de Horace Vernet, quien había capturado un pedazo del África con sus camellos, su cielo tostado, su atmósfera polvorienta y el color de esos árabes que tanto lo atraían.

Además, estaban los bailes públicos que maravillaban a Sarmiento: en el Ranelagh vio danzar a escritores famosos como Balzac y George Sand, y en el *Mabille* y el *Chaumière,* con centenares de farolitos de papel que iluminaban alegres pistas, hombres y mujeres de todas las clases sociales se igualaban, agrupados en cuadrillas de doscientas parejas, agitándose al ritmo de valses armoniosos o polcas frenéticas ejecutados por orquestas alemanas.

Además de cumplir con su misión de visitar escuelas y establecimientos de enseñanza, Sarmiento estaba interesado en la política francesa y en la repercusión que podrían tener en Francia los asuntos del Plata. Por medio del capitán de la *Rose* consiguió una entrevista con el barón Mackau, el diplomático francés que había firmado el tratado de paz con Rosas y que ahora se desempeñaba como ministro de Marina. Aunque el funcionario fue amable con él, Domingo lo encontró totalmente desinteresado sobre el problema de la dictadura rosista y confirmó que se trataba de un hombre bastante estúpido. El argentino habló, explicó, fundamentó doctrinas, justificó principios, pero tuvo la certeza de que el francés ni siquiera lo había escuchado. Al salir, el comandante del buque le preguntó su opinión:

—Un animal en dos patas —espetó duramente el cuyano.

El encargado de Negocios de Chile le gestionó una audiencia con el ministro de Relaciones Exteriores, François Guizot, pero el resultado del encuentro también fue decepcionante. Sarmiento trataba de explicarle que, en la Argentina, Rosas representaba a la barbarie y que había un partido de gente civilizada que estaba ahora en el exilio, pero advirtió que, o el tema no le interesaba, o más bien equiparaba a Rosas con el monarca francés. Por lo tanto, cuando el sanjuanino le hablaba de los unitarios que combatían al tirano, tuvo la impresión de que Guizot los comparaba con la oposición gala. Al terminar la entrevista, salió con la opinión de que los opositores de la dictadura argentina no encontrarían ningún apoyo en la Francia de Luis Felipe.

Había perdido ya la esperanza de encontrar comprensión sobre la realidad argentina, cuando le avisaron que sería recibido por Adolphe Thiers, el jefe de la oposición. Lo recibió en el jardín de su mansión de la calle Saint Georges, bajo la sombra de unos árboles que se veían desde la reja de la entrada, a la par de un pequeño estanque con vivaces pescaditos rojos. Thiers lo hizo sentar y el sanjuanino empezó a hablar con cierto escepticismo, pero el rostro del político e historiador demostraba interés y afinidad. Sarmiento recuperó el entusiasmo y, al despedirse, Thiers le manifestó al diplomático chileno que lo había introducido:

—Lleve al señor Sarmiento mañana a la Cámara, que durante mi discurso sobre los asuntos externos me ocuparé del Plata...

Domingo se retiró satisfecho y orgulloso.

Al entrar a la Cámara de Diputados, quedó impresionado por la majestad del recinto. Desde el palco de las visitas, el argentino veía caminar a las grandes personalidades del mundo francés: Odilón Barrot, Ledru Rollin, Emilio Girardin. Al divisar al ministro Mackau, pensó: ya me pagarás, imbécil, el bello discurso que hice y no te dignaste a oír.

Luego de intervenciones de varios diputados, sube al estrado Thiers y se hace un largo silencio. Vestido con levita oscura, el líder de la oposición arranca lentamente y revisa caso por caso la política exterior. La Francia ha sido humillada en Egipto, en Tahití y en el Río de la Plata. No hay lugar en el mundo donde la política de este ministerio haya sido acertada. El tono va subiendo, las críticas son cada vez más severas y el orador termina llamando corruptos a los jefes del gobierno. Guizot se levanta indignado de su asiento y los legisladores oficialistas vociferan y protestan. Mientras Thiers se retira hacia su banca, Sarmiento saborea los hechos con fruición: está ahora en el centro del mundo y siente que su prédica ha encontrado aquí un eco inesperado.

Había llevado un ejemplar del *Facundo* y quería lograr un comentario por parte de alguna revista parisina: un amigo le comentó que sería muy difícil obtenerlo si no se presentaba al menos parte de la obra en francés, de modo que aceptó el temperamento y pagó 102 francos a un traductor para que vertiera un par de capítulos. Con ellos en la mano se presentó en la *Revue des Deux Mondes* y —mediante previa recomendación— fue recibido por su director. El hombre lo atendió con afabilidad y le dijo que pasaría el manuscrito al comité de redacción, para que lo analizara, y le pidió que volviera el jueves siguiente.

Así lo hizo puntualmente Domingo, pero al verlo en la puerta de la oficina, el director le gruñó:

—No se ha leído aún, vuelva el otro jueves.

Varias semanas se repitió la chocante respuesta, hasta que un jueves el periodista lo hizo sentar y le dijo con amabilidad:

—Su obra será comentada por nuestro crítico de libros españoles, pero el artículo no podrá aparecer antes de dos meses...

Esperanzado, casi eufórico, el sanjuanino regresó a su hotel lleno de ilusiones pero también de temores. ¿Le gustará mi libro? ¿Lo entenderá?

Esa noche se fue al Barrio Latino, al baile del *Chaumière,* donde actuaba la Rigolette. Jarrones y estatuas se destacaban sobre el césped y las alfombras, mientras lámparas de gas y guirnaldas daban al lugar, atestado de jóvenes y gente madura, una singular animación. A medida que la orquesta aumentaba el ritmo de las polcas, el baile se encendía. En medio de la pista, la Rigolette agitaba su cuerpo cimbreante y sus admiradores empezaron a cercarla, estrechando cada vez más el círculo y animándola con sus miradas entusiastas.

Domingo contemplaba extasiado sus contorsiones de bacante, sus movimientos voluptuosos, y le parecía que sus pies ya no tocaban el suelo y que su figura pasional, realzada por sus pechos redondos y ondulantes, estaba a punto a llegar a la culminación del placer por el fuego de la danza.

El cuyano sentía ya dentro de su propia piel los escalofríos de la emoción transmitida por las armoniosas cabriolas de la hembra sensual, que con sus giros enajenados se iba convirtiendo en un huracán, cuando la bailarina llegó al final de sus destellos y cayó en los brazos de su acompañante, pálida, jadeando, con los ojos cerrados, despertada finalmente por la tormenta de aplausos y los vivas delirantes que exaltaban su nombre, a los cuales el argentino se unió calurosamente por varios minutos.

Tomó un par de cervezas y pensó que, luego de varios meses de abstinencia, había llegado el momento de probar las virtudes de la mujer francesa. Salió del baile y caminó por el jardín de Luxemburgo. Cruzó Saint Germain y, antes del Pont des Arts, entró a un prostíbulo que conocía por referencias. Al terminar el corredor, se abría una galería con luces rojas y ambiente lleno de humo. Un par de muchachas estaban sentadas contra la pared, mientras otras conversaban entre ellas, paradas al lado de una columna. Había olor a ajenjo y, en el fondo, un bandoneonista desgranaba una *chanson*.

Una de las chicas sentadas mantenía algo abiertas sus piernas pero abajo había enlazado sus tobillos. Había un aire de desafío y de elegancia en su postura, que decidió de inmediato al cuyano. Su nariz era fina y el vestido negro parecía otorgarle distinción.

Los cuerpos colisionaron y, en el momento del placer, el viajero recordó a esa joven señora que, en los últimos tiempos, le había brindado en Santiago el calor y el afecto que tanto necesitaba.

Al regresar a su hotel comió una porción grande de paté y, antes de acostarse, anotó en su cuaderno de gastos: 15 de junio de 1846; cerveza y refrescos: 2 francos; orgía: 13,5 francos.

Domingo viajaba a menudo a Mainville, en las afueras de París, para estudiar el arte de cultivar la seda a partir de los gusanos, tarea que le parecía muy importante para el futuro industrial de los países de la América del Sur. A una legua de allí, en Grand Bourg, vivía el general José de San Martín, para quien el general Las Heras y don Gregorio Gómez le habían dado en Santiago cartas de recomendación.

El sanjuanino le anunció su visita y el anciano general, ya de 75 años, lo recibió con cordialidad. Sarmiento le habló de las tareas de su padre que había trasladado soldados españoles presos a San Juan después de la batalla de Chacabuco y le recordó que él era sobrino de los Oro, pero San Martín se mostró reticente con respecto a estos últimos, debido a antiguas disensiones.

Domingo lo interrogó intensamente sobre el desarrollo de la entrevista de Guayaquil con Simón Bolívar, anunciándole que le interesaba escribir un trabajo sobre el tema, para presentarlo como ingreso al Instituto Histórico de Francia. El anciano recuperó su antiguo vigor y sus ojos pequeños y cansados se le aclararon inquisitivamente cuando recordó sus campañas militares, pero el joven cuyano lo vio avejentarse nuevamente y decaer en su entendimiento cuando empezaron a conversar de la política actual en el Río de la Plata. San Martín hablaba de la amenaza de los "extranjeros" en sus lejanas tierras y del positivo papel jugado por el general Rosas contra esas intromisiones; y Domingo, que nunca dejaba de contestar lo que consideraba gruesos despropósitos, desistió de insistir con sus puntos de vista al pensar que el venerable libertador había disminuido en su inteligencia por el paso de los años o su espíritu había sido afectado por el rigor de la nostalgia.

Aunque quería permanecer en París hasta la publicación del comentario sobre el *Facundo* en la *Revue des Deux Mondes,* se vio obligado a partir porque el tiempo transcurría y el dinero para sus gastos se menguaba. Redactó su informe sobre la entrevista de Guayaquil y lo llevó al Instituto Histórico, e intensificó sus idas al teatro, ya que deseaba agotar prácticamente la cartelera. Vio *vaudevilles* en el Palais Royal, dramas en la Porte Saint Martin, asistió a las exhibiciones ecuestres y pantomimas históricas en el hipódromo y concurrió varias veces a la Opera donde disfrutó con *El alma en pena, Roberto el Diablo* y otras obras.

Conmovido por la belleza de la ciudad luz y satisfecho con sus experiencias, decidió partir para España. Antes de salir, le escribió a Antonino Aberastain contándole sus experiencias, para que tratara de publicarlas en algún periódico chileno.

Tomó un tren hasta Orléans y de ahí siguió hasta Tour. Visitó la catedral, asistió a un baile en una isla sobre el Loire y continuó en vapor hasta Nantes. Allí tomó la diligencia hasta Burdeos, donde se alojó en el Hotel Du Nord. Recorrió la ciudad y luego fue en una lancha hasta Latraine, para visitar a su amigo y compañero de los primeros días en París, el "fourierista" Tandonnet. Partió seguidamente en coche hasta Bayona y allí, en la frontera con España, tomó otro carruaje hasta Madrid.

11

"ASPAÑA", ARGEL Y ESTADOS UNIDOS (1846-1848)

La diligencia se bamboleaba sobre los rugosos caminos españoles y Sarmiento meditaba en su interior. Había tomado ese vehículo, en compañía de dos pintores franceses, quienes viajaban a Madrid para ilustrar las escenas de la boda de la joven reina Cristina con el duque de Montpensier. Las conversaciones habían girado largamente sobre arte, costumbres e historia y los dos artistas echaban ahora una breve cabeceada, vencidos por el cansancio. Atravesaban el país vasco con sus bellas montañas y colorida vegetación, a pesar de la temporada invernal. De vez en cuando, avistaban alguna aldea saqueada y arrasada durante la reciente guerra entre carlistas y cristinos.

La Imperial era tirada por ocho pares de mulas negras, lustrosas, adornadas con plumeros rojos y borlas movedizas que se sacudían al son de campanillas y cascabeles musicales. Cuando alguna subida aminoraba el paso de las acémilas, el conductor, en traje andaluz y con chamarra árabe, las animaba con una retahíla de blasfemias:

—Arre la Zumalacarregue..., ande la puta de la Virgen..., janda jandaa, que vienen los carlistas...

En el país más católico de Europa —se sonreía Domingo— el pueblo injuria a cada momento al objeto de su adoración.

Al entrar en la meseta castellana, el argentino tuvo la impresión de que estaban en África, o en una planicie asiática. El suelo seco y terroso le recordaba los colores marrones de San Juan, animados aquí y allá por aisladas ovejas. Arbustos espinosos y encinas espectrales constituían toda la flora. Los pueblos eran tristes y pobres, rodeados a veces de murallas y carentes de flores y color.

Era ya casi de noche cuando llegaron a Burgos. Se alojaron en una posada y salieron a caminar por la ciudad. Alumbrados por la luz de la luna, se pararon frente a los muros de la catedral gótica percibiendo sus agujas espirituales. Un sereno advirtió que eran viajeros y se ofreció para hacerles una recorrida: los llevó hasta las ruinas de un salón feudal donde —se sostenía— el Cid recibía a los príncipes que solicitaban el auxilio de su brazo. Visitaron también una capilla romana, en cuya puerta se conservaba una cruz marcada por el Cid con su espada, para que se realizara allí el juramento y la ceremonia de vasallaje y fidelidad.

Desde una de las almenas de la destruida muralla de la ciudad, asomado a la oscura campiña en medio del silencio nocturno interrumpido solamente por el ladrido plañidero de algún perro, la imaginación de Domingo le hacía entrever la existencia de las tiendas de la morisma o de los campamentos de los caballeros feudales. Aunque detestaba los males de España porque simbolizaban y le recordaban las lacras de su país, el sanjuanino sintió esa noche una vibración muy íntima, una tenue sensación de que ese territorio y esa realidad le resultaban familiares, propios, como si él mismo los hubiera habitado e integrado desde tiempos indeterminables.

A la mañana siguiente continuaron viaje. A la luz del día, los mendigos sucios y las casas ruinosas, miserables, de la ciudad que dejaban, le hicieron desvanecer la imagen poética que se había formado de Burgos por la noche.

Al cabo de cinco días llegaron a Madrid y Sarmiento se alojó en casa de Manuel Rivadeneira, el catalán que editaba *El Mercurio* de Valparaíso.

La capital estaba alborotada por la inminente boda real y, además de cumplir con su cometido en el terreno educacional, Domingo asistió en la calle de Alcalá a la ceremonia de entrada del príncipe francés. El clima de fiesta se mantuvo durante tres días con espectáculos, iluminaciones, cabalgatas y procesiones. Afecto a los bailes públicos, el sanjuanino participó de las celebraciones con entusiasmo y quedó impresionado por las muchedumbres pintorescas, en las que sobresalían las mujeres encopetadas y las humildes fregonas, todas luciendo las mantillas negras y transparentes que, impuestas por la Santa Inquisición, caían sobre las espaldas intentando en vano ocultar los encantos del bello sexo. También le llamó la atención la intensidad de los rasgos árabes que sobrevivían en la sociedad, particularmente en los vestidos y en el estilo de los edificios. En la actuación de los danzarines, al lado de valencianos, aragoneses o gallegos, figuraban siempre cuadrillas de moros como si todavía fueran considerados integrantes de los reinos españoles.

No faltaron las corridas de toros y el argentino pudo asistir a una función especial, que sólo se celebra en ocasiones particulares bajo el nombre de Fiestas Reales. En estos casos, el toreo se realiza a caballo y los matadores no son profesionales sino nobles que procuran alguna recompensa de los monarcas. El brío de las cabalgaduras y la inexperiencia de los toreros agregan atractivo al entretenimiento.

La lidia se realizó en la Plaza Mayor, escenario otrora de los autos de fe, según recordó el sanjuanino al entrar al lugar desde la calle Mayor. Las familias acomodadas habían convertido en palcos los balcones de sus casas y un tendido de madera albergaba a la muchedumbre. Un lienzo celeste cubría el tercer piso de los edificios circundantes; un tapiz amarillo con franja de plata adornaba los segundos pisos; y otro rojo con guardas de oro vestía las partes bajas de todo el paseo, otorgando un marco imponente al público allí reunido. Sobre ese fondo elegante y festivo, los vestidos multicolores de las mujeres, las plumas de los sombreros y el agitar incesante de los abanicos, hicieron pestañear de admiración al rudo provinciano.

Cuando la reina apareció en su balcón y saludó con discreción, un movimiento de sombreros, pañuelos y abanicos le respondió con entusiasmo.

A los sones de una música arrebatadora y excitante, hicieron su entrada el duque de Osuna y sus heraldos, palafreneros y caballos enjaezados, con penachos y arneses coloridos. Con sus trajes de luces deslumbrantes, los seguían picadores, chulos y banderilleros, en vibrante desfile. Al final del cortejo, realzado por el esplendor de los atuendos y carrozas, ingresaron los toreros profesionales, encabezados por los célebres Montes y El Chiclanero, con sus cuadrillas, quienes fueron recibidos con una ovación.

Contagiado por el entusiasmo anticipado de la gente, Domingo pensó que el pueblo español, por su espíritu y sus costumbres, es el más romano que existe: enemigo del trabajo, guerrero, heroico, apasionado por los espectáculos que preside el emperador.

Al comenzar la corrida, sin embargo, dejó las disquisiciones al ser atrapado por el sublime atractivo de la pasión taurina. El ruedo, el sol, los acordes de los pasodobles se le subieron a la cabeza y participó de los aplausos y los bravos a los toros intrépidos, alentados con vivas entusiastas; y también de los gritos de "fuego, fuego", pidiendo banderillas para los animales tímidos. Cuando la arena estuvo cubierta de caballos destripados, cuando la sangre de las bestias formaba fango contra el piso, cuando la espada de los matadores se hundía sobre la cerviz de los toros furiosos e indefensos, se puso de pie para aplaudir a los vencedores esperando una nueva carnicería.

Vio tanto arte y tanta gracia en los movimientos de Montes y El Chiclanero, tanto esmero y tanta sutileza en esa lucha que le parecía una danza, tanto garbo al envolverse en la capa y dar la espalda al bravo toro, que se emocionó con ese baile de la muerte y alentó con sus exclamaciones admirativas a los diestros asesinos.

Al salir de la plaza, sin embargo, descendiendo por las escaleras del arco de los cuchilleros, recuperó sus antiguos pensamientos y se dio cuenta de que algo ancestral, lleno de estímulo y de seducción, lo había confundido y unido al público español. Había participado de un pasatiempo bárbaro, terrible, sanguinario, que había llenado ciertas emociones violentas del corazón. ¡Vaya usted a hablar a estos hombres de ferrocarriles, de industria o de debates constitucionales!, pensó al ver las cabezas sólidas y los rostros rudos de los peninsulares que caminaban a su lado. Porque este pueblo —reflexionó mientras se acercaba a la Puerta del Sol— es el mismo que cometió atrocidades en la guerra carlista o se degüella entre sí en las orillas del Plata.

Domingo pensaba que España no podía ofrecer demasiado al mundo en el terreno intelectual, industrial ni político, pero de todos modos trató de asistir a todas las funciones teatrales posibles, particularmente a las obras del repertorio clásico que se ofrecían en el Teatro del Príncipe. Ratificó allí la idea de que la literatura hispánica, con el abuso de los octosílabos martilleantes al estilo de los *alumbra, encumbra, herrumbra, deslumbra* u otras frases anticuadas o vocablos vetustos, resultaba muy poco convincente. Cuando un marido está en trance de asesinar a su mujer —se decía—, es muy difícil creer que pueda apostrofarla en verso.

Una noche asistió a la representación de *El desdén por el desdén,* de Moreto, y, a la salida, tomó un café en el Bar de los Suizos con el escritor español Ventura de la Vega, muy allegado a la colonia de argentinos. Conversaron sobre las modificaciones ortográficas al castellano propuestas por Sarmiento y avaladas por la Universidad chilena y, en cierto momento del debate, De la Vega manifestó:

—Aunque ustedes tuvieran razón, la adopción de esta nueva ortografía provocaría una separación conceptual entre España y la América del Sud...

—Esto no sería gran problema —respondió petulantemente

el argentino— porque ustedes no tienen autores ni intelectuales que allá leamos...

Al llegar a su residencia, le escribió a Saturnino Laspiur, recordándole aquel viaje a Chile de la adolescencia, durante el cual su amigo le contaba el argumento de *El desdén por el desdén* al paso de las mulas por la cordillera. Le dijo que aquella historia, oída mientras repechaban cuestas y esquivaban jarillales, la había disfrutado todavía más que a la función madrileña, pese al aparato escénico y al talento de los actores.

Al contrario de lo que ocurrió con la vida espiritual, las mujeres españolas no le disgustaron a Domingo: conoció en un prostíbulo a una bella andaluza con la que logró el placer y le pagó 40 reales. A los doce días la visitó de nuevo y esta vez ella le hizo una rebaja: le cobró solamente 38 reales por la noche completa de amor mercenario.

Quiso visitar El Escorial y tomó una diligencia sucia y estrecha que lo condujo por una llanura seca y despoblada. Al entrar al enorme monasterio, el intenso frío de las bóvedas sombrías le hizo recordar la política de Felipe II y su intento logrado de anular toda libertad de pensamiento y cualquier crítica a la religión. Este monumento —pensaba el sanjuanino— fue el sepulcro en que murieron colonias, escuadras, letras, ciencias y bellas artes de la España, porque todo fue arrasado por el espíritu de la Santa Inquisición.

Un fraile lo condujo hasta el "pudridero" donde estaban las tumbas de los reyes y luego hasta las habitaciones de Felipe II, donde le mostró la silla de baqueta en que se sentaba el austero monarca y el banquillo manchado en que posaba su pierna enferma. Visitó también la rica biblioteca, pero ni la vista de los valiosos volúmenes sacó a Sarmiento de su tristeza. Cuando el cicerone le explicó que había allí valiosos manuscritos árabes pero que su lectura estaba reservada, el viajero pensó que en esa modalidad de prohibirlo todo estaba la clave de la despoblación de España, de su ignorancia y de su ociosidad.

El día antes de su partida de Madrid, le escribió a Victorino Lastarria. Antes de contarle sus malas impresiones sobre la península, le decía:

Tengo ahora a esta "Aspaña" bajo la mano, para juzgarla y condenarla como aquellos jueces de la Inquisición que, por alguna inflexión del declarante, encontraban como siempre el modo de mandarlo a la hoguera. Preguntado por su nombre y no res-

pondiendo, anotaban: "Se obstina en ocultar su nombre". Cuando interrogado de nuevo manifestaba ser sordo, escribían: "Confiesa que conspira sordamente".

Tomó una diligencia para Córdoba y pasó por los caminos de La Mancha, donde recordó las andanzas de Don Quijote y hasta contempló una de las Ventas citadas por Cervantes. A medida que se acercaban a Andalucía, los terrenos yermos empezaron a poblarse de olivares, árboles pequeños pero productivos, criados en medio de declives y pedregales.

En Córdoba lo impresionaron la muralla morisca y la mezquita árabe, como también la cantidad de mendigos y leprosos.

Se deslumbró en Sevilla con la Catedral y la famosa Giralda, al igual que con algunas pinturas de Murillo y de Alonso Cano. Quiso visitar el Archivo de Indias, pero le informaron que solamente con permiso de la reina podía consultar esos documentos. Alquiló un caballo y fue hasta las conocidas ruinas de Itálica, donde se acordó de los famosos versos de Rodrigo Caro:

Éstos, Fabio, ay dolor, que ves ahora,
campos de soledad, mustio collado,
fueron un día la Itálica famosa...

Se decepcionó por la poca cantidad de restos visibles de arquitectura romana, hasta el punto que musitó refunfuñando:

Éstos, Fabio, ay dolor, que ves ahora,
olivares son o paredes sin forma...

Un vapor inglés lo llevó por el Guadalquivir hasta Cádiz: allí se cortó el pelo, se afeitó y, a la noche, fue al teatro a ver *Cecilia la Griega*. Al día siguiente, asistió a la representación de *Fortuna contra Fortuna*. Fue después a Gibraltar y Valencia en donde, por primera vez en España, comió bien y sin asco en fondas y posadas.

Al partir para Barcelona, se dio cuenta de que estaba dejando el país moruno que lo había impresionado sobremanera: mujeres bellas y amantes del placer como las orientales; calles empedradas desde hacía siglos, cuando Europa aún no las tenía; cortinados de seda desde otrora, tejidos por decenas de fábricas.

Ahora quedaban solamente la imaginación, la alegría y el rico espíritu de un pueblo andaluz que canta todo el día, riñe y miente con un aplomo asombroso. No existe ni una morera ni un telar, porque los bárbaros cristianos lo destruyeron todo. Son como nosotros los sudamericanos: atrasados, sin ciencia y sin artes.

Al llegar a Barcelona, advirtió que eso no era España sino Europa. Físicamente los catalanes eran todos como su amigo Manuel Rivadaneira: boca grande, cejas negras que sombreaban ojos llenos de actividad e inteligencia, cuerpo pequeño, enjuto y nervioso.

La rambla parecía un boulevard francés y el humo de las fábricas mostraba que la población era activa e industriosa. Había ómnibus, gas, vapor, seguros, tejidos, imprenta y ruido.

Allí se encontró con Juan Thompson, hijo de esa madura Mariquita Sánchez que tanto lo había encantado y turbado en Montevideo.

Una excelente noticia recibió Domingo desde Francia: la *Revue des Deux Mondes* había publicado un artículo sobre el *Facundo,* con la firma de Charles de Mazade.

El cónsul francés, Ferdinand de Lesseps, lo recibió en su casa y allí tuvo el sanjuanino otra satisfacción: le presentaron al académico Prosper Merimée, quien había leído el comentario sobre el *Facundo.* Sarmiento no cabía en sí del gozo, lindante con la soberbia.

También conoció en Barcelona al político inglés Cobden, que había alterado a su país predicando contra el proteccionismo comercial, la actitud colonialista y muchos otros valores básicos de la sociedad de su época. El argentino quedó fascinado con el temple del británico que, consumido por espíritu libertario, creía en el poder multiplicador de la persuasión para terminar con los privilegios de la aristocracia y la vigencia de las ideas retrógradas. Charlaron durante toda la cena y, al terminar, Cobden acompañó a Domingo hasta su hotel, la Fonda del Oriente. Sarmiento, conmovido, no podía dormirse esa noche. Pensaba que con ese sistema de agitación y convencimiento masivo, todos los abusos podrían corregirse: guerras, gobiernos, leyes, instituciones.

Partió en una embarcación hacia Palma de Mallorca y, una vez que hubo tomado allí alojamiento, una gran tormenta se desató sobre la isla. Obligado a permanecer en su habitación varios días, lo invadió el mal humor y el hastío. Trataba de entretenerse leyendo de a ratos, pero hacía más de un año que había partido de viaje y, si bien estaba contento con la travesía, empezaba a extrañar las cosas de Chile y sufría la falta de noticias de sus parientes de San Juan.

En cuanto el sol asomó su cálido rostro, decidió partir para Argel y contrató un pasaje en un velero de los denominados *laut.*

Al llegar al puerto para la partida, constató que se trataba de una pequeña lancha tan recargada, que los marineros lavaban utensilios inclinándose hacia el mar desde la desnuda cubierta. Con un rápido golpe de vista, Domingo advirtió que sobre la superficie había treinta cerdos, varias docenas de gallinas y dos perros. En el espacio restante había una acumulación de fardos, toneles y envoltorios, en medio de los cuales había cuatro marineros trabajando, tres mujeres y cinco pasajeros varones. Condoliéndose de la forma inhumana en que debía viajar esa gente, el sanjuanino le preguntó al capitán por la ubicación de su camarote.

—¿Camarote, señor? No los tenemos...

—¿Dónde he de viajar, entonces? —preguntó inquieto Sarmiento.

Señalando los escalones que se formaban entre los toneles y los bultos, el patrón le indicó complaciente:

—Donde usted guste, señor...

—¿Pero para pasar la noche, si llueve?

—¡Son sólo dos noches, señor...!

—¿Pero tendrá al menos una cama?

—Si usted no trae, señor...

Sorprendido y contrariado, el viajero sudamericano se sentó a la intemperie sobre una barrica de aceite, tratando de apoyar su espalda contra un baúl. Hundido bajo los pliegues de su capa y con una mano sosteniendo su mejilla, al iniciarse la navegación por el Mediterráneo debía esquivar a menudo los chanchos o las aves que el vaivén del océano le acercaba, junto con los malos olores de animales y humanos en mezcla indiscernible. Al tercer día entraron empapados a la bahía de Argel en medio de una tormenta, por lo que sólo a la mañana siguiente pudieron desembarcar, ateridos.

Se alojó en el Hotel de los Italianos y salió a recorrer las calles estrechas y empinadas, sorprendido de la variedad de trajes y multiplicidad de idiomas de la bella ciudad oriental. Las mujeres judías vestían gabanes, mientras las moras iban envueltas de pies a cabeza por tules blancos, con una abertura en la frente por donde se veían los ojos negros, grandes y hermosos tan ponderados por los poetas. En el centro había hoteles y restaurantes de estilo europeo, pero en los barrios orientales observó hileras de tiendas con tejedores trabajando en el piso, además de ancianos fumando silenciosamente sus narguiles en los portales.

El cónsul francés en Barcelona le había dado a Sarmiento una carta de recomendación para el gobernador general de la Argelia, el mariscal Bugeaud, quien lo recibió en su despacho y le explicó con detenimiento los últimos movimientos militares que había ordenado para consolidar la dominación gala y extinguir los últimos focos de rebelión árabe. Domingo se sintió muy honrado con esta deferencia y se interesó sobremanera acerca de la forma en que los franceses combinaban las fuerzas de infantería con la caballería, comentándole a su vez a Bugeaud las modalidades militares de Sudamérica.

Cuando el sanjuanino le informó de su propósito de visitar las tribus árabes del interior, el mariscal le dio cartas de presentación para el gobernador de Orán y para los *agash* y *kadies* árabes.

Partió en barco a Orán, donde entregó las misivas al jefe del buró árabe, quien le facilitó en el acto caballos y escolta y dio órdenes a los jefes de las tribus para que recibieran al "literato español de Buenos Aires que viene a visitar la Argelia", como pintorescamente decía la recomendación.

Acompañado de un *shauss* o guía, un traductor y dos jinetes árabes, el viajero partió a la mañana siguiente muy contento al andar de su caballo, sintiendo que la marcha por el campo abierto le había despertado su viejo instinto de gaucho cuyano. Con silla alta y estribo corto, a la usanza oriental, portando orgulloso un albornoz árabe, su deseo era el de probar al máximo la velocidad de la cabalgadura, pero se mantenía al trote por entender que ésa sería la velocidad prudente. Cuando su guía lo sorprendió diciéndole que si seguían a ese paso no llegarían en tiempo al *duar* al que iban, el sanjuanino exclamó de buena gana:

—¡Por el muslo del profeta! —Y lanzó su caballo a toda carrera, seguido luego por sus acompañantes.

Galoparon un buen rato entre matorrales y zanjas, hasta que llegaron a un montículo desde el que se divisaban ya las tiendas que constituían el *duar,* al cual el mariscal había solicitado le diesen al viajero la *diffa* o comida que se suministraba a los empleados de la administración francesa.

Lleno de emoción, pues iba a conocer las tribus árabes de legendaria hospitalidad y podría vivir las costumbres domésticas de las patriarcales comunidades nómadas, Domingo atravesó los últimos espinos en medio de ladridos de perros. Un árabe que parecía el jefe se acercó hasta él y le sostuvo el estribo para que descendiera, como una cortesía hacia el viajero que venía recomendado por la autoridad colonial.

Lo hicieron entrar a una tienda que le recordó los toldos de los indios, por el desaseo, la humedad y la existencia de corderitos recién nacidos atados con cuerdas o la aparición de muchachos sucios y harapientos asomando las cabezas para ver al cristiano.

Se sentó en el suelo poniéndose cómodo y le avisaron que ya venía la famosa *diffa,* que se anunció con huevos duros y tortas fritas servidas en un recipiente con miel en el fondo. Aunque tenía apetito por el viaje y habitualmente era glotón, Domingo esperaba con reservas la llegada del cuscús, pues le habían prevenido que los viajeros europeos no gustaban de ese plato. Cuando tuvo ante sí la harina frita con leche, la acometió con desconfianza pero se sorprendió en forma grata, distendiéndose paulatinamente a medida que su sabor se le hacía cada vez más agradable. Luego se sirvió corderito asado y unos dátiles de postre, con lo que comprobó que no había en el mundo alimento que lo disgustase y que la *diffa* tenía bien merecida su fama de comida hospitalaria.

Contempló a lo lejos un grupo de mujeres que hacían con las manos rápidos movimientos, cruzando y descruzando los brazos y tocándose el rostro, mientras emitían cantos plañideros. Le explicaron que era una familia que lloraba la ausencia de uno de sus jóvenes, detenido esa mañana por los franceses para mandarlo a Francia.

Siguieron viaje hasta Máscara, donde el general Renault, jefe de la plaza, lo invitó a almorzar y le mostró un número de la *Revue des Deux Mondes,* diciéndole mientras le señalaba el artículo sobre el *Facundo:*

—Vea, escritor, cómo aquí en África estamos al tanto de lo que pasa en el mundo...

Durante el largo trayecto de regreso a Orán, mientras los caballos parecían volver solos hacia su querencia, las charlas se agotaban y los pensamientos de Domingo volaban con su imaginación, como las tenues capas de niebla que los rayos del tibio sol de invierno empezaban a desgajar.

El cuyano pensaba que Francia habría de consumar el proceso de la colonización de Argelia, llevando a esos desiertos las producciones agrícolas e industriales y los bienes culturales de la vida civilizada. Pero también intuía que, en despecho del incontenible aluvión europeo, el embozado albornoz árabe permanecía presente, con sus rasgos originales de violencia y pillaje, su idioma primitivo y su religión intolerante, que no aceptaba siquiera el trato con los cristianos.

Pasando desde el Sahara hasta las pampas, el sanjuanino se preguntó por qué en su continente y en su patria, tras cuatro siglos de cristianismo, los descendientes de españoles seguían matándose unos a otros en un territorio que continuaba desierto. Se interrogaba sobre por qué esa corriente de emigración civilizadora que iba desde Europa hacia la América del Norte no podía deslizarse hacia el sur, cuando advirtió que algo grave había detenido a sus acompañantes. Los árabes habían asesinado a un colono francés y habían dejado por muertos a los conductores de un carruaje.

—Sangre y crímenes. Ésta es la realidad de África y de nuestra América —se dijo a sí mismo Domingo, mientras descendía de su caballo para intentar auxiliar a las víctimas.

Ya en Orán, escribió sus impresiones de viaje en carta a Juan Thompson y partió en barco hacia Marsella. De nuevo en territorio francés, tomó un baño de agua caliente, compró cigarros, fue al teatro y a un baile de máscaras. Salió otra vez en buque hacia Génova, siguió en ferrocarril hasta Livorno y allí abordó otro vapor hasta el puerto de Civitavecchia.

Venían en la nave unos abates franceses y muchos peregrinos que iban a Roma, y Domingo fue entrando ya en clima religioso, a través de conversaciones y comentarios. Al desembarcar en Civitavecchia se les abalanzaron una serie de changarines ávidos de propinas, que cobraban por bajar cada bulto, por moverlo, por mirarlo, por dejarlo quieto y por llevarlo hasta la diligencia. Partieron al fin los monjes, los peregrinos y Sarmiento hacia Roma pero, en medio del camino, el postillón embistió el pilar de un puente y la rueda del carruaje se dañó. Una carreta los auxilió pero sólo entraban en ella los equipajes y algunos pasajeros, de modo que el sanjuanino y un sacerdote decidieron marchar caminando atrás del vehículo, enfrentando el fango, la lluvia y la oscuridad.

A instancias de uno de los abates franceses con quienes había intimado, se alojó en una posada para peregrinos, con estilo y modalidad religiosa. El comedor, las galerías y las escaleras estaban adornados con cuadros de santos y cada habitación, en vez de número, tenía un nombre alegórico: la de Domingo decía: "María, sin pecado concebida". Durante el almuerzo y la cena se rezaba antes y después del alimento; y el posadero anunciaba en qué iglesia oficiaba la misa el Papa al día siguiente. Los sábados cantaban las letanías en coro y el sanjuanino, que en los últimos años no había practicado los ritos, encontró en esas ceremonias y en el clima recoleto el encanto de las vivencias de la infancia multiplicadas por la distancia y la nostalgia de sus lares.

Al recorrer el Capitolio, las ruinas del Foro o el Arco Triunfal de Tito se deslumbró con las dimensiones y la grandeza del imperio romano, pero las zonas modernas de la ciudad le resultaron desapacibles y tristes, acaso por la proliferación de mendigos.

El día de la apertura del carnaval, recorrió la importante vía del Corso desde la Plaza del Pópolo, y pudo participar de la alegría de la multitud que, gritando "ecco fiori" o "ecco confetti", marchaba en carruajes arrojándose recíprocamente flores y confites con los hombres y mujeres que seguían el desfile desde las puertas, ventanas y balcones decorados de viviendas y palacios, y expresaba a gritos su felicidad cuando el ramillete había sido recibido en propia mano en forma galante por la persona a quien iba dirigido.

Afecto siempre a la pintura y otras manifestaciones artísticas, recorrió museos, basílicas, talleres, ruinas y catacumbas en busca de obras maestras, recuerdos históricos o tradiciones religiosas. Algunas tardes, al regresar cansado a su alojamiento, entraba a San Pietro in Víncoli para contemplar el *Moisés* de Miguel Ángel o la *Comunión* del Dominiquino en el Vaticano. Absorto una vez frente a la *Transfiguración* de Rafael, se preguntó por qué en la América del Sud estaban condenados a la privación del arte; se contestó a sí mismo: España había descubierto las Indias en el momento en que se entregaba al fanatismo religioso y declinaba su robustez creadora, extendiendo esta consunción a sus colonias.

Un sacerdote dominico, corresponsal en Roma del obispo de Cuyo, monseñor Eufrasio de Quiroga Sarmiento, le consiguió una entrevista con el papa Pío IX. El pontífice había visitado el Río de la Plata en 1823, cuando era un joven sacerdote, y había viajado desde Buenos Aires hasta Mendoza y, luego, a lomo de mula, hasta Santiago de Chile. Esto facilitó los trámites y el cuyano marchó contento a la entrevista en el Quirinal, por cuanto el pontífice había iniciado su mandato con medidas liberales que atenuaban los lazos entre el poder político y el dominio religioso.

De buen grado, Sarmiento cumplió con el protocolo que prescribía hacer tres genuflexiones hasta besar el pie del Papa, quien, en buen español, le preguntó amablemente de qué lugar provenía:

—De San Juan de Cuyo, en la República Argentina.

—Me acuerdo. Al norte de Mendoza —dijo el Papa. Y luego preguntó:

—¿Y Rivadavia? ¿Y el general Pinto? ¿Qué es de ellos?

—Rivadavia murió en Cádiz, desterrado y en la miseria. Y el general Pinto está retirado —contestó el sanjuanino, y seguidamente se explayó sobre la situación de Chile y su estabilidad política, omitiendo referirse al drama de la tiranía argentina.

Pío IX se interesó sobre diversas personalidades chilenas que había conocido durante su viaje y Sarmiento se retiró contento de haber podido alternar con tan alta personalidad.

Partió después para Nápoles, donde visitó las ruinas de Pompeya y el Vesubio. En el volcán se llegó hasta el cráter, experimentando el "placer de tener miedo y obtener la reprobación del vulgo por el delito de hacer algo que él no es capaz de hacer". Disfrutó del *dolce far niente* napolitano, de sus sabrosas naranjas y de sus pilluelos y pícaros buscando gratificaciones, conoció los objetos eróticos pompeyanos y cenó saboreando el famoso vino Lacrima Christi.

Volvió a Roma para la Semana Santa. Antes de partir de la Ciudad Eterna, le escribió a su tío, el obispo de Cuyo, contándole sus impresiones y diciéndole que las ceremonias eran grandiosas, dignas de verse en toda la pompa presididas por el pontífice, pero carentes de íntima religiosidad. Recordaba como más sinceras las modestas celebraciones de su infancia sanjuanina, cuando estaba absolutamente persuadido de que el sol del Viernes Santo se mostraba más apagado ese día por la tristeza general.

Cuando la diligencia entró en la Toscana, Domingo sintió que el cielo era más azul que en Roma y los festones de verdura exhalaban aromas cálidos y húmedos. Florencia le resultó bellísima y recorrió deslumbrado su catedral y los palacios Vecchio, Pitti y della Uffici. En la iglesia de la Santa Croce visitó las tumbas de Maquiavelo y Galileo, este último víctima del oscurantismo religioso. Recorrió teatros, bibliotecas y monumentos, deslumbrado por el arte renacentista desarrollado en los tiempos en que Colón y Américo Vespucio abrían un nuevo horizonte a la humanidad.

Tomó un tren desde Padua a Venecia y, al llegar a la estación, unos compañeros de viaje le dijeron que en la Aduana podían detenerlo por llevar libros "subversivos" de Lamartine y Louis Blanc. En definitiva, pasó sin problemas, pero la ciudad, a pesar de sus bellezas, le resultó triste por la dominación austríaca. En compensación fue dos veces a un prostíbulo y encontró firme consuelo a las nostalgias que sentía por Chile y esa joven señora que allá tanto lo comprendía.

Pasó por Suiza y ciudades alemanas, hasta llegar a Berlín.

Estudió como pudo (pues no entendía el idioma) aspectos educativos y de colonización, pero la tristeza lo atenazaba día a día. En Berlín la congoja prácticamente lo derrumbó y no encontraba ánimo para cumplir con su programa de actividades. Luego de casi dos años de viaje, el entusiasmo inicial se había disipado y el ir incesante de un lugar a otro, sin gozar de afectos en ninguna parte, lo deprimía ferozmente.

Comenzó a reanimarse al llegar a Gotinga, una pequeña villa con su famosa Universidad. En la placidez de un tranquilo clima de estudio y meditación, rodeado por profesores interesados en temas intelectuales, el cuyano recuperó el buen tono y el interés por las cosas. La última noche fue invitado por el pastor de Geismar, quien dirigía una escuela, a cenar en su jardín, por cuanto el verano se anunciaba con un largo crepúsculo y la presencia de camelias blancas y coloridas tulipas.

Bebieron típica cerveza y, cuando la conversación derivó hacia el cisma protestante, le enseñaron un ejemplar de la Biblia traducida por Lutero, con algunos versículos y manuscritos y la propia firma del formidable monje. Se habló del principio de la libre interpretación de las Escrituras elaboradas por el reformador, como elemento de respeto a la conciencia humana ínsito dentro del cristianismo. Aunque Sarmiento se sentía profundamente católico en su manera de apreciar la unidad de las creencias, se quedó callado por un tiempo, como si pretendiera que el silencio nocturno y la antigüedad de los pueblos europeos le revelaran los misterios insondables de la felicidad universal.

Partió por el Rin y, luego de visitar Amsterdam y Bruselas, volvió a París donde se alojó en el hotel Violet.

El verano se iniciaba en la ciudad luz, de modo que disfrutó del verdor de los castaños, los bailes públicos y las funciones teatrales. Pero en medio de estos placeres, resolvió hacer sus cuentas y advirtió que el dinero que le restaba le alcanzaba apenas para regresar directamente a Chile. No lo podía aceptar. ¿Cómo no ver la industria de Inglaterra? ¿Cómo yo, maestro —se preguntaba—, puedo volver sin haber visto las escuelas de Massachusetts, las más adelantadas del mundo? ¿Cómo yo, que estoy estudiando la emigración, puedo dejar de estudiar los Estados Unidos, adonde van 200.000 personas por año? ¿Cómo puedo no visitar la república más importante que hay hoy en el mundo?

Decidió partir para Gran Bretaña y los Estados Unidos. Dios proveería los medios para mantenerse y regresar.

Cruzó el Canal de la Mancha y llegó a Londres, donde tomó

pasaje hacia Nueva York en el vapor *Moctezuma,* que llevaba 480 emigrantes irlandeses. Harapientos, macilentos, los expatriados se reunían por las tardes en cubierta y danzaban al son de la música de un mendigo ciego.

Domingo conoció a bordo a un comerciante inglés de Valparaíso, quien le presentó a un senador norteamericano. Al enterarse de los intereses del sanjuanino, el legislador le dio una carta de presentación para Horace Mann, el célebre secretario de Instrucción Pública de Massachusetts. Quedó encantado con la perspectiva y sintió que las cosas se le iban componiendo, pese a la inseguridad que sentía por su endeble situación económica.

Llegó a Nueva York y se alojó en una posada de la avenida Broadway. Se impresionó por el movimiento de vehículos y por la importancia de los edificios. Se encontraba en la ciudad el embajador de Chile, Manuel Carvallo, y su secretario Astaburuaga, con quien recorrió la ciudad y se sintió como si estuviera entre amigos.

Tomó un barco hasta Albany y después siguió en tren hasta Búfalo. Pasó por el Niágara y se deslumbró con el espectáculo terrorífico de las cataratas. En Canadá, el adelanto de Montreal lo sorprendió favorablemente, como también el fervor de la población católica. Llegó por fin a Boston, un ejemplo de educación pública desde que se dictara la famosa ley de 1676 que estableció su obligatoriedad.

Horace Mann vivía en la pequeña localidad de Newton-East y, durante dos días, Sarmiento lo visitó horas enteras para conocer sus ideas y realizaciones. Dirigía allí una escuela normal para maestras, cuyas alumnas eran jóvenes pobres que costeaban su carrera con un préstamo, que debían pagar una vez recibidas con el sueldo que percibieran. Mann le habló de las dificultades que había tenido que enfrentar en su labor de educacionista, por los celos y las mezquindades de toda la comarca. Hasta la propia legislatura del estado había querido destituirlo y disolver la comisión de educación, debido a envidias de pueblo chico.

El norteamericano le dio cartas de introducción para pedagogos y otros hombres notables, y Domingo quedó encantado de haberlo conocido y fascinado por su personalidad noble y sabia. También lo reforzó en su concepto de que el porvenir de todo pueblo estaba basado en la instrucción masiva de la población, tal como lo había intuido desde pequeño.

Volvió a Nueva York y allí se encontró con Santiago Arcos, un joven chileno alegre y cordial que lo estaba esperando para que regresaran juntos a Chile.

Conversaron varias veces sobre los planes de viaje, pero Domingo no terminaba de decidirse y mostraba una cierta reserva. Al final, optó por sincerarse con su compañero:

—Ocurre que sólo tengo 22 guineas y algunos pesos. No sé hasta dónde llego con esto...

Arcos lo miró un momento en silencio y luego rompió a reír:

—Pues a mí me pasa algo parecido, hombre. Hagamos un fondo común y veamos hasta dónde nos alcanza. Después Dios proveerá...

Los dos quedaron contentos de haberse franqueado.

El sanjuanino experimentó alivio, al sentirse igualado con su compañero y por la transparencia recíproca que cimentaba la amistad. Convinieron en que Sarmiento viajaría hasta Washington solo y después se reunirían en Harrisburg, Filadelfia, para descender por vía fluvial hasta Nueva Orleáns. Le entregó todo su dinero a Arcos para que lo cambiara y, a su vez, el chileno le adelantó algunos dólares.

Domingo partió sin más demora a Filadelfia y Baltimore y allí tomó un barco hacia Washington. Era un vapor destartalado con cuchetas superpuestas unas sobre otras y le asignaron una en el quinto nivel. A la noche, decidido a descansar, empezó a trepar a su litera y percibió que los otros pasajeros echaban a reír y chacotear por algo que él no entendía. Al llegar a su cama las risas arreciaban y, al intentar poner una pierna sobre su cucheta, sintió que alguien le agarraba la otra en medio de una carcajada general.

Perplejo y humillado, no comprendía lo que le decían. Bajó entonces ofuscado y, acercándose a una luz, dijo a gritos en francés:

—Si alguien entiende francés o español, haga el favor de decirlo, porque necesito explicarme y exigir una satisfacción...

Las burlas disminuyeron y Domingo sintió que, en el fondo, alguien traducía al inglés sus palabras. Se le acercaron algunos pasajeros y le expresaron que esa cama tenía ya un ocupante. Cuando vino el camarero y le adjudicó otra, se acostó satisfecho de haber podido salir del mal trance y la incomunicación.

En Washington se alojó en la casa del embajador chileno, quien con su esposa colmó de atenciones y afecto al viajero, que ya llevaba más de dos años recorriendo el mundo. En ese hogar de tránsito, Domingo encontró un oasis de felicidad íntima, doméstica, y recordaba a cada instante la casa de Benita en Santiago y su lejana morada de San Juan. A su vez, el secretario Astaburuaga lo acompañaba a todas partes, haciendo muy gratos sus paseos en la plácida capital norteamericana.

Fueron juntos hasta Mont Vernon, a visitar la casa en que había vivido y donde estaba enterrado George Washington. La modestia de la vivienda, con su bufete de madera de pino sin barnizar, lo emocionó, como también la sencillez de la tumba del prócer y de su esposa. Les contaron que existía el proyecto de levantar un gran monumento a la memoria del fundador de la nación, pero por suscripción popular, de unas pocas monedas voluntarias por habitante. El cuyano pensó que San Pedro en Roma, Versalles o El Escorial se habían construido con exacciones y extorsiones, para vanidad de los soberbios o déspotas. En George Washington, en cambio —reflexionó—, está representado el mundo de la igualdad, la justicia y el trabajo laborioso de esta nación.

Visitó la oficina de patentes, centro del genio americano, y recorrió los alrededores de la Casa Blanca y el Capitolio. Una de las cosas que más lo impresionaron —al igual que en otras ciudades norteamericanas— era la libertad con que se movían las mujeres solteras. Vestidas con sencillez, circulaban o paseaban por las calles sin compañía y se detenían espontáneamente a mirar cualquier cosa que les llamara la atención.

Tan agradable le resultó su estadía en Washington a Domingo, que decidió prolongarla un día más, por encima de la fecha en que había acordado encontrarse con Arcos en Harrisburg. Finalmente, con lágrimas en los ojos, se despidió del matrimonio Carvallo y de Astaburuaga y partió para dicha ciudad, donde había quedado en juntarse con Arcos en el United States Hotel.

Al llegar a Harrisburg, Sarmiento se encontró con la preocupante noticia de que no existía allí alojamiento con ese nombre. El propio cuyano había sugerido ese hotel, puesto que en todas las ciudades estadounidenses había uno con ese título. Caramba, se dijo a sí mismo alarmado, pero luego se tranquilizó al encontrar en la posta un mensaje de Arcos avisándole que lo esperaba en Chamberburg. Salió para allí pero, luego de recorrer las posadas con inquietud creciente, encontró de nuevo en la posta otro mensaje lacónico: "Lo espero en Pittsburgh".

—¡Desgraciado! —mascullo Domingo—. Se me acabó el dinero y este sabandija se me va cada vez más lejos...

La situación era seria. Le quedaban sólo 4 dólares y con eso le alcanzaba escasamente para pagar su hotel. El pasaje hasta Pittsburgh en diligencia costaba diez dólares y no los tenía. Averiguó cómo se había marchado Arcos y le comentaron que, no habiendo asiento en el interior de la diligencia, había partido en el techo, sobre las bolsas de heno para alimentar a los caballos.

Le planteó la situación al propietario del hotel, solicitándole que intercediera en la posta para que le fiaran un pasaje, a pagar en el destino. Pero el hotelero se limitaba a encogerse de hombros.

Partió entonces a la posta y habló con el contramaestre: en un inglés inseguro y balbuceante, le explicó lo sucedido y le pidió le facilitara un pasaje a cambio de dejar en garantía el reloj u otro objeto valioso. El funcionario, sin embargo, lo miraba como si no entendiera su propuesta.

Domingo empezó a desesperarse. Pasaban las horas, lo separaban de Pittsburgh 200 kilómetros y los montes Allegheny, y el arrebatado Arcos era todavía capaz de seguir viaje. No sabía qué hacer y se limitaba a ir de la posta al hotel sin lograr una solución ni tener la impresión de ser bien comprendido. Alguien le sugirió telegrafiar a Arcos y decidió gastar sus últimos pesos en ello:

"Eres un animal...", anotó sobre el formulario y luego le expuso su dramática situación. El telegrafista emitió su mensaje de puntos y rayas y Sarmiento se paseaba nerviosamente por la oficina, esperando la respuesta. Luego de minutos que le parecieron horas, llegó un envío que el empleado leyó:

—No hay en los hoteles de Filadelfia nadie apellidado Arcos...

—¿Cómo Filadelfia? —se sorprendió el sanjuanino—. Yo le dije que estaba en Pittsburgh...

—Corregiré el error, señor, pero mañana a la mañana, pues la oficina cierra a las 8...

Colérico, Sarmiento lanzó a los gritos una maldición. El posadero, que lo acompañaba, salió de la oficina asustado y volvió a los pocos minutos junto con un señor con un lápiz en la oreja. El viajero le explicó en francés el caso y le pidió que intercediera en la posta para que le facilitaran un pasaje hasta Pittsburgh.

—Lo único que puedo hacer, señor —le contestó el norteamericano— es pagar el hotel y su pasaje. Cuando usted llegue allá, depositará el importe en mi cuenta bancaria...

Admirado por la generosidad de este comerciante desconocido, el sanjuanino balbuceó agradecido:

—Pero usted no me conoce. Permítame dejar algo en garantía...

—No es necesario, señor.

Cuando Domingo encontró por fin en Pittsburgh a Santiago Arcos, tenía ganas de matarlo. Pero el chileno lucía un rostro tan angustiado y a la vez tan cómico, que optó por soltar la risa y se estrecharon en un abrazo.

Partieron en un barco por el río Ohio hasta Cincinnati, donde se quedaron unos días. Allí tomaron un vapor que descendía por el Misisipí, en una travesía de once días que les resultó maravillosa. El majestuoso río ondulaba suavemente en su descenso y cada parada en los puertos intermedios, donde Domingo aprovechaba para comprar bizcochos o manzanas con el oído atento a la campana de partida, era una fiesta para los viajeros. Arcos hacía permanentemente bromas a los pasajeros norteamericanos y Sarmiento disfrutaba de estos rasgos de ingenioso humor.

Venía el sanjuanino con ese excelente estado de ánimo cuando, al llegar a Nueva Orleáns, la vista de la edificación francesa lo terminó de alegrar, pero a la vez le hizo pensar que los Estados Unidos terminaban allí.

Acodado sobre la baranda de la cubierta y admirando el bello contraste del delta florido y las viviendas refinadas de madera, el argentino reflexionó que había querido visitar ese país para estudiar el sistema inmigratorio y la organización política, pero había terminado admirando muchos otros de sus aspectos. Los yanquis eran ciertamente maleducados y ponían sin variación sus pies sobre las mesas. Hasta podría aceptarse que la acusación que se les hacía, en el sentido de ser avaros o de mala fe, podría tener cierto asidero en casos individuales. Adolecían de una lacra horrenda: la esclavitud, asentada fundamentalmente en los estados del sur. Pero Domingo había llegado a la convicción, después de viajar tantas semanas, de que los norteamericanos eran en general el pueblo más culto del orbe, el último resultado de la civilización moderna. No sólo por sus ferrocarriles y telégrafos, sus canales artificiales y sus ríos navegables, sino sobre todo por la forma masiva en que leían sus periódicos y porque la educación y el bienestar estaban al alcance de la mayoría. En cualquier aldea había encontrado un gobierno municipal autónomo, su escuela, su periódico y su espíritu de libertad, que llegaba incluso a sus mujeres jóvenes y solteras, quienes hasta podían flirtear sin necesidad de tutelas o chaperonas. Había conocido un país con un ejército pequeño y con libertad de cultos para todos sus habitantes, que encontraban en ese libre albedrío el modo de atesorar riquezas sin complejos.

En Europa había visto naciones agobiadas por los gastos de defensa y sus ciudadanos —o mejor dicho súbditos— estaban sometidos a la tutela del Estado. Los franceses y los españoles eran menores de edad a quienes las autoridades debían proteger y vigilar. El norteamericano, en cambio, era un hombre maduro, con discernimiento y voluntad, que se cuidaba a sí mismo y si quería matarse nadie lo estorbaba. Los peregrinos que habían llegado en el *Mayflower* habían logrado establecer una sociedad con sentimiento religioso pero tolerante, formada con hombres industriosos e igualitarios, capaces de una energía férrea y a la vez aptos para ensamblarse en un ordenamiento representativo y democrático. ¿Podía encontrarse un modelo mejor para los países hispanoamericanos?

Se alojaron en el hotel Saint Charles, en el centro de Nueva Orleáns, y disfrutaron del clima latino de la ciudad. Paseaban por el puerto y tomaban café con leche con *beignets,* pero el sanjuanino sentía deseos de estar de nuevo en Santiago: pensaba cada día más en Benita y tenía ganas de reencontrarse con su madre, sus hermanas y su hija Faustina.

A los diez días tomaron un barco hacia La Habana, un velero humilde y sucio que llevaba una carga de cerdos y le recordó el viaje entre Mallorca y Argel. Los camarotes eran calientes, estrechos y estaban cubiertos de telarañas.

Instalado todo el día y parte de la noche en la cubierta para poder respirar con desahogo, el cuyano se preguntaba por qué la vida en los países hispanoamericanos debía ser tan subalterna y atrasada.

Desde Cuba fueron hasta el istmo de Panamá, que debían cruzar por tierra. Partieron en caballos de posta acompañados por algunos marineros, que no eran jinetes diestros. Acostumbrado a cabalgar en la montaña, Domingo dominó de entrada a su mancarrón y lo puso a paso vivo sobre el sendero tortuoso y tropical. Su ritmo apresurado lo distanció enormemente del grupo y, al acercarse a la ciudad de Panamá, la vista del océano Pacífico, con sus aguas de un azul opaco y brisas algo frescas, le hizo sentir más cerca los aromas familiares.

12

LA PAZ DE YUNGAY
(1848-1851)

Se embarcaron hacia Valparaíso y, a medida que pasaban los días, las costas a la izquierda traían paisajes más agrestes dominados por espinillos y chañares. Las vistas y los tonos conocidos otorgaron optimismo y vitalidad a Sarmiento, quien empezó a estar dominado por la ansiedad de los próximos reencuentros.

Una mañana de febrero de 1848 hicieron su entrada en la maravillosa bahía que había dejado hacía dos años y medio y la vista de Valparaíso, con sus casitas multicolores sobre los cerros, lo envolvió de alegría. Varios amigos lo esperaban en el puerto y los abrazó con emoción, pero tenía apuro por seguir.

Tomó un birlocho hasta la capital. Partió desde la posta, pasó por el estero de Las Delicias y contempló la quinta que su amigo Juan Bautista Alberdi había comprado en el lugar. El carruaje inició el ascenso y, varias horas después, cruzaba la cuesta de Curacaví. Al entrar en Santiago, la ciudad, con su bella alameda y su tajamar, le resultó familiar y acogedora a pesar de que había sufrido allí tantos sinsabores del exilio. La diligencia lo dejó en la propia plaza de armas. Subió hasta su habitación, se vistió, se acicaló y partió caminando hacia Yungay, unas diez cuadras hacia el poniente, adonde ahora vivía Benita con su hijo Dominguito. Su anciano marido, Domingo Castro y Calvo, había muerto el año anterior y Sarmiento ardía en deseos de ver a la joven viuda.

Sobre una manzana entera de terreno, se alzaba un caserón sólido y espacioso. Un criado lo reconoció y lo hizo pasar a la sala sin demora. Impaciente, el sanjuanino caminaba algo duro de un rincón a otro. Una puerta se abrió y Benita, delgada y vestida de negro, entró a la habitación pero se detuvo a los dos pasos, mirando a Domingo. Su expresión parecía seria y melancólica. El cuyano la observó y sintió que una emoción incontenible le subía desde las piernas, cruzaba por su torso y le invadía el cuello y la cabeza. Avanzó hacia ella con los ojos húmedos y percibió que su Benita se quebraba en sus brazos al entregarse, mientras lágrimas de mujer y de hombre rodaban copiosamente por las mejillas y los pechos confundidos.

A los pocos días, Domingo se sentaba en su cuarto y, utilizando las normas ortográficas que pretendía imponer, escribía a su hermana Bienvenida:

Santiago, marzo 10 de 1848

Bienvenida: Ace como qince días qe estoi en Chile i aún no tengo noticias de Ustedes. De Valparaíso les escribí instruyéndoles de mi arribo. Necesito más libros, i saber si an recibido de Buenos Aires cinco cajones de máqinas y otros objetos.

E visto a mi Benita, este ánjel de bondad, probado por sufrimientos tan amargos. Estaba sentida profundamente contra mí, por no aber comprendido los motivos de mi pasada conducta. Mi vista sola bastó empero para acer qe fuese para conmigo la misma mujer qe había conocido i estimado tanto. Lo que a de seguirse a estas reuniones tú lo concibes fácilmente i es una de las esperanzas de felicidad qe me prometo, para el porvenir. No sé si tú miras a esta mujer con la alta estimación qe yo, pero por lo qe a mi respecta, creo qe nunca hallaré a otra qe pueda comprenderme como ella me comprende, i asociar su corazón i su pensamiento al mío.

El gobierno me a echo significar la buena voluntad qe anima a sus miembros acia mí i la opinión pública se muestra animada de simpatías qe no dejaré disiparse en lo sucesivo, proponiéndome no descender a la prensa periódica ocupado sólo de trabajos serios.

Sobre estos asuntos de Benita guarden la mayor circunspección. Procesa alborotó a medio mundo por pura curiosidad femenil poniendo en el secreto a la Carmen, Leiton, Cortínez, Pastoriza i que sé yo qiénes más. Yo jamás ablé a nadie de estos asuntos. Cuando las cosas estén más maduras, les avisaré, para su inteligencia.

Tuyo,

Domingo

Dos meses después, el 19 de mayo, Domingo entraba a la parroquia de San Lázaro para casarse con la joven viuda. Mientras esperaba la llegada de Benita, el sanjuanino de 37 años rebosaba de entusiasmo pensando que esa boda ponía fin a un largo período de soledad y desencantos en el exilio, sin la calidez de un hogar. Mientras el cura leía los rituales y se dirigía a ellos y a los padrinos con displicencia paternal, el novio miró a su amada y se propuso aplacar su tormentoso ritmo de vida para tratar de hacerla feliz.

Instalado con Benita y Dominguito en la quinta de Yungay, Sarmiento empezó a disfrutar de la vida apacible y de las delicias hogareñas. Las travesuras y la calidez del niño de tres años, que mostraba una asombrosa claridad e inteligencia, lo deslumbraban y lo llenaban de dicha. Cuando Dominguito lo llamó Papá, el sanjuanino sintió que las lágrimas subían a sus ojos y fue conmovido a contárselo a Benita. Al poco tiempo, inició los trámites de adopción para que el chiquillo llevara su apellido y se llamara entonces Domingo Fidel Sarmiento.

A fin de año, sin embargo, una mala noticia palideció esta armonía: su padre, Clemente, había muerto en San Juan consumido por un cáncer en la lengua. Domingo lo recordaba tan dicharachero que esa enfermedad le había resultado una especie de paradoja cruel. Sintió también que Clemente, aunque nunca había asumido del todo su rol de personaje importante y decisivo en el hogar, había sido un compañero de correrías políticas y un fuerte lazo con el pasado, que ahora le faltaría para siempre.

Desde San Juan, le avisaron que había llegado a la ciudad el coronel José Santos Ramírez, el hombre que le había salvado la vida en Mendoza, después del desastre del Pilar. Ramírez había caído en desgracia dentro del rosismo y Domingo decidió escribirle, para agradecerle aquel gesto y sugerirle que se desvinculara del régimen dictatorial.

Julio Belín, un impresor francés a quien Sarmiento había conocido en París y lo había entusiasmado para radicarse en Chile, arribó a Santiago. Decidieron instalar en sociedad una imprenta y el cuyano se enfervorizó con el emprendimiento. Podría publicar sus propios periódicos y libros y, además, obtendría una nueva fuente de ingresos. Pusieron manos a la obra en un local alquilado en el centro y, a los pocos meses, las prensas comenzaron a funcionar.

Doña Paula y la hija de Domingo, Faustina, estaban en ese tiempo también en Yungay. Belín vistaba la casa varias veces por semana y todos empezaron a notar que se aproximaba mucho a Faustina, quien ya orillaba los 17 años.

Aunque la vida matrimonial había apaciguado algo el ritmo de Sarmiento, su morada de Yungay se había convertido también en un foco de reunión y actividad de los exiliados argentinos.

Decidió editar un nuevo periódico, *La Crónica,* donde escribió sobre la industria de la seda, la inmigración en Chile y los sucesos en Francia, incluyendo también una biografía sobre el padre Castro Barros, que había muerto exiliado en Santiago.

Por esos días, el gobernador de Buenos Aires y encargado de las Relaciones Exteriores presentó una nota al gobierno chileno protestando por la fundación de Punta Arenas, invocando derechos argentinos sobre el estrecho de Magallanes.

Sarmiento, que hacía seis años había impulsado desde el periodismo chileno el establecimiento de ese puerto para promover la pesca y ayudar a la navegación en esas zonas inhabitadas, decidió salir a la palestra para defender la creación de la colonia. Se sorprendía por el hecho de que sólo después de cinco años de la fundación de Punta Arenas saliera Rosas a cuestionarla. Publicó entonces un largo artículo explicando que Punta Arenas estaba sobre el Pacífico, zona que correspondía a Chile indudablemente, y que su establecimiento serviría como estación de cabotaje para ayudar a la navegación mundial entre el Atlántico y el Pacífico y evitaría la toma de posesión de algún país europeo (Francia ya lo había intentado en 1843).

Para el sanjuanino, la actitud del rosismo era mal intencionada, pues no invocaba títulos jurídicos ni actos de ocupación o dominio, y tendía solamente a buscar un enemigo externo para mantener la dictadura. Se trataba una vez más de perturbar la paz del continente, trabando la obra civilizadora en el desierto sur, mientras se abandonaba el territorio argentino a la depredación de las montoneras y malones. El gobierno de Buenos Aires —postulaba— debía poblar el Chaco, el Río Negro, trazar caminos y fomentar el progreso. Porque comercio, industria, población, inmigración, educación pública —terminaba—, he ahí los verdaderos intereses de los pueblos, que tanto Chile como la Argentina deben procurar.

La prensa rosista, tanto en Buenos Aires como en Mendoza, respondió a las ideas de Sarmiento, calificando a su autor de "traidor a la patria".

Ese mediodía, la quinta de Yungay había sido arreglada con todo esmero. Se celebraba el 25 de Mayo y Sarmiento y Benita recibían a almorzar a los más importantes exiliados argentinos. Los pájaros trinaban en los jardines y, en el comedor, orquídeas asentadas sobre musgo desbordaban los floreros. Un cuadro de Mauricio Rugendas, con escenas de la guerra civil, parecía resumir con sus tonos oscuros pero vivaces el espíritu enérgico de la jornada. Un retrato del general San Martín complementaba la decoración.

Entre los invitados se cuentan el general Juan Gregorio Las Heras, Juan María Gutiérrez, Jacinto Rodríguez Peña, Antonino Aberastain, Carlos Tejedor y Bartolomé Mitre. Luego de algunos vinos y entradas ligeras, Domingo anuncia el plato fuerte: "*Tête de veau* a la Sarmiento". Y los criados entran con un par de cabezas vacunas envueltas en hojaldre y rodeadas de vegetales. Se brinda entonces con champaña por la patria lejana y sangrante.

A los brindis, Martín Zapata pide permiso para leer dos noticias incluidas en el diario oficial del rosismo, recién llegado. *La Gaceta Mercantil* publicaba el texto de la carta que Sarmiento había remitido al coronel Ramírez y que éste, para evitar comprometerse, había reenviado a Rosas. Seguidamente divulgaba una nota del ministro Arana solicitando al gobierno de Chile una medida represiva contra el traidor, sanguinario e infame Sarmiento, que le quitara el derecho de asilo y le impidiera seguir conspirando contra las autoridades argentinas.

Terminada la lectura, el silencio envuelve a los comensales. Las cabezas de vaca parecen haberse incorporado también al clima de reserva. Hasta que los invitados se ponen de pie y resuelven —mirando al dueño de casa— "sacrificar fortuna y vida en defensa de Sarmiento, en caso de que el buen sentido del gobierno chileno no fuese bastante para cubrirlo".

Domingo, en respuesta, levanta su copa y dice:

—En el santuario de mi familia improvisada en el destierro, me alcanza aún la rabia de los tiranos. Brindo sin embargo por estas cartas, que al traerme las maldiciones del dictador me recuerdan que todavía tengo patria...

Sarmiento había querido reconcentrarse en la paz hogareña, pero está de nuevo en el centro del volcán. Para defenderse de la actitud de Ramírez y del pedido del gobierno de Rosas, manda una carta a todos los gobernadores argentinos y la reproduce en *La Crónica*. Expresa que su exhortación a Ramírez no justifica que se lo califique de "traidor, infame ni conspirador", puesto que justamente estaba ejercitando los medios pacíficos de lucha contra una tiranía. No entiende cómo a él, que ha viajado por Europa entrevistándose con sus gobernantes, que ha disertado en el Instituto Histórico de Francia sobre la entrevista de Guayaquil, que ha publicado libros y trabajado por la educación popular, se lo puede acusar de promover la anarquía. Me protegen —concluye— las leyes de Chile, salvo que el puñal del asesino se burle de ellas y alcance mi existencia.

En esos meses de polémica por la cuestión del estrecho de Magallanes y la carta a Ramírez, aparecen a la luz los libros *Viajes* (recopilación de sus misivas) y *Educación popular,* con las conclusiones de sus estudios en su gira. El cuyano envió ejemplares a sus relaciones y, en su quinta, puso sobre la chimenea dos junto al *Facundo:* ahora ya no era sólo el autor de un volumen circunstancial, sino todo un escritor con vasta obra.

El gobierno chileno rechazó el pedido argentino de sancionar a Sarmiento quitándole la protección del asilo, por entender que el sanjuanino estaba amparado por las leyes de libertad de prensa.

A pesar de esta decisión, Domingo no está muy tranquilo. Le dicen que la dictadura de su patria podría intentar su asesinato y debe cuidarse. No le resulta disparatada la posibilidad, pues el régimen se endurece cada vez más, como si estuviera acercándose a su final. Por encima del temor, hay algo que lo llena de satisfacción: se ha convertido en un enemigo temible para el rosismo, se le da la importancia que él cree merecer y se está abriendo camino para el futuro.

Estaba cada vez más atrapado con la ternura y la claridad de Dominguito: jugaba con el niño todos los días y se propuso darle los primeros conocimientos. Le explicó cómo los sonidos estaban representados por letras y sílabas y, una tarde, el chicuelo lo sorprendió:

—Papá, ¿a que yo escribo Sarmiento?

Tomó el lápiz y escribió sobre un papel las letras de su apellido, dejando embobado al orgulloso padre.

Domingo iba todos los días a la imprenta que compartía con Julio Belín, en el centro de Santiago. Por las tardes, Belín venía a cenar a Yungay. A nadie en la familia escapaba que el francés estaba enamorado de Faustina, de modo que esa noche el cuyano no se sorprendió:

—Don Domingo, aspiramos con Faustina a casarnos...

—¡Sea, hombre! y que tengan felicidad. —Sarmiento llamó a su hija y les dio su bendición.

Antes de la ceremonia, que se realizaría en Santiago, Faustina viajó a San Juan. De regreso, su padre la notaba un poco triste y una noche la interrogó:

—¿Qué pasa hija? ¿Preocupada con el matrimonio?

—No es eso, padre. Sucede que al pasar por Los Andes mi madre me hizo decir por Merceditas Bari que quería verme.

Sarmiento frunció el ceño y permaneció callado. Sabía que Jesús del Canto se había casado con un hombre menor que ella y la pareja no había tenido hijos.

—Fui a su casa pero no me recibió en la sala, sino en otra habitación. Estaba todo oscuro y fue muy distante... —La voz de la muchacha se quebró.

Domingo abrazó a su hija y sintió que una mezcla de dolor, rabia e impotencia le hacía un nudo en la garganta.

Sarmiento avizoraba que el fin de la larga tiranía se acercaba. El gobernador de Entre Ríos, Justo José de Urquiza, se perfilaba como el rival que, dentro de su propio partido federal, podía hacerle sombra y sustituirlo. El sanjuanino pensó que debía planificarse el futuro y escribió un libro que tituló *Argirópolis,* imaginando que el Uruguay y el Paraguay se unían con la Argentina para formar los Estados Unidos del Río de la Plata, con capital en la isla Martín García. Debían constituir una organización federal, debido a la declinación del partido unitario, y promover un programa progresista de apoyo al comercio, la inmigración y la navegación.

Pasaba Domingo cerca del Palacio de la Moneda cuando vio que un roto estaba estacionado con un petizo. Era muy sensible al placer de proporcionar dicha a su hijo, de modo que preguntó:

—¿Vende el *poney,* amigo?

—Sí, señor.

—Acompáñeme hasta la talabartería de la esquina. Si consigo una montura pequeña, se lo compro.

Al rato, Sarmiento entraba a su quinta conduciendo de la rienda al petizo. Acudieron Benita, la nodriza y los criados, entusiasmados con la compra del caballito de cabeza grande y patas cortas. Dominguito, con la alegría desbordante de sus cinco años, se abalanzó hacia el animal y su padre no tuvo necesidad de decirle que era para él. Lo alzó y lo puso sobre la silla. El niño levantó sus brazos con las manitos hacia afuera, indicando a sus padres, que estaban a ambos lados, que se alejasen, que quería cabalgar solo y que no necesitaba ayuda. Dio así una vuelta en redondo por el patio, con la vista fija hacia adelante y una expresión de felicidad sólo comparable a la de su papá.

Desde ese día, Dominguito acompañaba a su padre a la imprenta montado en el *poney* y también iba a casa de sus maestros jineteando en su petizo.

Domingo se sentía cada vez más atacado. Los opositores al gobierno chileno lo agraviaban acusándolo de oficialista; y en la Argentina, las autoridades y la prensa gubernamental redoblaban sus calificativos de "traidor", "sanguinario", "salvaje unitario" y "conspirador aleve". ¿No intentarían asesinarlo, como habían hecho con Florencio Varela en Montevideo? El mazorquero Cuitiño había sido visto por la cordillera y se decía que otro pistolero del rosismo había llegado a Santiago para ultimarlo.

El rosismo seguía presionando al gobierno de Chile para que evitara la actuación del sanjuanino y posibilitara su extradición. Sintió la necesidad de escribir un libro que explicara su origen, su trayectoria y sus méritos, para que la gente empezara de una vez a respetarlo. Él no era un desconocido, un infeliz a quien pudiera despreciarse e insultarse impunemente.

Se sentó esa noche en su escritorio de Yungay y empezó por explicar quiénes eran sus antepasados en San Juan, los Albarracín, los Sarmiento y los Oro. Al referirse a su madre, escribió:

Siento una opresión del corazón al estampar los hechos de que voy a ocuparme. La madre es para el hombre la personificación de la providencia, es la tierra viviente a que se adhiere el corazón, como las raíces al suelo. A los sesenta y seis años de edad, mi madre ha atravesado la cordillera de los Andes, para despedirse de su hijo. Esto sólo bastaría para dar una idea de la energía moral de su carácter.

Se acordó de las paredes, patio y recintos de su casa natal y pasó a hablar de la morada en que transcurrió sus primeros años:

La casa de mi madre, la obra de su industria, cuyos adobes y tapias pudieran computarse en varas de lienzo tejidas por sus manos para pagar su construcción, ha recibido en el transcurso de estos últimos años algunas adiciones que la confunden hoy con las demás casas, de cierta medianía. Su forma original, empero, es aquella a que se apega la poesía del cora-

zón, la imagen indeleble que se presenta porfiadamente en mi espíritu, cuando recuerdo los placeres y pasatiempos infantiles, las horas de recreo después de vuelto de la escuela, los lugares apartados donde he pasado horas enteras y semanas sucesivas en inefable beatitud.

Al evocar su educación, le vino a la memoria la imagen de su tío José de Oro.

Don José de Oro, el presbítero, llevóme de la escuela a su lado, enseñóme latín, acompañéle en su destierro en San Luis, y tanto nos amábamos maestro y discípulo que mi inteligencia se amoldó a la suya. A él le debo los instintos por la vida pública, mi amor a la libertad y a la patria, y mi consagración al estudio de las cosas de mi país, del que nunca pudieron distraerme ni la pobreza, ni mandatarios absolutos. Su alma entera transmigró a la mía, y en San Juan mi familia, al verme abandonarme a raptos de entusiasmo, decía: "Ahí está don José de Oro hablando", pues hasta sus modales y las inflexiones en voz alta y sonora se me habían pegado.

Se dejaba llevar por los recuerdos y la imaginación y, otra noche, describió sus aventuras juveniles contando la pelea que, con sus amigos del barrio El Carrascal, había sostenido contra los muchachos de Valdivia y Colonia, en el puente del Molino de Torres. Rindió homenaje desde la distancia a sus camaradas de correrías:

¡Oh vosotros, compañeros de gloria en aquel día memorable! ¡Oh, vos, Piojito, si viviérais! ¡Barrilito, Velita, Chuña, Gaucho y Capotito, os saludo aun desde el destierro en el momento de hacer justicia al ínclito valor de que hicisteis prueba! Es lástima que no se os levante un monumento en el puente aquél para perpetuar vuestra memoria.

Los días sanjuaninos posteriores a su primer exilio en Chile (en Los Andes y Pocuro) volvieron a su mente.

Contó el nacimiento del periódico *El Zonda,* su primer órgano periodístico, en el que había puesto un fervor y un entusiasmo propios del primer amor. El gobernador y su ministro habían logrado acallarlo mediante el recurso de cobrarle una suma enorme por su publicación en la imprenta oficial:

Débenme don Nazario Benavídez y don Timoteo Maradona, de mancomún et in solidum, veintiséis pesos todos los días que amanece; y me los pagarán, ¡vive Dios!, uno u otro, ahora o más tarde, el segundo más bien que el primero, porque un ministro está ahí para presentar su consejo al gobernador, poco conocedor de las leyes de su país, demasiado voluntarioso para detenerse ante esas frágiles barreras opuestas al capricho, pero que se hacen insuperables por el respeto que entre los hombres cultos merecen los derechos ajenos.

Narró la historia de la fundación del colegio de niñas de Santa Rosa, esa gran esperanza de su espíritu que sus choques con el gobierno provincial habían frustrado:

¡Oh, mi colegio, cuánto te quería! ¡Hubiera muerto a tus puertas por guardar tu entrada! ¡Hubiera renunciado a toda otra afición por prolongar más años tu existencia! Era mi plan hacer pasar una generación de niñas por sus aulas, recibirlas a la puerta, plantas tiernas formadas por la mano de la naturaleza, y devolverlas por el estudio y las ideas, esculpido en su alma el tipo de la matrona romana.

Se acordó del día en que, estando preso, vinieron sus alumnitas a despedirse antes de que marchara de nuevo al exilio:

¡No nos hemos vuelto a ver más! Ni volveré a verlas nunca como las tengo en mi mente a aquellas cándidas imágenes de la nubilidad abiertas a las castas emociones, como el cáliz de la flor que aspira el rocío de la noche. Son hoy esposas, madres y el roce áspero de la vida ha debido ajar aquel cutis aterciopelado cual la manzana no tocada por la mano del hombre.

Se refirió también a todos sus afanes y trabajos en Chile, detallando los libros que había traducido y escrito durante el exilio.

Educación popular *es el libro que más estimo. Cada página es el fruto de mi diligencia y es el fruto sazonado de aquella semilla que en mi niñez asomó en la escuela de San Francisco del Monte, en la campana semibárbara de San Luis. La ciencia y la carrera de la enseñanza primaria las he inventado yo y, en despecho de la indiferencia general, he traído a la América del Sur el programa entero de la educación popular. Y cuando algún crítico sugiere que no he proporcionado las medidas para poner en práctica mis postulaciones, yo respondo: denme patria donde me sea dado obrar, y les prometo convertir en hechos cada sílaba en poquísimos años.*

Al finalizar su libro, Domingo volvió a mostrar la inquietud de que la dictadura argentina intentase en contra de él un crimen similar al de Florencio Varela. Y contrastó sus propias luchas con el espíritu de la tiranía:

Rosas quitó rentas a las escuelas y a la Universidad porque sabe que las luces no son el mejor apoyo de los tiranos. Yo, en cambio, he seguido el camino contrario: he enseñado cuánto sabía, he creado escuelas donde no las había, he mejorado las existentes. He puesto mis modestos esfuerzos en favor de la libertad y del progreso de la América del Sur, buscando como auxiliares poderosos a la educación de todos y la inmigración europea: eliminar la fuerza bruta por el estudio y la inteligencia cultivada.

—Y bien, Bartolo. No me ha dado todavía su opinión sobre *Recuerdos de provincia*... —Sarmiento devoraba un enorme plato de papas con chuchuca en una fonda sobre la plaza de armas, mientras su amigo Bartolomé Mitre, más sobrio, probaba una empanada de pino.

—Me gustó, Domingo, pero creo que ha sido un error publicarlo. Les ha dado un arma a quienes dicen que usted es un ególatra, un vanidoso...

—Páseme la sal, Bartolo, y no se preocupe. —El sanjuanino bebió un sorbo largo de vino pipeño—. Tengo todavía muchas cuerdas en mi arco...

Se aproximaban las elecciones chilenas para elegir al sucesor del presidente Bulnes. Manuel Montt era el candidato del partido conservador. A través del periodismo, Sarmiento apoyaba sin ambages a su amigo y favorecedor.

Una noche, Domingo y Benita estaban ya acostados y unos fuertes golpes en la puerta los sobresaltaron. Venían a avisarles que había estallado una sublevación militar tendiente a impedir el esperado triunfo electoral de Montt. El cuyano cargó su pistola-fusil y partió a caballo hacia el Palacio de la Moneda. Bulnes y Montt lo recibieron cálidamente, agradeciéndole su actitud, y le pidieron que redactara una proclama dirigida a la población. La preparó velozmente y luego marchó a la imprenta para realizar la tirada. En las primeras horas de la madrugada, el documento era repartido en toda la ciudad y llegaba hasta el cuartel rebelde.

A las diez de la mañana el combate arreciaba y Domingo acompañó al presidente y su estado mayor hasta el frente del regimiento amotinado, que estaba cercado por las fuerzas leales. Los insurrectos se rindieron al mediodía, ante el alivio general.

Al volver a la tarde cansado a su quinta, Benita lo recibe en la galería.

—Mitre está adentro, oculto en una habitación —le avisa—. Las autoridades han ordenado su detención, acusándolo de haber participado del motín...

Domingo saludó a su amigo y retornó a la Casa de Gobierno. Luego de algunas negociaciones, consiguió un salvoconducto para que Mitre pudiera viajar a Montevideo.

El día de la elección presidencial, Sarmiento almorzaba en Yungay con Benita, Belín, Faustina y otros amigos y parientes. Se hablaba sobre la marcha de los comicios y sobre los votos que habían sido impresos en la imprenta de Belín. Dominguito, con seis años, pregunta:

—Papá, ¿cómo se vota?

Su padre se lo explicó.

Al finalizar la comida, Dominguito no aparecía. Al rato, volvió de la vecina iglesia de San Isidro.

—Ya voté, papá.

Se había presentado ante la mesa, explicó que era chileno, se llamaba Domingo Fidel Sarmiento y que quería votar por Manuel Montt. Con una sonrisa complaciente, las autoridades habían aceptado su voto. Sarmiento se reía a gritos de la aventura de su hijo. Y al cierre del comicio tuvo otra alegría: Montt fue consagrado presidente.

La resistencia contra Rosas aumentaba y Domingo pensaba que una invasión armada a la Argentina, desde Chile, podría tener éxito. Sobre ese tema, mantenía correspondencia con el tucumano Crisóstomo Álvarez y otros jefes antirrosistas que lo alentaban en la idea.

El sanjuanino Guillermo Rawson, quien venía de su provincia, lo visitó en Yungay y le expresó su desacuerdo con el proyecto.

—Invadir es una locura —argumentaba Rawson—. Más bien habría que tratar de convencer a Benavídez de que apoye a Urquiza, que está a punto de pronunciarse contra Rosas...

Durante dos días de deliberaciones, Sarmiento sostuvo su plan de lucha, mientras su visitante se inclinaba por la tesitura de persuadir, adoctrinar, buscar aliados para sumarlos al gobernador entrerriano. Fatigado, exasperado, Domingo cortó la discusión.

—Usted, doctor, tiene la inteligencia de un sabio alemán y el corazón sano, pero tiene los brazos quebrados.... —Y tomando a Rawson por los codos, añadió—: Con ese espíritu, usted no hará nada en la vida....

Sarmiento marchaba hacia la imprenta y se encontró con el presidente electo, Manuel Montt, frente al Palacio de la Moneda. Charlaron sobre sus respectivos planes y el mandatario sugirió:

—¿Por qué no toma carta de ciudadanía, don Domingo? Salvo presidente, usted ocupará acá el puesto que le interese....

—Los hechos se precipitan en mi país, don Manuel. En cualquier momento tendré que marchar...

Montt movió la cabeza y exclamó resignado:

—¡Casado y con hijos grandes, y todavía no se le asienta el juicio...!

El gobernador de Entre Ríos, Justo José de Urquiza, se pronunció contra el brigadier Juan Manuel de Rosas y le retiró el encargo de las relaciones exteriores. A renglón seguido, firmó un tratado de alianza con el Uruguay y decidió pasar con sus tropas a la otra banda para desbaratar el sitio de Montevideo, sostenido desde hacía varios años por las tropas rosistas comandadas por el general Manuel Oribe.

Cuando la noticia llegó a Chile, Domingo volvió alborotado a su quinta:

—Benita —le dijo a su esposa—. Tendré que marchar cuanto antes a Montevideo...

—Pero Domingo —protestó la mujer—. ¿No piensas en tu familia, en tus ocupaciones?

El cuyano parecía no oírla.

—Si uno no está en el centro de la escena —murmuró—, los sucesos te pasan por arriba...

13

BOLETINERO EMPLUMADO
(1851-1852)

Al igual que le había sucedido con el viaje a Europa de Domingo, a Benita le costaba aceptar esta nueva partida. Entonces había estado afuera casi tres años y solamente había transcurrido un lapso igual desde que, a su regreso, se casaron y pudieron vivir juntos en la quinta de Yungay. Este tiempo había sido de placidez, de armonía y de cariño recíproco. Pese al temperamento impetuoso y superactivo de Sarmiento, habían disfrutado de la vida hogareña, y la crianza y los progresos de Dominguito habían colmado de felicidad a ambos esposos. ¿Por qué entonces este nuevo alejamiento? Ella entendía la pasión que su marido sentía por su país, pero no podía subordinarse la familia, los intereses materiales, la necesidad de atender a la subsistencia, a las aspiraciones políticas o las vanidades intelectuales.

Desazonada, sin demasiado entusiasmo, Benita resolvió ir con Dominguito, que ya tenía seis años, hasta Valparaíso, a despedir a su esposo. Y así, bastante tristes, lo vieron partir una manaña hacia el sur, en el velero *La Medicis,* junto con Bartolomé Mitre, Wenceslao Paunero y otros exiliados.

Domingo, en cambio, partía alborotado, impaciente, deseoso de unirse a las fuerzas de Urquiza que, según se decía, iban a romper el sitio de Montevideo y luego marcharían a Buenos Aires a derrocar a Rosas.

El navío cruzó el estrecho de Magallanes y, luego de varias semanas de navegación, entró en el puerto de Montevideo. Sobre el fondo habitual de mástiles, la ciudad mostraba su armonía. A la izquierda, en la base del cerro que parecía desplazarse conforme a las maniobras del buque, se veían campamentos con tropas y Domingo y sus compañeros se preguntaban si serían de Oribe o de los sitiados ¿Habría variado la situación? ¿Las fuerzas rosistas continuarían sitiando la ciudad? ¿Habría llegado ya Urquiza?

Ardían de deseos de saber qué había ocurrido. Cuando el piloto llegó hasta el barco para dirigir el atraque, le preguntaron ansiosos:

— ¿Y Oribe?

—En su quinta —respondió el práctico, mientras continuaba ordenando las maniobras.

Los argentinos se miraron. ¿Qué significaba esta respuesta?

Si Oribe había logrado tomar la ciudad y estaba por ello en su casa, esto significaba que ellos irían presos. Sarmiento, entonces, resolvió dirigirse a un botero para obtener más precisión:

—¿No llegaron las fuerzas de Urquiza?

—Sí, vencieron a Oribe, quien ahora está en su casa. Y los urquicistas partieron ayer para Entre Ríos.

El alivio y la alegría surgieron en los rostros de los emigrados, que se abrazaron entre sí en cubierta, rompiendo la tensa serenidad de la incertidumbre.

Saltaron a tierra alborozados y Domingo se dirigió feliz a su alojamiento. La ciudad, después de casi nueve años de sitio, estaba traspasada de dicha. La gente atravesaba el portón o la muralla para disfrutar de la vegetación en las quintas de los alrededores, donde recogían plantas y flores silvestres.

Viejos amigos y personajes locales visitaron a Sarmiento, pero éste notó una ausencia que lo sorprendió: Diógenes de Urquiza, hijo de don Justo y el representante que había dejado en la ciudad, no se hizo presente.

Otra circunstancia le preocupaba: durante su estancia en Montevideo, el general Urquiza había sugerido a muchos emigrados unitarios que lo visitaban para unírsele, que usaran el cintillo punzó. Sostenía que esto era conveniente para no enajenarse las masas federales y no ceder a Rosas el privilegio de ser la auténtica figura federal.

El sanjuanino estaba un poco decepcionado por estos hechos, pero Valentín Alsina y Vicente López le dijeron que no debía darles demasiada importancia. Urquiza ya estaba en campaña para derrocar al viejo dictador y, si sabía tratárselo bien y halagarlo con astucia, era un hombre manejable que escuchaba a la gente inteligente.

Decidió visitar a Urquiza en Gualeguaychú y ponerse a su disposición; viajó en buque por el Río de la Plata, remontándolo en busca del Uruguay. El barco llevaba mil soldados y, aunque Domingo pensaba que se trataba de los hombres que habían aterrorizado en los últimos años al país, la majestuosidad de los ríos y la emoción por el objetivo que llevaba lo hicieron disfrutar de la travesía.

La villa de Gualeguaychú se encontraba en la confluencia del río de ese nombre con el Uruguay: era un pueblo en crecimiento con arquitectura española, quintas de hortalizas y abundante pesca. Apenas bajado del barco, Sarmiento le hizo saber a Urquiza de su llegada y su deseo de saludarlo.

El caudillo entrerriano lo recibió con el sombrero puesto, pero lo trató cortésmente y lo hizo sentar en un sofá. El cuyano rompió el silencio explicando que, desde su regreso de Europa y enterado de las intenciones del general, había tratado de movilizar las opiniones en Chile en favor del hombre que iba a dar en tierra con la tiranía de Rosas. Mientras le hablaba de la situación en San Juan con Benavídez y en las provincias, Urquiza lo interrumpió:

—¿Qué planes tiene usted, Sarmiento?

— No sé, general. Posiblemente regresaré a Montevideo.

A las pocas horas un edecán le comentaba a Domingo que a Urquiza no le había caído bien que él no usara la divisa punzó.

A los dos días, el sanjuanino se entrevistó nuevamente con el gobernador. No se puso el cintillo, pero trató de ser cordial y hacerle ver a Urquiza que deseaba su elevación al plano nacional.

El general, en respuesta, hablaba y hablaba, pero había algo que le molestaba tremendamente a Sarmiento: no le mencionó a *Argirópolis* ni sus otros libros, a pesar de que los había recibido. Tuvo la impresión de que Urquiza conocía sus capacidades y sus méritos, pero no quería reconocérselos. Se retiró disgustado.

En un tercer encuentro, Domingo le ofreció directamente sus servicios y el entrerriano le indicó que se ocupara del Boletín del Ejército.

Esa noche, Sarmiento asistió a una fiesta en la casa de gobierno. Bailó una contradanza y, mientras giraba, escuchó comentar a Urquiza:

—¡Véanlo al viejo bailando...!

Domingo regresó a Montevideo con una sensación contradictoria: le satisfacía haber retomado el estado militar con el grado de teniente coronel, ya que de ese modo no tendría el deslucido papel de los civiles que acompañan a los ejércitos. Pero, a la vez, percibía que el caudillo entrerriano no quería otorgarle el lugar que le correspondía por sus antecedentes. Como militar, su participación en las luchas contra el rosismo le había valido el exilio; y como publicista, sus libros habían recorrido todo el territorio nacional y le habían dado fama en todas partes. ¿Cómo entonces este gaucho entrerriano lo menospreciaba y lo ponía solamente de boletinero?

Al pasar por Martín García el vapor hizo una breve parada y Sarmiento aprovechó para recorrer la isla en un caballo. Cerca de la playa, en un peñasco, escribió:

1850: Argirópolis
1851: Sarmiento

Llegó a Montevideo y se alojó en casa de su amigo Vicente López. Cumplió con el encargo de comprar una imprenta y aprovechó para adquirir también su propio equipo de ropa y tienda de campaña, de estilo europeo.

Luego, en compañía de Mitre y Paunero, quienes también iban a incorporarse al ejército urquicista, partió en vapor hasta Colonia. Llevaban cartas de presentación para el almirante brasileño Grenfell, quien les dio ubicación en su propio buque. Ya en el Paraná, a los cuatro vapores se incorporaron tres buques de vela y se aprestaron a forzar el paso del Tonelero, fortificado, artillado y defendido por las tropas rosistas al mando del general Lucio V. Mansilla, cuñado del dictador.

La flota avanzaba lentamente y Domingo, junto con sus dos compañeros argentinos, podía ver desde la cubierta a la infantería de Mansilla distribuida en pelotones entre las barrancas. En el silencio y la expectación general, vieron galopar a un ayudante con la orden de hacer fuego. Durante casi una hora, los cañones tronaron desde tierra y el fuego era devuelto por los buques brasileños, que seguían su marcha. Algunas balas impactaron en las quillas y provocaron leves incendios en bolsas de fariña, que fueron rápidamente sofocados. Cuando todos los barcos hubieron pasado y el combate cesó, se verificó un saldo de tres muertos y dos heridos.

Al pasar por Rosario no fueron atacados y llegaron sin mayores problemas a Diamante. Paunero y Mitre se presentaron ante Urquiza y, aunque se había anticipado que iba a ofrecérsele al primero el cargo de jefe del Estado Mayor, se le adjudicó una jefatura de menor importancia. Sarmiento, quien había pensado que a través del cargo de su amigo iba a poder influenciar en el alto mando, quedó molesto y decepcionado. Para colmo, cuando fue a informar al general sobre el cumplimiento de su cometido en Montevideo, éste lo recibió con un reproche:

—Ha traído usted una imprenta pesada, pese a mis instrucciones...
—No había otra para elegir, general.

El paisaje de Diamante y la magnificencia de sus vistas dominando campos de naranjos y duraznos, plenos de verdor y densos coloridos en la inminencia del verano, fascinaron al sanjuanino. Pero su escasa población, a la que percibió pobre e incapaz de desenvolvimiento por su ineptitud para el trabajo, le hizo nacer la idea de procurar una corriente de inmigración europea, para desarrollar ese territorio tan pródigo en riquezas.

Al cabo de una semana, el ejército inició el cruce del río Paraná. Aunque Sarmiento estaba francamente disgustado con Urquiza y le pareció que era un inepto en el manejo de las tropas, se sentó en su tienda y escribió su boletín:

El sol de ayer ha iluminado uno de los espectáculos más grandiosos que la naturaleza y los hombres pueden ofrecer: el pasaje de un gran río por un ejército grande... Daba impulso a aquel extenso y variado campo de acción la mirada eléctrica del general en jefe que, situado en una eminencia, dominaba la escena, inspirando arrojo a los unos y a todos actividad y entusiasmo.

Sabedores de que los pobladores de Rosario se habían pronunciado en favor del caudillo entrerriano, las tropas se dirigieron hacia allí. Sarmiento, su imprenta y ayudantes impresores hicieron el trayecto en un vapor, que desembarcó en las barrancas del Espinillo. En un santiamén, el cuyano montó a caballo para dirigirse a la ciudad, que estaba a tres leguas.

Al verse ante esas ondulaciones suaves, que parecían perderse en el infinito, se dio cuenta de que ésa era la pampa que había descripto en el *Facundo,* sin haberla visto nunca. Se emocionó al percibir que ésas eran las llanuras que desde hacía cuarenta años lanzaban a sus jinetes a demoler las instituciones civilizadas y que él debía conquistar y domar.

Echó a galopar sobre ellas como una forma de dominarlas y llegó hasta Rosario, donde se alojó en la casa de Santa Coloma, una de las más cómodas de la villa. Adecuó una sala para montar la imprenta y advirtió que varios pobladores lo reconocían por el nombre y le decían que habían leído sus libros y sabían de sus luchas en Chile contra Rosas. Quedó ancho de satisfacción.

Al día siguiente regresó hasta el campamento del Espinillo, donde había quedado instalado Urquiza. El general había traído a su famoso perro Purvis, que solía ser el terror de sus visitantes pues se abalanzaba sobre ellos hasta que su dueño le daba una orden en contrario. Pero ese día el gobernador estaba de buen humor y este espíritu se había contagiado al animal.

El sanjuanino informó a su jefe las novedades y éste expresó su satisfacción por los boletines ya publicados.

La armonía, sin embargo, no duró más que una jornada.

Nubes negras se esparcían por el firmamento y presagiaban una intensa tormenta. Domingo caminaba cerca de la tienda del general entrerriano con su uniforme a la europea: levita abotonada, guantes, quepis francés con penacho de plumas, paletó en lugar de poncho, espada bruñida, silla inglesa. Urquiza lo ve pasar y le dice en tono burlón:

—Va a llover, Sarmiento. Van a mojársele las plumas...

El boletinero le hizo una sonrisa de circunstancia y siguió hasta su caballo. Desató las correas que amarraban la manta a la montura, sacó su paletó y, poniéndose una capa de goma elástica, partió al galope hasta Rosario, en medio de las primeras gotas.

El agua le golpeaba la cara, pero su cuerpo estaba seco y caliente y Domingo oscilaba entre la rabia hacia Urquiza y el orgullo por el camino de modernismo y civilización por el cual él, desde hacía tanto tiempo, había optado sin hesitar. Llevaba botas de goma y hasta tenía en su bolso una tienda pequeña, catre liviano de hierro, provisiones y velas de esperma, para pernoctar donde fuera. Los gauchos salvajes como Urquiza, en cambio, que se burlaban de sus hábitos cultos y europeos, pasaban las noches de lluvia acurrucados, defendiéndose del agua como podían. Si permanezco en el ejército —se decía—, haré imponer estos equipos, porque hasta que no se cambie el traje de los soldados ha de haber caudillos. Mientras haya chiripá —temblaba de rabia y no de frío— no habrá ciudadanos.

La imprenta quedó instalada y lista para funcionar. Esa noche, Domingo sintió una música lejana que iba acercándose y, a los pocos minutos, los principales pobladores, dos curas, el batallón de milicias y algunas mujeres llegaban en manifestación y serenata dando vivas aprobatorias al libertador Urquiza y al teniente coronel Sarmiento. Un orador improvisado dirigió la palabra exaltando la labor del ejército que iniciaba su campaña para librar a la Confederación de la tiranía y luego se pidió a Domingo que también hablara. El cuyano estaba contento con la actitud de los rosarinos pero, advirtiendo que su participación podría excitar los celos de Urquiza, dijo solamente unas palabras de circunstancia expresándoles que estaba muy conmovido y los acompañó hasta la plaza, donde la marcha se disolvió.

Al día siguiente, le llegaron los comentarios de que el general echaba pestes contra él en el campamento del Espinillo a raíz de la manifestación.

Adelantándose a los hechos, resolvió escribirle unas líneas explicatorias:

Excelentísimo general Urquiza:

Los vecinos de Rosario esperaban a Vuestra Excelencia y, como no viniese, han descargado su entusiasmo en el primero que se ha presentado.

Estoy contento con el Boletín. Distrae los ocios del campamento, pone en movimiento a la población, anima al soldado y asusta a Rosas.

Lo saluda respetuosamente,

Sarmiento
Teniente coronel

Sarmiento conversaba con otros oficiales cuando recibió una respuesta firmada por el ayudante del general:

Su excelencia ha leído su carta y me encarga que le diga, respecto de los prodigios que dice usted hace la imprenta asustando al enemigo, que hace muchos años que las imprentas chillan en Chile y otras partes, y que hasta ahora don Juan Manuel no se ha asustado; por el contrario, cada día estaba más fuerte.

El cuyano bajó la misiva y, rojo de rabia, murmuró:

—Miserable...

Salió alterado de la habitación y, procurando calmarse antes de actuar, se dirigió hasta la ribera del río. Se sentó en la barranca y el paso de las aguas del Paraná, corriendo tranquilas y solemnes en ese escenario de romántica vegetación, le fuedando serenidad a su temple. Ni como publicista, ni como futuro diputado del Congreso Nacional —se propuso— dejaré que este bruto mancille mi dignidad.

Volvió al cabo a su residencia y escribió:

Excelentísimo general:

Me temo que, como sucede siempre en derredor de los poderosos, haya celillos, envidias y deseos de malquistar al señor general conmigo, desfigurándose hechos o suscitando desconfianzas contra los hombres nuevos que se le acercan. Si hay algo de eso estoy perdido, pues no puedo combatir contra ese mal inevitable.

Debo confesarle que su carta me ha dejado helado, puesto que mi interés ha sido el de irradiar a todas partes la gloria del señor general y hacer admirar su nombre por todos.

Al despedirme de usted en Gualeguaychú le dije que podía contar con mi estimación. Con el tiempo y mis actos, espero lograr también su confianza, como la he obtenido siempre de cuantos me conocen.

Durante las horas siguientes, Domingo esperaba alguna reprimenda o represalia proveniente del Espinillo. Se sorprendió cuando vino de allí un conocido de Urquiza y le comentó:

—¡Cómo lo quiere a Ud. el general! Dice que es un hombre honrado, que goza de su confianza y que no es un salvaje unitario...

Este bruto parece más loco que yo, pensó Sarmiento. Pero no me ha sido en vano estudiar a Facundo —concluyó— ya que he logrado servir bien y hacerme respetar.

El Ejército Grande partió hacia Buenos Aires, donde Rosas se preparaba para enfrentarlo. Veinte mil hombres a caballo y de a pie, cincuenta piezas de artillería y cien carretas, una de ellas con la imprenta del teniente coronel boletinero, se desplazaban por la pampa hacia el sur. Domingo seguía cruzado con Urquiza: le parecía un militar improvisado, sin conocimientos científicos ni organización. No había jefe de día, rondín, patrullas ni avanzadas. No tenía Estado Mayor, órdenes escritas ni edecanes reconocidos. A las cuatro de la mañana, simplemente, el general daba la orden de ponerse en movimiento: hacía ensillar su caballo, recoger su tienda, montaba y marchaba. El cuyano, con su uniforme europeo, se sorprendía de que avanzaran sin exploradores, flanqueadores, reservas ni vanguardias. Todo esto le parecía un lujo inaudito de desorden y barbarie, exhibido en medio de tropas brasileñas y uruguayas que estaban en regla. Y lo que más lo sublevaba era, que al fin de cuentas, todo terminaba saliendo bien.

Marchaban a campo abierto, sin caminos practicados.

Sarmiento llevaba su brújula, pero el ejército se guiaba por orientaciones que daban los baqueanos, sobre la base de árboles u otras indicaciones domésticas. De este modo, sucedían pequeñas desviaciones que al cuyano lo exasperaban, por considerarlas un derroche de esfuerzos y tiempo por no saber utilizar los instrumentos modernos. La cabalgata por esa pampa abierta e inconmensurable, sin embargo, lo fascinaba: no ha creado aquí el hombre —meditaba— esos bellos tropiezos que se llaman cercas, casa, propiedad, camino.

Al atravesar lo que llamaban el camino de las provincias, se sintió emocionado: hacia la derecha partía la ruta bien marcada que conducía a San Juan. Si pudiera seguirla —se ilusionó— en quince días estaría en mi casa. ¡La familia, el hogar doméstico! Pero no, hay que continuar hacia el sur, abrir las puertas de Buenos Aires y acogotar de una buena vez al portero.

Esa noche permaneció hasta tarde, pensativo, frente al fuego del campamento. El sucesivo resplandor de los vivaques parecía abrasar por tramos el horizonte, con el fulgor de sus incandescencias. El aroma de la vegetación silvestre, humedecida ya por el rocío, y los últimos cantos de las aves acuáticas llegaban hasta su alma acentuando la quietud. Aunque estaba rodeado por un ejército, la extensión infinita de la llanura lo cercaba con un silencio armonioso, ahogando toda humana discordancia. Se sintió melancólico al recordar su San Juan y sus amores en Chile y, a la vez, se dio cuenta de que esa pampa nocturna y prolongada estaba terminando de seducirlo.

Cruzaron algunas aldeas con escasa población. En Los Cerrillos el sanjuanino contó veinte ranchos miserables, desparramados en una gran extensión. ¿Por qué no se agruparán para crear esas industrias domésticas que mejoran la existencia?, se preguntaba. Contempló la antigüedad de los palos de algarrobo en las techumbres y, por la espesura del estiércol de los corrales, conjeturó que por varias generaciones esas familias se habían legado solamente un rancho, sin la mejora de un árbol, un cerco u otro progreso.

El paisaje se animaba con árboles más oscuros y casas más modernas, construidas con azoteas. En Pergamino, Domingo se alojó en una de ellas y, por la tarde, entró en conversación con un hombre viejo, de ojos lacrimosos:

—¿De cuáles Sarmiento es usted, señor?

—De los de San Juan...

—Sí, pero ¿de cuál de ellos? Porque conozco varios...

—Soy hijo de don Clemente.

—Lo conozco. Pasaba siempre por acá. ¿Y del otro, del que escribe en Chile contra Rosas...?

—Soy yo, señor —contestó ufano el sanjuanino, orgulloso de ser reconocido.

Los soldados y oficiales argentinos, usualmente desarreglados, solían burlarse de las tropas brasileñas, más prolijas y cuyo equipo de campaña era el mismo que el de las ciudades. Invariablemente, Sarmiento salía en su defensa y se mofaba de las tácticas criollas:

—No se ría de ellos, que nosotros no sabemos sino sorprender o ser sorprendidos...

—¿No me dirá usted que nuestra caballería...?

—Es mejor la francesa —interrumpía Domingo—, que en África arrolla árabes más de a caballo y más valientes que nosotros.

—¿Me va a decir que hay mejores jinetes que los argentinos?

—Sí, señor. Los ingleses, que tienen mejores caballos y saltan zanjas y cercas mejor que nosotros...

—Pero un gringo no aguanta ni medio corcovo...

—Porque son inteligentes y educan sus caballos. Eso prueba su superioridad...

Después de unos esporádicos choques entre caballerías, cruzaron el Puente de Márquez y avistaron a las tropas rosistas estacionadas en Caseros. Durante el resto del día se tomaron disposiciones para la inminente batalla. El silencio y la inquietud de la tensa espera reinaron durante la noche.

A la mañana se formaron las tropas y Urquiza hizo cargar con su caballería el ala izquierda del enemigo, iniciando una corta batalla que terminó librándose sobre el cuartel rosista. Sarmiento pensaba que ninguno de los dos ejércitos tenía escuela profesional, pues ni uno ni otro tenían reservas de infantería. Para evitar que se dijera que él, militar de guantes y levita, había rehuido el combate, se ubicó en lugar bien notorio en el batallón oriental y se lanzó a la acción. Espada en mano, el sanjuanino avanzó sobre las posiciones contrarias sintiendo el ruido de la metralla de la artillería, hasta que advirtió que los adversarios comenzaban la retirada. Participó de la toma de la casa fortificada y, cuando vio que venía el general Virasoro con su poncho blanco, salió a recibirlo y lo felicitó por la victoria, con una mezcla de alegría y malicia. Durante una media hora le sirvió como edecán, hasta que el jefe lo envió a hacer ocupar una batería y luego a buscar una división de caballería que no pudo encontrar. Soldados rosistas salían de los maizales en flor donde se habían escondido, para entregarse a los jefes urquicistas que les garantizaban la vida.

Mirándolo e inspeccionándolo todo, Sarmiento siguió luego viaje hasta Santos Lugares, donde se incorporó al grupo de jefes que rodeaba a Urquiza. El comandante estaba expansivo y el boletinero, también alegre y eufórico, sintió que sus antiguas resistencias se desmoronaban y lo felicitó sincera y cálidamente. Rosas había sido derrotado y el hombre que lo había vencido, pensó el cuyano, merecía la gloria más allá de sus discutibles méritos personales.

Un oficial se acercó con un prisionero en ancas de su caballo y se lo presentó a Urquiza:

—Es el mazorquero Santa Coloma, mi general.

—Degüéllenlo en el acto —ordenó el entrerriano. Y dirigiéndose al detenido, explicó—: Pague por los que Ud. ha matado así.

El jefe triunfante y sus oficiales se dirigieron hacia el hospital de las fuerzas adversarias, donde comieron y charlaron en un clima de algarabía. Luego de la entusiasta sobremesa, Domingo partió a buscar a sus hombres, pues su asistente, ayudantes impresores y equipo andaban cada cual por su lado. En seguida se encontró con Bartolomé Mitre y bajaron de los caballos para abrazarse y felicitarse por la derrota del tirano y por haber participado del dichoso acontecimiento. Regresaron juntos al campamento central, donde el sanjuanino encontró a sus dependientes. Pasó la noche en vela con Mitre, quien todavía no sabía dónde estaban sus piezas de artillería, contándose recíprocamente los incidentes y pormenores que habían vivido u oído de la batalla, presos todavía de la lógica emoción por el memorable hecho que habían podido protagonizar.

A la madrugada partió con un batallón, hacia Buenos Aires. Atravesaron algunas chacras y advirtieron que soldados dispersos de ambos bandos se habían dedicado al saqueo y pretendían vender el producto de sus rapiñas. A la caída del sol llegaron a Palermo y acamparon a la vista de la mansión de Rosas. Domingo vio que la azotea tenía muchas columnitas que simulaban ser chimeneas y se dijo que los bárbaros siempre estaban rodeados de mentiras y exageraciones.

Un grupo de jóvenes se acercó a saludarlos y entre ellos venía Benjamín Gorostiaga, quien preguntó por Sarmiento. Se conocían por amigos comunes e iniciaron una cordial charla. Ya en la intimidad, Gorostiaga le dijo:

—Lo único que nos preocupa es esta exigencia de Urquiza de que nos pongamos la cinta colorada...

El cuyano acercó su caballo al del correligionario y le dijo con voz firme y emocionada:

—Resistan y se salvan. Ustedes y el país...

A la noche, Domingo no aguantó la tentación y fue hasta la casa de Rosas. Era una residencia importante, pero, en vez de tener jardín al frente, estaba entre dos callejuelas y al cuyano le recordó la esquina de un pulpero. Las habitaciones eran estrechas y rodeaban un patio con arcos y columnas frías, sin gracia ni ornamentaciones. Entró en la sala de don Juan Manuel y se sorprendió por la rusticidad: los muros estaban desnudos y no había cuadros, jarrones, bronces ni adornos. Se sentó a la mesa del dictador, tomó su pluma y escribió una breve esquela a sus amigos de Chile. Se embargó de emoción al anotar "Palermo de San Benito, febrero 4 de 1852". Se acordó de que hacía cuatro años había escrito desde Santiago al coronel Ramírez: "Yo me apresto, coronel, para entrar en campaña", y una sentida satisfacción lo llenó de orgullo al comprobar, en el propio centro de la intimidad del tirano, que había cumplido plenamente la tarea.

Al ver una oscura bandera federal, sintió el impulso de llevársela como trofeo. Invadido por una sensación de rechazo y de revancha, la plegó, la guardó en su mochila y regresó al galope a su campamento.

14

MORDIÉNDOSE LAS UÑAS (1852-1855)

Urquiza se había instalado en Palermo y Domingo se llegaba todas las tardes hasta allí para pispear el ambiente. Según se comentaba, el general decía que los unitarios estaban equivocados al pensar que él había liberado al país para que ellos gobernaran; que solamente los buenos federales ocuparían los cargos importantes. Cuando lo felicitaban, el entrerriano respondía irónicamente: "Si yo no he hecho nada. Son los escritores de Chile y Montevideo los que han vencido a Rosas..."

Manuel Guerrico, un argentino a quien Sarmiento había frecuentado en París, ingresó a saludar a Urquiza. Al salir le confió:

—Dice que él va a entrar en Buenos Aires con el cintillo punzó y que todos deberíamos usar esa divisa...

Domingo estaba cada vez más disconforme y decepcionado. El general no lo consultaba, no lo escuchaba y ni siquiera lo recibía. Seguía zahiriendo a los antiguos unitarios, aunque casi todos ellos, como era precisamente su caso, habían aceptado y propuesto ahora establecer un gobierno federal. Para colmo, quería humillarlos imponiéndoles el uso de la odiada cinta obligatoria. Se propuso no aceptar esa indignidad y resolvió marcharse, para lo cual pidió una entrevista con Urquiza:

—He concluido, mi general, mi labor en el ejército y su Excelencia me permitirá dejar el servicio para regresar a Chile...

El gobernador hizo un leve gesto de sorpresa y Sarmiento agregó:

—...a traer a mi familia.

El sanjuanino esperaba que su comandante le pidiera que se quedara para asumir la jefatura de correos u otra función. Pero Urquiza sólo preguntó:

—¿Por dónde piensa viajar?

La desilusión del cuyano se convirtió en una rabia profunda y la sangre se le subió a la cabeza. Pero se contuvo:

—No sé todavía. Posiblemente por barco. Antes quiero conocer Buenos Aires, ya que nunca he estado en esta ciudad.

Partió hacia el centro y se alojó en la calle 25 de Mayo 26, a metros de la Plaza de Mayo. Los residentes sanjuaninos lo visitaban y también disfrutaba de sus encuentros con los antiguos exiliados en Chile o en Montevideo. Les anticipó que se volvía a Santiago porque veía que Urquiza iba a convertirse en otro Rosas.

Sus amigos, sin embargo, pensaban que era mejor quedarse para luchar desde adentro y tratar de influir sobre los acontecimientos.

La víspera del día previsto para la entrada triunfal de Urquiza con su ejército en Buenos Aires, Domingo se encontró con Diógenes, el hijo del general.

—Usted como hijo y los demás que lo rodean tienen la culpa de que el general se extravíe y pierda el prestigio que necesita para gobernar. La imposición de la cinta levanta resistencias...

—En los unitarios, nada más... Mi padre lo que quiere es uniformar la opinión...

—¿Pero no ve, amigo, que uniforma los sombreros y divide los espíritus? Hoy la población está dividida: los que aceptan ponerse el cintillo y los que no...

Al día siguiente, Urquiza entraba en un magnífico caballo, con recado adornado y espuelas de oro y plata, a la ciudad que había visto gobernar a Rosas. Lo seguían los veinte mil soldados y la caballería del ejército libertador, además de los batallones brasileños y orientales. Atravesaron la calle Florida, donde el pueblo se había volcado a los balcones, azoteas y aceras, para saludarlos. Domingo desfilaba entre los principales oficiales, satisfecho al comprobar que los primeros y los segundos pisos estaban adornados con banderas celestes, en vez de las rojas que placían al caudillo entrerriano. Al llegar a la Plaza de Mayo, advirtió que Urquiza se había colocado ya en la Recova para presenciar el desfile de las tropas y le pareció verlo serio y empacado. "Ahora entenderá que en Buenos Aires el rojo punzó es el símbolo de los degüellos", pensó satisfecho, disfrutando de la situación.

Participó en un baile de máscaras en casa de los Guerrico y decidió dejar Buenos Aires cuanto antes. Escribió una carta a Urquiza manifestándole que no estaba dispuesto a usar la divisa punzó por "repugnar a mis convicciones y desdecir de mis honorables antecedentes". Pedía también a Dios que lo iluminara en la senda, "pues entiendo que se extravía en ella, dejando disipar la gloria que se había reunido en torno a su nombre".

Se despidió de sus más allegados y se embarcó en un buque de guerra brasileño hasta Montevideo. Partía triste, frustrado, desengañado, con la idea de que sus amigos y correligionarios se equivocaban al quedarse y colaborar con "el bruto de Urquiza". Aunque era un enamorado de los ríos y el encanto de sus corrientes, casi no contempló la maravilla de las aguas marrones que parecían un mar.

A poco de llegar e instalarse en Montevideo, recibió correspondencia de Mitre:

Al leer su carta, Urquiza quedó con dolor de cabeza y no recibió a nadie más. ¿Qué diablos le puso? Esta mañana me hizo llamar y me dijo que va a extenderme despachos de coronel de la artillería de Buenos Aires.

Este bárbaro es siempre el mismo —pensó indignado Sarmiento—; atropella sin miramiento, retrocede sin dignidad. Como sabe que Mitre es mi amigo, le da un ascenso en respuesta a mi protesta.

Se entrevistó con el general José María Paz, quien dudaba en regresar a Buenos Aires porque le habían comentado que Urquiza no lo recibiría bien y hasta podría encarcelarlo. "No me extrañaría, general —aventuró el cuyano—; es tan bruto como ingrato..."

Tomó pasaje en un barco que se dirigía a Río de Janeiro, con el propósito de esperar allí un buque que partiera para el Pacífico. Tuvo la sorpresa de encontrar entre los pasajeros al general Lucio Mansilla, cuñado de Rosas, su hijo Lucio V. y a Juan Terrero, otro allegado al tirano depuesto, quienes marchaban al exilio. Hubo al principio frialdad entre ellos, hasta que Mansilla le preguntó una tarde si era pariente de los Oro sanjuaninos y el hielo se rompió. Desde ese momento compartieron la tertulia y terminaron coincidiendo en criticar a Urquiza, aunque por distintas causas y desde diferentes perspectivas. Para los Mansilla, Urquiza había sido demasiado severo con ellos. Sarmiento, en cambio, no ocultó a sus compañeros de viaje que él era partidario de la línea dura contra todo lo que significase caudillaje o barbarie. Conversando una tarde con Terrero, le confesó:

—Rosas podrá salvar su cuerpo del patíbulo. Pero a su nombre, como el de Facundo, trataré de llevarlo a la posteridad, para que se lo maldiga eternamente...

Al llegar a Río de Janeiro, lo esperaban noticias de Buenos Aires. Uno de sus amigos le contaba que Urquiza había enviado una misión al interior, para confirmar a los gobernadores preexistentes, entre ellos al sanjuanino Nazario Benavídez. En la misma carta se incluía un chisme: Urquiza había comentado que Sarmiento era muy aspirante y demasiado engreído.

Domingo dejó la carta sobre la mesa de su cuarto de hotel, indignado con ambas noticias. Mantener a los gobernadores rosistas —pensaba— es un agravio a todos los que tuvimos que exiliarnos. Y llamarme ambicioso a mí, es increíble. ¡Ambicioso yo, que rehusé las sugerencias de Benavídez y marché al exilio! ¡Que en cuanto se pronunció contra Rosas marché a colaborar con él sin pedirle nada! ¡Hace 20 años que estoy en el destierro y me llama ambicioso!

Tornando su indignación en ironía, el cuyano pensó que a "su ambición" podrían aplicársele los versos de esa cueca que decían:

¿Para qué vas y vienes,
vienes y vas?
Si otros con andar menos
consiguen más.

Asistió, en compañía de los Mansilla, al teatro de la Ópera y los pocos argentinos presentes se sorprendieron al ver esa curiosa relación entre un furibundo antirrosista y los parientes del Restaurador. Posteriormente, Domingo partió hacia Petrópolis, donde fue recibido por el Emperador en su Palacio. El monarca le dijo que había leído el *Facundo* y otros de sus libros y que el almirante Grenfell le había hablado muy bien de su persona. Añadió que había resuelto otorgarle una condecoración por haber participado de la batalla del Tonelero y el sanjuanino sintió que, en alguna manera, se lo estaba reivindicando de las humillaciones que había recibido de parte de Urquiza.

Al volver a Río, le escribió a su amigo José Posse, a Tucumán, explicándole las razones por las cuales había abandonado Buenos Aires. Le decía que en esa capital había dejado amigos que iban a oponerse al nuevo caudillaje de Urquiza y que, si pudiera contar también con el apoyo de las provincias, podría formar un partido político.

Tú sabes que Buenos Aires es impotente sin las provincias y, además, no tiene otro nombre nacional para ofrecer que el mío o el del general José María Paz. Tú conoces mis ideas, esperanzas y proyectos y por eso te pido que me presentes allá como el campeón de las provincias en Buenos Aires. Es decir, como el provinciano aceptado por Buenos Aires y por las provincias; el único nombre argentino aceptado y estimado de todos y el fundador de la idea de unidad en todos los partidos, como resulta de mis escritos. Si ustedes, mis amigos íntimos, siguen este plan con perseverancia, como yo he seguido la oposición de Rosas, lograremos triunfar. Necesitamos traer al poder la clase ilustrada. No sea que otra vez cruce su caballo un caudillo y tengamos otros diez años de barbarie.

Esperaba las noticias de Buenos Aires para decidir adónde ir. Dudaba si debía permanecer en Brasil, donde estaba bien considerado, volver a Buenos Aires o regresar a Chile donde lo aguardaban Benita y Dominguito. Mitre le escribió desde la capital argentina diciéndole que "la cosa marchaba mejor y Urquiza se rodea de otros consejos, que escucha y sigue". Pero el sanjuanino era pesimista sobre una posible regeneración de Urquiza y se sentía abandonado por los amigos que colaboraban con el nuevo mandatario. Tomó un billete en el barco *Bogotá,* se despidió de sus relaciones y partió hacia Valparaíso.

Después de tres semanas de navegación y haber cruzado el estrecho de Magallanes, llegó a Valparaíso. Benita y Dominguito habían viajado hasta esa ciudad para esperarlo y el encuentro en el puerto, luego de ocho meses de separación, fue emotivo: se abrazaron con afecto y alegría. Decidieron quedarse unos días allí y asistieron a las tertulias en casa de varios exiliados argentinos (los Lamarca, los Villanueva, los Beeche). Domingo explicaba que Urquiza era un caudillo bruto de quien nada bueno podía esperarse, pero se daba cuenta de que sus interlocutores estaban ilusionados con el hombre que había liberado el país de la tiranía rosista. También fueron al almuerzo dominical que Juan B. Alberdi ofrecía en su quinta de Las Delicias y Sarmiento lo visitó después en su estudio de la calle de la Aduana. El tucumano le había enviado un ejemplar de su libro *Bases y puntos de partida para la consolidación institucional* que acababa de publicar.

—No se ilusione, Bautista —le decía el cuyano—. Este animal no escucha ni quiere buenos consejeros...

—Hay que confiar, Domingo. Hay que confiar. El derrocamiento de Rosas es un buen principio...

Partió con su mujer e hijo hacia Santiago y se instaló nuevamente en la casa de Yungay. Disfrutaba con las travesuras de los siete años de Dominguito (solía introducir lagartijas en el pecho de su nodriza) y reinició sus visitas a la imprenta que tenía con su yerno. El presidente Manuel Montt, su viejo amigo, le encargó que fundara y dirigiera el periódico *El Monitor de las Escuelas Primarias,* para orientar las tareas educativas, labor que el cuyano comenzó con entusiasmo.

Su atención, sin embargo, estaba pendiente de las noticias que le llegaban de su país. Urquiza se había reunido con los gobernadores en San Nicolás de los Arroyos y se había acordado convocar a una Convención en Santa Fe para dictar una Constitución. Buenos Aires, sin embargo, había rechazado este acuerdo y un movimiento antiurquicista había designado gobernador a Valentín Alsina.

Sarmiento dirigió entonces una carta al caudillo entrerriano con acusaciones y reproches por haber provocado la división del país, sugiriéndole convocar otro congreso en el cual él no debería tratar de influir.

Paralelamente, decidió escribir un libro sobre la campaña del Ejército Grande que había derrocado a Rosas, explicando sus disidencias y sus desencantos con el general Urquiza. Redactó noche a noche sus crónicas y concluyó afirmando que su pasión era la rehabilitación de los usos de las sociedades civilizadas, evitando los caprichos indisciplinados y salvajes de los monstruos de libertinaje, petulancia, grosería y egoísmo que han producido nuestras luchas civiles. De éstos queda sólo uno —afirmaba—, a quien quisimos elevar a la dignidad histórica, pero mostró en seis meses de poder que sus vicios son incurables. Han nacido así y así morirán. Pero Urquiza —preveía—, con Convención o sin ella, no será jefe de la República. Podrá trinfar sobre Buenos Aires, pero no presidirá el Estado nacional.

Desde San Juan le informaban a Domingo sobre la marcha de los acontecimientos. Se habían elegido diputados a la Convención de Santa Fe y él era uno de los electos. Pero el gobernador Benavídez había anulado el acto y se había designado a otros representantes.

Sarmiento decidió dedicar su libro *Campaña en el Ejército Grande* a Alberdi y escribió un prefacio comunicándole esta decisión. No entendía por qué el tucumano seguía apoyando a Urquiza después de todas las explicaciones que él le había dado en

Valparaíso. Le decía, entonces, que su posición oficialista había hecho necesaria esta publicación, le recordaba su deserción de Montevideo durante el sitio de Oribe, y terminaba manifestándole que luego del fracaso de la Convención Constituyente seguirían siendo tan amigos como antes.

Al llegar el verano, le comentaron que Alberdi se había enojado por la dedicatoria y se había ido a pasar una temporada al pueblo de Quillota, a la casa de su amigo Mariano de Sarratea. Allí preparaba una respuesta a su libro, para publicar en la prensa. A las pocas semanas, se publicaban en *El Diario* las *Cartas quillotanas,* en las que el tucumano decía que los periodistas que durante quince años habían combatido a Rosas no podían parar en su prosa beligerante y que, por ello, no vacilaban en inventar otro tirano para justificar sus ataques. Esta prensa de vandalaje tiene también —sostenía— sus caudillos, sus gauchos malos, que aman la indisciplina, la vida de guerra y la aventura, y detestan todo yugo, aun el de la lógica. Y hablando ya sobre el libro, Alberdi expresaba que Sarmiento había seguido dos campañas: una ostensible contra Rosas y otra latente contra Urquiza, sobre quien destilaba más odio que contra el tirano.

Indignado, furioso, el sanjuanino contestó con cinco cartas fulminantes. No entendía por qué "este empleado de Urquiza tenía una dialéctica saturada de arsénico". Alberdi era un "mentecato que no sabe montar a caballo, abate por sus modales, mujer por la voz, conejo por el miedo y eunuco por sus aspiraciones políticas". "Pero yo tengo muchas plumas en mi tintero —le advertía—: téngola terrible, justiciera, para los malvados como Rosas; téngola encomiástica para los hombres honrados; y téngola burlona para los tontos. Para los sofistas, para los hipócritas, no tengo pluma. Tengo un látigo, y uso de él sin piedad, porque para ellos no hay otro freno que el dolor, pues que vergüenza no tienen cuando apelan a esos medios de dañar".

Aunque ha descargado toda su rabia en las cartas a Alberdi, Sarmiento no está satisfecho. Se siente solo, aislado de los sucesos de su país y de sus connacionales en Chile. Los hombres que apoyan el proceso iniciado por Urquiza se han agrupado en un Club Constitucional, inspirado por Alberdi, al que él no ha querido incorporarse, ni tampoco ha sido invitado.

La Convención se ha reunido en Santa Fe y está a punto de

dictar una Constitución. Buenos Aires continúa separada y no ha enviado representantes.

Domingo está en contra de Urquiza pero tampoco aprueba la secesión de Buenos Aires, pues no concibe ni acepta un país dividido para siempre. Y la inacción lo deprime.

Iba a la imprenta, dirigía *El Monitor de las Escuelas Públicas* y, por las noches, solía escribirle a su amigo Mitre en Buenos Aires:

¿Se acuerda de mi Yungay, de mis jardines emparrados y galerías, de Dominguito y de la chimenea en que arden gruesos trozos de leña?

¿Se acuerda de mi poltrona y de mi apego al fueguito, el quietismo y el silencio, en los intervalos de ímpetu y pasión?

Le confieso que ahora, con esta tranquilidad, me siento como en prisión: rasguño la silla en que estoy sentado; tallo la mesa con el cortaplumas y me sorprendo mordiéndome las uñas.

En mayo de 1853, la Convención reunida en Santa Fe dictó una Constitución para la Argentina y, a las pocas semanas, Domingo recibía el texto aprobado. Lo leyó ávidamente y decidió escribir un libro comentando su contenido. Aunque se trataba del fruto de la tarea urquicista y había sido inspirada por Alberdi, su contenido no le resultó malo. A él le hubiera gustado que se pareciera aún más al modelo constitucional norteamericano y, tarde tras tarde, fue volcando sus impresiones y sus conocimientos sobre las doctrinas del gobierno federal en cuartillas. Las llevó a la imprenta y las entregó con satisfacción y bronca. Ahora sus adversarios tendrían que reconocer que él sabía derecho constitucional, aunque no hubiera podido estudiar en ninguna universidad, como esos doctorcitos mequetrefes y presuntuosos como Alberdi.

Cuando tuvo en sus manos los primeros ejemplares de *Comentarios de la Constitución de la Confederación,* se sintió orgulloso. Se trataba de un nuevo hijo y remitió ejemplares a sus amigos en Chile y la Argentina, para que supieran que él seguía firme y atento a los acontecimientos.

Al corto tiempo, sin embargo, el aislamiento y la inacción volvieron a acosarlo. Para colmo, su situación económica se deterioraba día a día. La imprenta no era rentable y su sueldo oficial era muy pequeño. Durante su viaje de ocho meses para la campaña contra Rosas, había descuidado sus ingresos y toda tarea remunerativa. La vitalidad de Dominguito en la casa de Yungay lo enternecía y alegraba, pero por las noches, al escribir a Mitre, el desencanto volvía a aparecer:

Mi salud está quebrantada, cediendo el roble que usted conoció ante las fatigas del espíritu. ¡No! ¡Jamás he sufrido lo que en esta época! He vivido diez años en la lucha; pero había para mí consolaciones próximas que me alentaban. La aprobación de los amigos aquí; la aceptación de los pueblos allá; la visión cierta del éxito en el porvenir. Ahora no tengo esto. Vivo solo, como un presidiario que guardan Alberdi y el club; gimo bajo su látigo. Son los poderosos de la Tierra. Ríen en las orgías de su cinismo, de estas pobres virtudes cívicas, que hacen a usted y a tantos tomar la parte ingrata de la obra. Las provincias salvajes me desconocen hoy y me ladran; mi pobre San Juan gime y me despedaza el corazón con su heroica resignación y con su estimación infeliz. Lábrame la duda, la incertidumbre, la ignorancia de la marcha de los sucesos allá, viendo sólo la parte fatal y adversa aquí; y en medio de todas estas torturas morales, aguzando el espíritu para penetrar por entre el velo del porvenir los sucesos, me agoto, me destruyo. Estoy lleno de canas; mi pecho cede hace dos meses, y mi salud, conmovida sin quebrantarse, me quita aquella bestial seguridad que hacía toda la fuerza de mi carácter.

Los meses pasaban y, en la Argentina, los acontecimientos proseguían sin la presencia de Sarmiento. Urquiza presidía desde Paraná el gobierno de la Confederación Argentina, Buenos Aires continuaba separada y Mitre se constituía en su hombre fuerte.

Domingo frisaba los 43 años de vida y no se resignaba a la amargura del extrañamiento. De alguna forma, quería estar presente en la situación de su país, por el cual había luchado ya décadas desde el exilio. Le escribía a Mitre pidiéndole que el Estado de Buenos Aires le reconociera su grado de teniente coronel y, por otro lado, solicitaba que le gestionara un doctorado *honoris causa* en la Universidad.

No veo por qué la Universidad de Buenos Aires va a negarme el título de doctor, que deshonran tanto otros. Dígale al viejo Vélez Sársfield que lea mis Comentarios de la Constitución de la Confederación *y me diga si sabe más de esta rama del derecho. Hoy el público hallaría bien dispensado mi título y nadie lo criticaría. Éste es el momento de otorgarlo, porque después se enfriarían los ánimos.*

Las pocas noticias que recibía de Buenos Aires, sin embargo, no lo favorecían. El escritor español Juan Martínez Villergas se había sentido ofendido por las referencias despectivas hacia España en el libro *Viajes* y había redactado un opúsculo denigratorio en contestación. El folleto se titulaba *Sarmienticidio* (o *A mal Sarmiento buena podadera*) y contenía un soneto en el que se trataba de describir al sanjuanino:

Este escritor de pega y de barullo
que delira, traduce o no hace nada,
subir quiere del Genio a la morada,
de las propias lisonjas al arrullo.

Fáltale ciencia pero tiene orgullo,
la paz le ofende y la virtud le enfada:
es ciego admirador de Torquemada
y enemigo mortal de Pero-Grullo.

Tal en resumen es mi pensamiento
acerca de ese autor que lleva el nombre,
o apellido, o apodo, de Sarmiento.

Nada hay en él que agrade ni que asombre:
carece de instrucción y de talento;
y en todo lo demás es un gran hombre.

Domingo se indignó al leerlo. Estaba lejos, solo, apartado de todo ese proceso al que quería contribuir, y todavía lo golpeaban y lo ridiculizaban. Caminaba furibundo de un lado a otro de la sala de su quinta y se propuso seguir luchando y trabajando. Ya me escucharán esos mediocres, se propuso.

La separación entre la Confederación y Buenos Aires lo desvelaba, pues él no se sentía integrado a ninguno de los sectores. Con el ánimo de mediar, se le ocurrió escribirle al gobernador sanjuanino, Nazario Benavídez, sugiriéndole que encabezara un movimiento de las provincias tendiente a presionar al presidente Urquiza para lograr una reconciliación con los porteños.

Ansioso por volver a la Argentina, Sarmiento decidió partir hacia Mendoza por una breve temporada. Resolvió llevar a Dominguito, que ya tenía nueve años, y a Benita. Allí podría auscultar en directo la situación nacional y explorar las alternativas para su futuro. Como el petizo de su hijo no era apto para cruzar la cordillera, le pidió a Belín que le prestara su caballo Cornetín.

Marchó con su familia y algunos peones armados y, al llegar a las cuchillas de Villavicencio, las montañas ocres se tornaban aceradas al doblar alguna curva. Dominguito se admiraba de los ríos y cascadas y dejaba las mulas de la vanguardia para volver atrás y contar a sus padres las novedades. Algunos álamos alegraban el viaje y, al atardecer, resolvieron seguir unas horas de noche para aprovechar el buen clima de ese enero. Como Dominguito se bamboleaba ya de cansancio sobre Cornetín, su padre decidió animarlo con una estratagema:

—Bandidos allá adelante —anunció circunspecto el sanjuanino.

Un arriero que estaba en el juego partió hacia el lugar con un fusil, mientras la fantasía del niño divisaba a los imaginarios delincuentes a través de la semioscuridad de la oración.

—Los veo allá, papá, en el jarillal. Son dos...

Sonaron varios tiros y el peón volvió satisfecho:

—Han huido cobardemente, don Domingo. Pero no debemos descuidarnos...

Llegaron a la mañana a Mendoza y desmontaron en la casa de un amigo. Acostaron a Dominguito que estaba agotado y los dueños de casa prepararon un opíparo desayuno a los visitantes mayores. No habían terminado de saborear el chocolate, los bollos y los embutidos, cuando una partida de soldados mandados por el gobernador se presentó a arrestar a Sarmiento. Lo condujeron al calabozo y el detenido, mal dormido y malhumorado, pidió que le llevaran su catre de campaña y se echó a dormir de inmediato. Se despertó a media tarde pensando en que todavía estaba en Uspallata y los arrieros le indicaban que debía seguir. Se restregó los ojos y advirtió que un funcionario le notificaba que estaba acusado de conspiración.

—¿No es más que eso? —preguntó el sanjuanino. Abotagado, se dio vuelta y siguió durmiendo.

Al día siguiente fue interrogado por el juez. La carta que había enviado al gobernador sanjuanino exhortándole a tomar distancia del presidente Urquiza, más la compañía de algunos arrieros armados, eran presunciones de una posible conspiración. Domingo explicó que simplemente había ejercido el derecho de petición y fue absuelto. La familia regresó a Chile por la cordillera y se instalaron otra vez en la tranquilidad de Yungay.

De nuevo en Santiago, la idea de volver a Buenos Aires se acrecentó, pero algunas dudas lo atormentaban y lo hacían vacilar. En primer lugar, él no aceptaba la desmembración de la Argentina y no quería convalidar con su presencia a ninguna de las facciones territoriales. Por eso, cuando le comunicaron que en Buenos Aires se lo había elegido legislador provincial, prefirió no aceptar. Además, algo le decía que en Buenos Aires podía ponérselo en una situación difícil, delicada, si por su condición de sanjuanino lo acusaban de estar identificado con el bando de los provincianos acérrimos.

En esos días de duda y decepción, resolvió ingresar a la masonería. Muchos allegados le habían hablado de esa institución, con la que compartía los ideales de progreso y fraternidad entre los hombres, sin distinción de religiones. Se sentía muy aislado y, al incorporarse a la logia Unión Fraternal Nº 1, de Valparaíso, experimentó una sensación de compañía y calidez por primera vez en mucho tiempo.

Las dificultades económicas deterioraban también las relaciones conyugales. Benita estaba cada vez más posesiva y celosa y le recriminaba su falta de criterio práctico para resolver el mantenimiento del hogar. "Esta malhadada imprenta —decía— nos está llevando los ingresos por alquileres de las bodegas de Valparaíso", una propiedad que, al igual que la quinta de Yungay, había heredado de su primer marido.

Le atormentaba comprobar que el gobierno de la Confederación continuaba su marcha y se consolidaba. Esto contradecía sus presagios y, además, daba la razón a los argentinos que rodeaban a Alberdi en el Club Constitucional de Valparaíso y que lo rechazaban y menospreciaban a él. Cuando se enteró de que Alberdi marchaba a París como embajador, designado por el presidente Urquiza, sintió una mezcla de envidia y contrariedad.

Intentó desahogarse escribiendo a Mitre:

Hay algo que ustedes pueden evitar. Alberdi sale dentro de 20 días para Europa y usted, que conoce a este saltimbanqui, su prurito de hacer papel, sus pretensiones ridículas de dirigir la marcha de los sucesos, puede imaginarse la prisa que va a darse en España y Francia a presentar sus credenciales y ponerse en contacto con aquellos gobiernos, buscando apoyos al sistema en que figura él como protagonista; y sabe usted además lo que la desesperación aconseja a hombres sin principios. Creo conveniente, pues, que el gobierno de Buenos Aires se dirija a Urquiza o a sus ministros, diciéndole que el mayor de todos los obstáculos a un avenimiento es el que resultará de esos enviados nombrados por la Confederación; y que su gobierno espera que se suspendan esas embajadas, hasta que puedan representar la integridad argentina, pues la presencia de esos enviados, no hace más que desconsiderarnos en el exterior, mostrando nuestras divisiones.

Se le ocurrió la posibilidad de viajar a Estados Unidos por unos años. Allí podría estudiar a conciencia los temas de industria, educación, libertad, federalismo y demás instituciones políticas, que debían irradiarse sobre la América hispánica para mejorar su porvenir.

Estaba en ese dilema cuando se enteró de la firma de un tratado de pacificación entre Buenos Aires y la Confederación, a fines de 1854. La noticia de que Mitre había consolidado su situación y había sido elegido ministro de Guerra de Buenos Aires, lo terminó de decidir: partiría para allí, pero dejando bien en claro que iba a trabajar por la unión nacional, proclamándose nuevamente "provinciano en Buenos Aires y porteño en las provincias". Así lo tendrán que entender, pensó empecinado y entusiasta.

Redactó un borrador de carta a los acreedores de la imprenta explicándoles las causas de la cesación de pagos en que se encontraba la firma, para dejárselo a su yerno. Arregló algunos otros asuntos y resolvió viajar cuanto antes. Estos tres últimos años en Chile habían sido tan duros y amargos que la idea de pasar nuevamente la cordillera lo estaba llenando de ráfagas de luz, de visiones esplendorosas.

15

PROVINCIANO EN BUENOS AIRES (1855-1862)

Se despidió de los pocos amigos que tenía y, la madrugada de su partida, sus familiares y criados lo rodeaban en el patio de la quinta de Yungay. Saludó a todos y, finalmente, abrazó con emoción a Dominguito y Benita. Subió a su caballo y enfiló hacia la cuesta de Chacabuco. Las primeras estribaciones le trajeron ya los agrestes panoramas y los frescos aromas que había disfrutado tantas veces. Su propósito era llegar a Mendoza y allí tomar la diligencia hacia Rosario y Buenos Aires, pero al cruzar por Uspallata sintió el deseo de pasar antes, al menos un par de días, por San Juan. Se desvió desde allí hasta el Acequión y, disfrutando de una bella tarde de otoño, pasó por Pocito y llegó hasta San Juan. Al entrar a su ciudad tan querida, veía hacia la izquierda los vibrantes azules de la triple cadena de montañas, resaltados y divididos por los últimos rayos de sol. Los álamos y acequias lo condujeron hacia su casa y esa noche se reunió con amigos y parientes.

A la mañana siguiente, un edecán del gobernador le comunicó que se le daba un plazo de 24 horas para abandonar la provincia, pero Domingo no se amilanó:

—Dígale al gobernador que iré a verlo para tratar este asunto.

Se puso un frac negro y guantes blancos y partió hacia la casa de gobierno con Guillermo Rawson y otros compañeros. El primer mandatario era Francisco Díaz, pero el verdadero hombre fuerte seguía siendo Nazario Benavídez, quien también participó de la entrevista. Sarmiento les explicó que él tenía el grado de teniente coronel del ejército de Buenos Aires y que cualquier acto inamistoso contra él era violatorio de la Constitución Nacional, que aseguraba la libertad personal y de tránsito. Roto ya el hielo, le hizo una larga perorata a Benavídez recriminándole que hubiera apoyado a Rosas hasta el final y que sostuviera actualmente los errores de Urquiza, en vez de intentar oponérsele.

Moviendo su cabeza comprensivamente, don Nazario comentó:
—¡Qué Domingo éste, siempre el mismo...!
Al salir, Sarmiento y sus amigos se dirigieron hacia el Café de Aubone. Rawson le preguntó:
—Pero Domingo, ¿no sintió miedo?
—Cagado estaba, pero lo disimulé.
Disfrutó un par de días en su provincia, viendo a sus relaciones y dejándose ver. Hacía veinte años que había marchado al destierro y notaba que sus luchas en Chile le habían dado cierta imagen en su ciudad. Fue a pasear a Caucete y disfrutó con la contemplación de los alfalfares, naranjos y plátanos. El Jueves Santo recorrió las iglesias haciendo las estaciones y recordó las ceremonias de su infancia, cuando su tío encabezaba los rezos. De la Catedral fue con sus amigos hasta la Merced y luego a Santo Domingo, y comprobó con satisfacción que era reconocido por la gente y que muchos se habían agregado a su comitiva.
Siguió a Mendoza y allí recibió una buena noticia: la provincia de Tucumán, por influencia de su amigo José Posse, lo había elegido diputado al congreso de la Confederación, con sede en Paraná. Tomó un carruaje hasta Rosario y allí, luego de conversar con Salvador María del Carril, le escribió a Posse, quien había sido designado ministro de Gobierno:
Mi querido Pepe:
Los hombres se vuelven tontos cuando son ministros y me temo que tú no seas la excepción, sobre todo cuando ya tenías bastante adelantado en ese camino. Te pido que me hables con franqueza y yo te hablaré con confianza, como en tiempos más felices.
Aunque estoy complacido con este nombramiento que me consuela de muchos sinsabores, no puedo aceptar por ahora la diputación. Está en mi ánimo propender a la reincorporación de Buenos Aires, pero si me embarco en la Confederación seré anulado o declarado traidor.
Prefiero por ahora hacer algo en Buenos Aires en favor de la educación. Tendré así un terreno neutro en qué asilarme y seré útil a la Confederación y a Buenos Aires en una de las empresas a que he consagrado mi vida. Quiero desprenderme de Chile y traer a mi familia; y para hacerlo tú comprendes que no puedo dejar mi porvenir librado a los azares de una posición fluctuante.
En San Juan he reunido sillas viejas de Tucumán, talladas a la Luis XV, y mesas pata de cabra, dejando un juego de mue-

bles para mi hogar, lo que recordará a los que se sienten en ellas que están en casa del diputado por Tucumán.
Tuyo

Sarmiento

Al llegar a Buenos Aires, en mayo de 1855, alquiló un cuarto en el centro y se instaló: armó su catre de campaña y puso sus libros sobre una mesa, dividiendo con un biombo de lienzo las dos partes de la habitación. Mitre estaba en Azul, en una campaña militar contra los indios, de modo que se dedicó a visitar a otros amigos esperando su regreso. Paseaba contento por las calles y quedó impresionado por la cantidad de inmigrantes vascos, italianos y españoles que veía dedicados a diversos trabajos, los que contrastaban con los apacibles "rotos" que contemplaba en Chile. Asistió a un baile en el Club del Progreso y a una función de entrega de premios de la Sociedad de Beneficencia en un teatro y se impactó por la cantidad de gente y la animación. Encontró que la ciudad era un poco caótica, pero con un desorden alegre, activo, lleno de fuerza, en el que podía apreciarse el vigor de la cultura, la riqueza y la población que él admiraba.

Mitre regresó y lo acogió con simpatía. Trató de ayudarlo en sus problemas cotidianos y lo invitaba a la tertulia de su casa, animada por su esposa Delfina de Vedia. También empezó a asistir a las reuniones en el hogar de Dalmacio Vélez Sarsfield. Su hija Aurelia, a quien había conocido siendo una chiquilla durante su paso por Montevideo en 1845, era ya toda una jovencita. Su mirada era triste y no era demasiado bonita, pero Domingo encontró en ella una cálida comprensión y una atención inteligente y alerta para sus conversaciones sobre los temas más diversos.

A los dos meses de su arribo a Buenos Aires, Vélez Sarsfield le ofreció entrar como redactor de su diario *El Nacional,* en reemplazo de Mitre, quien asumiría el Ministerio de Guerra y Marina. Domingo aceptó de buen grado —ya había publicado algunas colaboraciones— y se dedicó de lleno al periodismo, sintiendo que respiraba nuevamente al mezclarse en el fragor de los debates políticos y culturales. Iba temprano al vespertino y no había asunto que no tocara en sus columnas, con una desbordante pasión que permanentemente originaba polémicas y réplicas de los otros periódicos o de los políticos o personajes afectados.

Inició una campaña en favor de la reforma agraria, consistente en la entrega de tierras estatales a bajo precio a quienes las cultivaran, evitando los latifundios sudamericanos y los minifundios europeos; y resolvió continuar con su actividad en la masonería y fundó, con otros amigos, la Logia Unión del Plata Nº 1, que le confirió el título de primer orador.

El cargo educativo se demoraba y fue elegido miembro del Concejo Deliberante, en representación de la parroquia de Catedral al Norte. Se movió con entusiasmo y presentó proyectos sobre ensanches de calles, construcción de ochavas y muchas otras mejoras. Particularmente luchó por la eliminación de los palenques que obstruían las veredas, por considerarlos un elemento de atraso. José Mármol y otros oradores prestigiosos lo acompañaban en el cuerpo colegiado, pero Domingo se impacientaba con el lenguaje florido cuando se trataba de cuestiones prácticas. Una tarde interrumpió a un colega:

—No salgamos de nuestro humilde terreno —exhortó— . Acá estamos encargados del barrido de las calles y de sacar la basura. La retórica está de más...

A los dos meses lo designaron jefe del Departamento General de Escuelas, pero continuó también con el periodismo y la concejalía. Se dedicó con ardor a la actividad educativa y pidió que la provincia unificara la autoridad escolar, hasta el momento a cargo de la Universidad, el Municipio y la Sociedad de Beneficencia. Su idea era crear un sistema único de educación primaria, estatal, difundida y sin privilegios, pero tropezaba con las resistencias de todos los sectores afectados. Hasta su antigua amiga, Mariquita Sánchez, con quien tanto había simpatizado en Montevideo, se oponía a sus proyectos.

Las discusiones sobre este tema se extendían a las tertulias familiares. Un porteño de buen tono le comentó en una de ellas que Buenos Aires nunca aprobaría una enseñanza tan democrática y popular, porque era una ciudad con mucha aristocracia.

—Aristocracia con olor a bosta, mi amigo —contestó el cuyano, aludiendo a la fuente ganadera de las riquezas locales.

Un estanciero, precisamente, quiso burlarse de Sarmiento y sus amigos políticos:

—Si a estos jóvenes liberales se los pone patas para arriba, no se les caerá ni un cobre.

—A ustedes, en cambio —respondió Domingo—, no se les caerá nunca una idea. La respetabilidad les viene de la procreación de los toros alzados de sus estancias.

Cuando su situación estuvo un poco más estabilizada, le escribió a Benita pidiéndole que liquidara las cosas allá y se viniera con Dominguito. Alquiló una casa con mayores comodidades, provista de un patio con columnas, y, después de dos años de separación, se reencontró con su esposa e hijo. Recibió alborozado a Dominguito, crecido con sus doce años, y contentó a Benita. Pero la notó algo fría y seria. El tiempo no había pasado en vano y la relación se había deteriorado.

Poco después fue elegido senador provincial en representación de San Nicolás de los Arroyos y, desde ese cuerpo, logró la aprobación de un proyecto destinado a la construcción de escuelas con los fondos provenientes de la venta de inmuebles estatales. También se obligaba a los vecinos a construir locales escolares.

Cuando el Senado consideró el proyecto de Código de Comercio preparado por Dalmacio Vélez Sarsfield y Eduardo Acevedo, Sarmiento se constituyó en el gran propulsor de la iniciativa. Pidió que se aprobara a libro cerrado y sin ningún estudio ni modificación, pues era un todo armónico que no podía alterarse. Pero el cuerpo rechazó el pedido y nombró una comisión de estudio. Pasaban los meses y Sarmiento insistía con su postura de la aprobación a libro cerrado, pero los senadores no querían ceder su facultad de rechazarlo o enmendarlo parcialmente.

—¡Se nos presenta un libro cerrado! —se quejaban.

Fastidiado, impaciente, el sanjuanino estalló:

—No está cerrado. Es un libro abierto ante ciegos que no pueden leerlo.

Presentaba proyectos sobre todos los temas y participaba en todos los debates. Cuando llegaba al edificio de la Legislatura, los empleados se miraban entre ellos: sabían que iba a agobiarlos pidiéndoles informes, datos o estudios. Cuando entraba al recinto, sus colegas se hablaban por lo bajo: lo llamaban "Don Yo", "ególatra", "loco", por su afán de destacarse o sus extravagancias.

Una tarde, se discutía un proyecto presentado por Sarmiento que autorizaba un empréstito por 800.000 pesos destinado a la construcción de un ferrocarril a San Fernando. La suma fue considerada muy alta por varios senadores, pero el sanjuanino respondió que para iniciativas progresistas esa cantidad era nada, y que él estaba dispuesto a votar hasta 800.000 millones en ferrocarriles porque confiaba en el porvenir de su país.

Ante la hilaridad de sus colegas y la barra por lo que consideraban una exageración, el sanjuanino se dirigió a los taquígrafos:

—Pido que se haga constar esas risas, para que las generaciones venideras conozcan con qué clase de necios he debido lidiar en mi lucha por el progreso de la nación.

Por estos desplantes o por ser originario de San Juan, muchos porteños no digerían la senaduría de Sarmiento. El libelo *Sarmienticidio* circulaba de mano en mano y también le habían compuesto unos versitos:

Por más que te des los aires
de grajo, de cuervo o buitre.
Serás senador de Mitre,
pero no de Buenos Aires.

Su descanso consistía en irse a veces hasta el Delta del Paraná y abandonarse a la contemplación de la tórrida naturaleza. Mitre lo había llevado allí la primera vez, en un vapor de la Capitanía General, y el sanjuanino se había maravillado de que tan cerca de la ciudad hubiese un sitio con vegetación tan distinta y tropical. Después ocupó un terreno en la isla "La Prócida" de Carapachay, sobre el río Abra Ancha y el arroyo Reyes, en el sitio llamado La Reculada. Limpió de malezas el suelo y empezó a plantar semillas de cevil, pacará, mimbres y nogales, algunas de las cuales fueron pedidas a Tucumán a su amigo José Posse.

Entre el periodismo, la labor legislativa y la tarea escolar, Domingo vivía en un fárrago de actividades, polémicas, peleas y debates. Se sentía vivo y dinámico, como en los primeros años de su exilio en Santiago. Iba desde el diario a la Dirección de Escuelas y desde cualquiera de estos lugares a las sesiones del Senado. Asistía a las tertulias y discutía en todas partes. Por las noches conversaba con Dominguito sobre la marcha de sus estudios y después se sentaba a escribir un último artículo bajo la luz de las bujías. Le gustaba vivir intensamente, pero recibía constantes golpes en devolución de los suyos. Militante del grupo liberal, se enfrentaba con los periódicos urquicistas, católicos y también con las otras fracciones de su propio partido. Lo retaron a duelo varias veces y otras tantas lo agredieron en la calle. En una oportunidad intercambió bastonazos y patadas con un colega de la prensa y terminaron ambos en la policía. Con Francisco Bilbao, liberal como él, con quien ya había diferido en Chile, se enfrentó varias veces a través del diarismo y en los estrados de tribunales, por recíprocas injurias.

Tiempo después de la llegada de Benita, entró una mañana a un café y un amigo le entregó un ejemplar de *La Reforma Pacífica*. Nicolás Calvo lo zahería como siempre, pero agregaba un ataque furibundo: lo acusaba de haber asesinado en Chile al primer marido de su esposa.

Domingo sintió como si una espada se le clavara en el pecho y experimentó el mismo dolor que había sentido hacía quince años en Chile, cuando también le habían imputado haber matado a un soldado durante la rebelión del Negro Panta. ¿Por qué me agreden siempre con tanta saña? —pensó—. En Chile me atacaban por ser extranjero, acá lo hacen porque soy provinciano. ¿Por qué tanto odio? Antes Alberdi y Martínez Villerga, ahora Calvo. ¿Por qué? El presidente Montt y el general Las Heras me despiden con consideración de Santiago, y acá me destruyen todos estos periodistillos y politicastros. ¿Por qué tanto odio? ¿Éste debe ser siempre el destino de los adelantados y luchadores?

Salió amargado del café y le envió una dolida carta a su acusador. Además lo fulminó con un suelto en su diario y le inició una querella por injurias.

Aunque metido de lleno en la vida política porteña ("Yo continúo con las escuelas, las cámaras legislativas, la prensa y la municipalidad, los émulos y los rabiosos", le escribía a Antonino Aberastain), Domingo seguía con atención los sucesos de San Juan. Cuando sus correligionarios liberales consiguieron llegar al gobierno de la provincia, desplazando al ya legendario líder federal Nazario Benavídez, vio los hechos con mucha satisfacción. Al cabo de algunos meses, Benavídez fue detenido acusado de conspiración. El presidente Urquiza consideró arbitraria esa detención y envió una comisión en busca del preso, pero antes de que los delegados llegaran a San Juan don Nazario fue asesinado en su celda.

La noticia provocó conmoción en Buenos Aires y Sarmiento publicó una carta en *El Nacional* negando que los jóvenes distinguidos del liberalismo sanjuanino se hubieran enlodado cometiendo un crimen, pero destacando que Benavídez era un malvado que había sido víctima de una tardía justicia.

Cuando la delegación nacional arribó a San Juan se hizo cargo del gobierno y, poco después, la Legislatura designó gobernador a José Virasoro, gran amigo de Urquiza.

La relación entre Domingo y su esposa no marchaba bien. Desde su llegada a Buenos Aires, Benita estaba triste y poco sociable. Solamente acompañaba a su marido al teatro, de vez en cuando, y se la veía débil y delgada. Decía que la humedad le sentaba mal y continuaba celosa y protestona.

Sarmiento visitaba todas las tardes la casa de los Vélez Sarsfield y se acercaba cada vez más a Aurelia. De baja estatura, menuda, nerviosa, al sanjuanino le encantaban las manos finas de la muchacha y la fuerza de su temperamento. Podía conversar con ella sobre todos los temas y se complacía al advertir que en la joven surgía una creciente admiración hacia él. Este sentimiento parecía disipar el fondo de una indecible tristeza que la caracterizaba y que parecía provenir del fracasado matrimonio con un primo, que había durado solamente algunos meses. Según algunos rumores, Aurelia había sido infiel a su esposo y éste la había repudiado, devolviéndola a la casa paterna. Se decía que en esos momentos ella estaba embarazada pero que luego perdió el hijo. La pérdida de esa criatura —se comentaba— era la verdadera causa de esa melancolía.

Al cabo de un tiempo, el maduro cuyano y la hija de su amigo Vélez Sarsfield se encontraron uno en brazos del otro y comenzaron a vivir un apasionado y furtivo romance.

Se encontraba eufórico por su impensado amorío con Aurelia y por el cúmulo de actividades que desarrollaba. Enterado de que Pepe Posse estaba pasando por un momento de depresión, resolvió escribirle:

Mi querido Pepe:

Te saludo con todo mi corazón. Sé que estás abatido y lo deploro, porque deberías tener más valor, y tomar mejor las contrariedades de la vida. Las sufro yo, y pesadas; pero me emborracho pensando en cosas que el vulgo cree imposibles, y yo las hago hacederas en cuanto de mí depende, a fuerza de crearlas tales. Hay un latín muy aplicable al caso: desgraciadamente no lo sé yo. Dice, o debe decir que me siento más fuerte a medida que soy más débil. Imítame. Hay momentos en que lo más prudente es ser un loco rematado, y yo estoy de atar en este momento.

Tu Pelao

Al cabo de siete años de separación y negociaciones fracasadas, el conflicto entre Buenos Aires y la Confederación Argentina se acercaba a un desenlace militar. El Congreso Nacional, con sede en Paraná, autorizó al presidente Urquiza a movilizar las tropas y dirigir la guerra A su vez, la provincia de Buenos Aires proveyó también fondos a sus tropas y designó a Mitre ministro de Guerra y Marina y comandante del Ejército en Operaciones.

Mitre nombró a su amigo Sarmiento jefe del Estado Mayor del Ejército de Reserva y partió con sus divisiones hacia el límite con Santa Fe. Allí, a orillas del arroyo de Cepeda, chocaron el 23 de octubre de 1859 los dos ejércitos argentinos, resultando vencedoras las fuerzas de la Confederación.

Mitre se retiró hacia Buenos Aires, con el propósito de defender la capital provincial. Con la colaboración del general Wenceslao Paunero y de Sarmiento, hizo emplazar cañones y fortificó la urbe.

Urquiza avanzó con sus fuerzas y puso sitio a la ciudad. Se iniciaron conversaciones para evitar un nuevo choque armado y se firmó así el Pacto de San José de Flores: Buenos Aires se incorporaba a la Confederación sin mengua de su autonomía y juraría la Constitución Nacional. Previamente se reuniría una asamblea bonaerense para sugerir reformas, las que serían luego analizadas y aceptadas por una convención constituyente nacional. Las relaciones exteriores y las aduanas quedaban a cargo exclusivo de la Confederación. Habría una amnistía general para civiles y militares y se reducirían las tropas al estado de pacificación.

Sarmiento había quedado abatido con el triunfo de Urquiza en Cepeda, pero las cláusulas del tratado de San José de Flores lo reanimaron. En definitiva, él siempre había sido partidario de la unión nacional y, en la Convención bonaerense, podría demostrar sus conocimientos sobre derecho constitucional.

Sobre fin de año se realizaron las elecciones para elegir convencionales constituyentes en la provincia de Buenos Aires: en la capital vencieron los liberales (Mitre, Sarmiento y Vélez Sarsfield entre ellos), mientras que en la campaña se impusieron los candidatos próximos a Urquiza.

En la primera sesión de la asamblea, Sarmiento propuso que la Convención se declarara en comisión y examinara directamente la Constitución Nacional.

¿Quiénes somos —se preguntó con arrogancia— *los constitucionalistas que estamos sentados aquí? La Convención lo dirá cuando haya oído hablar a todos y juzgado por sus opiniones, pues habrá muchos que tengan título de doctor, pero no de constitucionalistas. Eso se adquiere de otro modo. Pido, por ello, el derecho de manifestar mis opiniones con toda extensión...*

Pero ni siquiera sus amigos y compañeros de la mayoría liberal estuvieron de acuerdo con la presurosa iniciativa del sanjuanino, que estaba impaciente por mostrar su versación sobre el tema. Sonrisas socarronas surgieron en todos los rostros y la iniciativa fue rechazada. Se nombró una comisión de siete miembros (Mitre, Vélez Sarsfield, Sarmiento, Mármol, Obligado, Barros y Domínguez) para que elaborara un dictamen sobre las reformas a proponer en la Constitución Nacional.

Al cabo de unos meses, la comisión entregó su despacho: las modificaciones propuestas tendían a acentuar el carácter federalista de la Constitución de 1853. Las provincias debían asegurar la educación primaria y el Congreso Nacional no podría dictar leyes que restringieran la libertad de imprenta o establecieran sobre ella la jurisdicción federal.

Cuando la Convención bonaerense en pleno debía analizar este dictamen, se produjo un inconveniente. El sector minoritario, adicto al federalismo urquicista, y que postulaba la aceptación lisa y llana de la Constitución de 1853 y la incorporación inmediata de Buenos Aires a la Confederación, decidió no dar el quórum necesario.

A pesar de que con sus permanentes polémicas periodísticas se había peleado con medio mundo, Domingo participó en negociaciones tendientes a lograr que la minoría integrara la asamblea y participase de los debates. Obtenido lo primero, comenzó la discusión.

A comienzos de mayo de 1860, Bartolomé Mitre fue elegido gobernador de Buenos Aires y designó como ministro de Gobierno a Sarmiento. Mitre se retiró entonces de la Convención, pero el sanjuanino prefirió seguir hasta el final, que era inminente.

Intempestivamente, Félix Frías pidió que se postulara la modificación del artículo 2º de la Constitución Nacional, para establecer que el catolicismo debía ser la religión oficial del Estado Argentino, que tendría que defender y sostener este culto.

El cuyano saltó de su banca y salió al cruce del "padre Frías", como lo llamaba con sorna pero con afecto:

—Frías y yo somos fanáticos en esta cuestión —anticipó—, *cada uno en su idea. Y es para mí un asunto tan grande que estoy, como mi oponente, dispuesto a sufrirlo todo en su defensa. Al establecer la libertad de cultos, la Constitución sigue la tendencia universal hacia el respeto y la tolerancia de todas las ideas. El señor convencional Frías nos habla ahora de la religión, como si fuera una semilla que trae de Francia para sembrar por primera vez en el suelo americano. Pero resulta que hemos tenido ya tres siglos de religión obligatoria y estatal sin que hayan crecido en ese tiempo ni la libertad ni el progreso. Porque precisamente, cuando la religión estuvo armada del poder civil fue contraria a la prosperidad. Y nosotros queremos evitar que el catolicismo esté armado de hogueras para perseguir el pensamiento y matarlo.*

Las religiones, por lo mismo que son una verdad descendida del cielo, son intolerantes y perseguidoras, y no hay crimen para ellas más grande que contradecirlas. Y si el catolicismo progresa en los Estados Unidos, es porque no puede perseguir a nadie, ni condenar a las conciencias.

La iniciativa de Frías fue rechazada.

En las últimas sesiones, Domingo propuso que se sugiriera a la Convención Nacional Constituyente cambiar el nombre de Confederación Argentina por el de Provincias Unidas del Río de la Plata.

Este nombre será aceptado con entusiasmo por las provincias y por Urquiza. Lo propongo para reunirme a los que fueron mis enemigos, olvidar nuestras antiguas disensiones y abrazarnos como hermanos que vuelven a verse, después de largos años de separación. Pero para hacer efectivo este clamor es necesario que esta asamblea lo diga.

Y dirigiéndose a la bancada opositora, exclamó:

Levantémonos y exclamemos: queremos unirnos a la nación y constituir de nuevo las Provincias Unidas del Río de la Plata.

Los constituyentes provinciales se pusieron de pie y, junto con la barra, aclamaron la sanción de las reformas que proponían a la Constitución Nacional. En medio de la emoción de los presentes, Sarmiento y Frías se estrecharon en un abrazo. El cuyano se dio cuenta de que su oratoria le había valido un lugar de preeminencia en el difícil escenario de la Convención.

En la Confederación, Santiago Derqui había sido elegido presidente en reemplazo de Urquiza, quien había cumplido su mandato. A los dos meses, Urquiza fue designado gobernador de Entre Ríos e instaló la capital provincial en Concepción del Uruguay, mientras que Paraná continuaba siendo la sede de los poderes federales.

Tanto Derqui y Urquiza, en su carácter de líderes de la Confederación, como Mitre y Sarmiento, gobernador y ministro de Gobierno de Buenos Aires, trataron de plasmar en los hechos la unidad argentina establecida en el Pacto de San José de Flores. En junio de 1860 se firmó un tratado complementario que establecía la liberación de derechos aduaneros y, como parte de ese clima de concordia, Mitre invitó a Derqui y a Urquiza a pasar las fiestas julias en Buenos Aires.

El presidente y el poderoso gobernador de Entre Ríos viajaron en buque hacia Buenos Aires, acompañados por sus esposas, ministros, embajadores, legisladores y funcionarios civiles y militares. Mitre y Sarmiento los recibieron en el puerto y luego recorrieron en carrozas la ciudad, hasta la Casa de Gobierno. Cuando Mitre brindó por sus visitantes, Urquiza se emocionó sinceramente. Hubo conferencias políticas, un baile en casa de Mitre, banquetes, una función en el Teatro Colón, tedéum, desfiles y paseos.

También se inauguró la escuela de Catedral al norte, en la calle Reconquista al 400, fruto de la iniciativa y los esfuerzos de Domingo como funcionario y legislador.

La alegría era general, pero el hosco sanjuanino expresaba igualmente, con su gesto y pensamiento, una cierta desconfianza hacia quienes consideraba caudillos gauchos que difícilmente podían alejarse de la barbarie.

Un mes después todas las provincias, incluida la de Buenos Aires, eligieron a los convencionales que debían reunirse en Santa Fe para estudiar las reformas a la Constitución Nacional propuestas por la asamblea bonaerense. Sarmiento fue uno de los electos, en representación de Buenos Aires.

El cuyano seguía atragantado por la situación de San Juan. Como en la mayoría de las provincias, los hombres provenientes del federalismo habían seguido gobernando con la aquiescencia de Urquiza.

Los amigos liberales de Domingo le escribían haciéndole saber que el gobernador sanjuanino, José Virasoro, era un déspota violento y corrupto que perseguía a sus opositores como en los peores tiempos de Rosas. Añadían que los diputados constituyentes habían sido elegidos en forma fraudulenta y maliciosa.

Al llegar a Santa Fe para la Convención Nacional Constituyente, Sarmiento pidió que se rechazaran los diplomas de los representantes de San Juan. A los hombres de la Confederación les molestaba la actitud beligerante de Sarmiento, pero accedieron a la impugnación en su afán de lograr la unión nacional.

Superado ese obstáculo, la Convención aprobó las reformas sugeridas por Buenos Aires. El 21 de octubre de 1860, el pueblo de Buenos Aires juró obediencia a la Constitución Nacional y, en todas las catedrales de la República, se cantó un tedéum por la formalización del reencuentro de las provincias.

En su condición de ministro bonaerense, Domingo trató de colaborar en la consolidación de esta unión. Cuando Benjamín Victorica, uno de los principales colaboradores de Urquiza, pidió que se restituyese a su padre, quien había servido a Rosas, su jubilación suprimida, firmó junto con Mitre el decreto respectivo.

Pero esta decisión provocó una gran repulsa en los jóvenes liberales porteños y la Legislatura convocó a Sarmiento para interpelarlo.

El diputado Nicolás Avellaneda, cuyo padre había sido decapitado en Metán por las fuerzas rosistas, alegó que quienes no habían sido cómplices de la dictadura de Rosas no tenían por qué transigir con los personeros de la tiranía.

El ministro explicó que la restitución del beneficio se había realizado en cumplimiento del Pacto de San José de Flores, que disponía que los militares sancionados después de 1852 debían ser restablecidos en sus empleos, con goce de sueldos y jubilaciones.

Alzando un vaso con agua se dirigió a los legisladores juveniles, espetándoles:

—*Ustedes son tan puros como el agua que contiene este cristal, pero por la sencilla razón de que aún no han servido para nada. Y a nosotros, que hemos vivido al sol de la revolución y en la polvareda de las luchas políticas y del destierro, nos vienen a decir* "estamos puros". *Podrán echarnos en cara que tenemos algo de polvo en los vestidos y alguna vez las manos sucias. Pero nos sacudimos, nos lavamos, y podemos empezar de nuevo.*

El voto de censura fue rechazado, en virtud de que la jubilación se había cubierto con fondos extraordinarios y reservados, sobre los cuales la Legislatura no podía intervenir.

La unión parecía alcanzada y el presidente Derqui resolvió incorporar a dos personalidades porteñas a su gabinete. A través del ministro de Relaciones Exteriores así nombrado, Sarmiento gestionó que el gobierno nacional lo designara diplomático en los Estados Unidos, asignándole 14.000 pesos para gastos de su futura misión. Las asperezas de las luchas políticas y su mala relación conyugal lo impulsaban al alejamiento. En definitiva, en Buenos Aires seguía siendo considerado como un extraño, como un provinciano, y él también despreciaba a muchos de estos porteños que parecían brillantes, pero en el fondo eran ignorantes y no se interesaban por un buen gobierno.

Como parte del clima de entendimiento, el poderoso gobernador de Entre Ríos, Urquiza, invitó al presidente Derqui y al gobernador Mitre a visitarlo en su palacio de San José, próximo a Concepción del Uruguay.

Antes de que Mitre partiera a Entre Ríos, su ministro Sarmiento recibió en Buenos Aires a los amigos liberales de San Juan. Venían a renovar sus denuncias contra Virasoro y a pedir medios económicos y apoyo político para deshacerse del déspota provincial, quien había desterrado a Aberastain a Mendoza. Domingo les contestó que el gobierno bonaerense no podía entregar fondos con ese destino sin previo acuerdo con el presidente Derqui, pero los alentó diciéndoles que trataría de obtener ese patrocinio.

El cuyano pensaba que Buenos Aires debía ser un foco irradiador de liberalismo, que terminara con las administraciones provinciales provenientes del viejo tronco federal y toleradas por el urquicismo. Le dijo a Mitre que él, como sanjuanino, no podía ser insensible a los sufrimientos de su provincia y de sus amigos y le pidió que, en su reunión con Derqui y Urquiza, gestionara el envío de un comisionado conjunto a San Juan para poner término a los atropellos de Virasoro.

Domingo sentía que sus cosas personales no marchaban bien. Su relación amorosa con Aurelia era afiebrada y turbulenta. Estaba enamorado como un jovencito y disfrutaba de momentos de pasión, pero se sentía permanentemente al borde del abismo. Quería estar con ella todos los momentos posibles, pero sólo lograba encuentros furtivos y fugaces, acosados ambos por sentimientos de culpa.

Con Benita, por otra parte, la relación estaba cada vez peor. Ella continuaba triste y alejada y le recriminaba su falta de capacidad para generar ingresos económicos. "Nos seguimos comiendo la herencia de Castro y Calvo", solía decirle, sabiendo que golpeaba en un punto muy sensible. Además, el marido empezó a pensar que ella también lo engañaba con un amante. ¿No será esa la causa de su permanente distancia? ¿No estará pensando en su amigo? Si yo lo hago, ¿por qué ella no?

El gobernador Mitre partió para Entre Ríos y se reunió en el palacio de San José con Derqui y Urquiza. Desde Buenos Aires, Sarmiento le escribió varias veces urgiéndolo a procurar una solución para San Juan y proponiéndose él mismo para ir a liberar la provincia y establecer un gobierno constitucional y progresista que fomentara la minería y estuviera de acuerdo con los nuevos tiempos.

Más moderados en sus actitudes, el presidente y los dos influyentes gobernadores resolvieron enviar una carta conjunta a Virasoro, recomendándole que en un gesto de abnegación realizara un renunciamiento a su cargo, a cambio de un ascenso al generalato.

Pero los hechos se precipitaron y, el mismo día que se firmaba esta misiva en San José, los liberales sanjuaninos derrocaban y asesinaban a Virasoro, en un complot inspirado por Antonino Aberastain.

Mitre y Derqui recibieron esta noticia en Paraná, al regreso de sus conversaciones con Urquiza. Las fiestas preparadas en honor del gobernador bonaerense se suspendieron y la crisis política transformó los agasajos en tensas conversaciones. Los dos dirigentes convinieron en que el poder federal debía intervenir en la provincia cuyana, pero no lograron acordar un nombre. El presidente designó entonces como interventor al coronel Juan Saa, un antiguo rosista que se desempeñaba como gobernador de Mendoza.

Saa partió con sus tropas hacia San Juan y, en Pocito, derrocó a los insurrectos y fusiló a Aberastain, en otro crimen político que ensangrentaba la tierra cuyana y hería a Domingo en lo más hondo de su corazón humano y amor propio político.

El conflicto sanjuanino se había nacionalizado y la situación era grave. Mitre, de regreso en Buenos Aires, protestó mediante cartas a Derqui y Urquiza por el asesinato de Aberastain. Para Domingo, sin embargo, la política de su gobernador era demasiado condescendiente con “los gauchos mazorqueros”.

Desde Entre Ríos, el presidente y Urquiza acusaban a Sarmiento de ser el causante de la violencia en San Juan. Durante nuestra estadía en Buenos Aires, en julio —se quejaban—, tuvimos que soportar el agravio de saber que el señor Sarmiento nos calificaba de bandidos.

Presionado por las circunstancias, Domingo resolvió renunciar al ministerio.

—Si el gobierno bonaerense va a la guerra —le explicó a un amigo—, debo retirarme para que no se diga que mi amistad con Aberastain motivó esa contienda. Si Mitre opta por la paz, no puedo participar de una política que no comparto...

Consternado por la muerte de su entrañable amigo Antonino, disgustado con Mitre, a quien consideraba mal gobernante y demasiado débil, irritado por el tormentoso desenvolvimiento de sus conflictos afectivos, decidió resignar también el cargo diplomático que se le había otorgado. “Las desgracias espantosas que han recaído sobre el lugar de mi nacimiento —le expresó al ministro de Relaciones Exteriores—, hacen impropio que acepte empleos y honores que me alejen del país”.

Para descargar su dolor y su rabia, se dedicó febrilmente a escribir una biografía de Aberastain, pintándolo como un intelectual brillante, un ciudadano virtuoso y ejemplar, un hombre valioso y recto y un magistrado incorruptible. En medio de esta tribulación en que me encuentro —pensó dolido e indignado—, vengo todavía a perder a un hombre como él.

Domingo fue elegido nuevamente senador provincial en Buenos Aires y retornó a la Dirección de Escuelas. Desde las páginas de *El Nacional,* además, se dedicó a atacar al gobierno nacional y a Urquiza, señalando que sus actitudes respecto de San Juan demostraban que no querían consolidar la unión del país.

La relación entre Buenos Aires y la Confederación continuó deteriorándose, ya que también en Córdoba, Catamarca y Tucumán los grupos liberales y federales disputaban entre sí por el poder provincial, con el patrocinio y apoyo claro de aquellas dos fuentes de poder.

El gobierno nacional rechazó la forma de elección de los diputados por la provincia de Buenos Aires y la ruptura se hizo inevitable. El Congreso autorizó al presidente a usar la fuerza y Derqui designó comandante en jefe a Urquiza. La Legislatura bonaerense dio la misma instrucción al gobernador y Mitre se puso al frente de sus tropas. El 17 de septiembre de 1861, los dos ejércitos volvieron a enfrentarse, esta vez en el arroyo de Pavón. Aunque el resultado había sido tan parejo como confuso, Urquiza retiró su caballería y dejó prácticamente el campo en manos de su adversario. El entrerriano, que había tenido disidencias con Derqui y estaba cansado de las confrontaciones, decidió replegarse a su provincia y dejar el proceso de unidad en manos de Bartolomé Mitre y Buenos Aires.

Mientras esperaba en Buenos Aires los resultados de la batalla de Pavón, Domingo estaba carcomido por la angustia. La falta de noticias lo acongojaba, porque en los últimos tiempos se había jugado entero en contra de Derqui y de Urquiza.

Al llegar la noticia del triunfo de Mitre, respiró aliviado, se puso eufórico y le escribió:

Mi querido coronel:

Tiéndole desde aquí la mano del amigo que dice ¡bien! Nos ha dado un general y podemos dormir tranquilos estos diez años. Pero no se ensoberbezca ante su amigo. Como gobernante estaba usted equivocado, pero el general me ha vengado del diplomático. Tenemos patria y porvenir.

Lleno de entusiasmo y de ideas, quiso instar al general triunfante a que prosiguiera su obra de difusión del liberalismo en toda la República:

No deje cicatrizar la herida de Pavón. Urquiza debe desaparecer de la escena. Southampton o la horca.

Necesito ir a las provincias y usted sabe mi doctrina. No trate de economizar sangre de gauchos. Éste es un abono que es preciso hacer útil al país.

En la época grandiosa que atravesamos yo no me quedaré maestro de escuela, pegado a un empleo, ni periodista. Me debo algo más. Quiero ir a San Juan a pagar a mi pueblo el tributo de mis pobres servicios. Déme un regimiento, no me desprecie como soldado. Quiero ir a Córdoba, ponerme en contacto con Santiago, Tucumán y Salta, encabezar la cruzada a San Juan, acelerando el nombramiento de un presidente de la república y la convocatoria de un congreso en Buenos Aires o donde se quiera, para arreglar las cosas definitivamente. Hay que poner en actividad a las provincias, pobres satélites que esperan saber quién ha triunfado para aplaudir. Pero son argentinas, elementos necesarios de nuestra existencia y es preciso evitarles que muestren la servilidad de su posición. Tengamos congreso y llevemos la vida a todas partes.

Insisto en mis solicitudes y pedidos. Estoy ya viejo y necesito hacer algo. Soy sanjuanino y no quiero estar siempre proscripto. Puedo y deseo ser el heraldo autorizado de Buenos Aires en las provincias. Aunque algo me falte, me quedará aquella voluntad que desde hace 30 años viene tropezando con las dificultades y regando con su sudor el pequeño surco que abre en los sucesos.

Un abrazo de su amigo

Sarmiento

Mitre, sin embargo, no compartía el furor militante de Sarmiento. Prefirió llegar a un entendimiento con Urquiza, respetándolo como gobernador de Entre Ríos e instándolo a que permaneciera neutral en las acciones que los vencedores de Buenos Aires desarrollarían en las provincias, en apoyo de los liberales locales. Urquiza estuvo de acuerdo: Entre Ríos se retiró de la lucha y autorizó al gobierno de Buenos Aires a manejar las relaciones exteriores y reconstruir los poderes nacionales. Carentes de sustento, Derqui y el vicepresidente Pedernera renunciaron a sus cargos y se alejaron abatidos del país.

Tranquilizado el Litoral, Mitre resolvió sólo entonces enviar un ejército al centro, norte y Cuyo, para cohesionar a los grupos liberales y ayudarlos a obtener los gobiernos provinciales. El general Wenceslao Paunero fue designado su jefe.

Decepcionado por no haber sido puesto al frente de esas tropas o de algún regimiento, Domingo quiso de todos modos marchar al interior. Estaba casi desesperado por salir de Buenos Aires y, habiéndose frustrado su viaje a los Estados Unidos como diplomático, quería ir a San Juan. Deseaba ver a su madre que estaba vieja y enferma y anhelaba alejarse de Benita, cada vez más quejosa. El sanjuanino pensaba que su esposa intuía su relación con Aurelia y, a la vez, aumentaban en él las sospechas sobre la existencia de un "affaire" de Benita. Muchas veces se preguntaba quién podría ser el amante de su cónyuge y pensaba en los nombres y las figuras de sus amigos que podrían interesarle a ella.

En un encuentro apasionado y doloroso, le anunció a Aurelia que partía hacia el interior. La muchacha lo besó acaloradamente y le expresó su amor en forma fervorosa. Encendido y desgarrado, Domingo la abrazó fuertemente y luego, con lágrimas en los ojos, se separó de ella tratando de encontrar coraje para superar la desolación que lo embargaba.

Al día siguiente se despidió de Dominguito y Benita y salió para el campamento del Espinillo, a dos leguas de Rosario, donde Mitre se encontraba con sus tropas.

Se entrevistó allí con el triunfante general y le expresó su deseo de marchar hacia Cuyo con las fuerzas de Paunero. Lo instó a una acción más decidida en contra del federalismo urquicista y le reprochó su predisposición a transigir con este partido, pero Mitre lo interrumpió y le dijo que no quería hablar más de este tema:

—Hay que conciliar y pacificar, Domingo. Evitemos violencias innecesarias...

Sarmiento salió de la tienda de Mitre con la idea de que éste se había ensoberbecido y, además, seguía sin pasta de buen gobernante.

El Primer Cuerpo de Ejército de Buenos Aires, al mando de Paunero, partió desde el Espinillo hacia el centro del país. Domingo lo integraba como auditor de guerra, pero tuvo su primer disgusto al enterarse de que sus facultades no comprendían el juzgamiento de rebeldes o vencidos.

El sol de diciembre los fulminaba y la infantería sufría especialmente por el intenso calor, pero a las noches pasaban frío. Aunque Paunero y sus jefes (Marcos Paz, Sandes, Arredondo, Rivas) le brindaban una consideración particular por su actuación política en Buenos Aires, el sanjuanino marchaba malhumorado y sintiéndose otra vez un marginado.

Le escribió a su madre a San Juan. Le dijo que partía hacia allá para visitarla y le recordó que alguna vez habían convenido que cuando ella se sintiese enferma, él iría a verla desde donde estuviese. De modo que no le permito morirse —bromeó— antes de que yo llegue.

A la pampa le sucedió un prolongado bosque de añosos algarrobos, con algunas lagunas aisladas donde, se suponía, habitaban indios ranqueles. Al llegar al río Carcarañá oficiales y soldados se bañaron en sus aguas y recibieron la noticia de que Córdoba, luego de algunos encuentros militares, se preparaba a declararse en favor de las tropas de Buenos Aires.

Continuaron la marcha y se enteraron de que el general Antonino Taboada estaba teniendo éxitos en las provincias del norte. Domingo, que permanentemente escribía a Mitre pidiéndole más energía, levantó su ánimo. No tenemos un solo hombre armado a la espalda y marchamos con dos ejércitos poderosos sobre un enemigo desmoralizado, pensó.

Al llegar a Villanueva (provincia de Córdoba), tuvieron conciencia de que el centro y el norte de la república estaban dominados militarmente y los sectores liberales se hacían cargo de los gobiernos provinciales.

Paunero resolvió entonces que una parte de sus fuerzas partiera hacia el oeste, bajo el mando del general Rivas, a operar en las provincias de Cuyo. Domingo pidió participar de esta expedición, pero el general en jefe le dijo que prefería que se quedase con él, para colaborar en las tareas administrativas. En realidad, Paunero temía que la impetuosidad de Sarmiento imprimiera demasiada belicosidad a la expedición y que su temperamento indisciplinado provocara conflictos con Rivas y los otros jefes. "Tiene el furor de hacer figura militar ante todo y sus rasgos de déspota jacobino", le escribió a Mitre quejándose del sanjuanino. Pero finalmente cedió a sus presiones y Sarmiento partió con el destacamento.

Llegaron a Río Cuarto, donde las alamedas, las acequias, las tapias de barro y las calles polvorientas le anticiparon a Domingo las imágenes de su San Juan. Estaba encantado y disfrutaba del próximo encuentro con su ciudad y con los suyos.

Antes de llegar a San Luis se cruzaron con un sacerdote que venía de San Juan, quien pidió hablar con Sarmiento y le comunicó que su madre había muerto.

—Yo la ayudé a bien morir —explicó—, y me encargó decirle, si lo veía, que lo bendecía y que no había podido aguardar más.

Aunque apenado y golpeado, Domingo se sonrió, enternecido.

Había querido tanto a su madre que no podía aceptar no verla más. Finalmente se quedó solo y tuvo que hacer un esfuerzo para comenzar a llorar.

Cuando arribaron a San Luis ya había asumido un gobernador liberal, pues el anterior federal había renunciado ante la simple avanzada de una vanguardia. A pesar de esto, el ánimo de Sarmiento era muy malo. Le escribió a Mitre diciéndole que la situación era desesperante, pues la provincia estaba "pobre y en ruinas, con un gobierno impopular porque es liberal y decente, rodeado de indios agresivos, caciquillos impertinentes y pedigüeños, y políticos desconfiados y vanidosos. No hay agua; hay malos pastos; no hay hombres; los indios por vecinos. Es para tirar las cartas y abandonar la partida."

Siguieron a Mendoza, que había sido destruida meses antes por un terremoto y continuaba en ruinas. Convertido de hecho en el jefe político de la expedición, Sarmiento se proclamó dictador militar e inspiró la designación por la Legislatura de un gobernador liberal, en reemplazo del urquicista que había huido hacia Chile.

Recibió allí una carta de Aurelia, que se quejaba por la falta de noticias a pesar de que habían convenido que se escribirían a través de una amiga intermediaria.

Le contestó de inmediato:

Amada mía:

He recibido tu recelosa carta del 8 de diciembre, extrañando mi silencio y recordándome posición y deberes que no he olvidado. Tus reproches inmotivados me han consolado, sin embargo; como tú, padezco por la ausencia y el olvido posible; la tibieza de las afecciones me alarman. Tanto, tanto hemos comprometido que tiemblo que una nube, una preocupación, un error momentáneo, haga inútiles tantos sacrificios.

Te quejas de no haber recibido en quince días cartas; y sobre este delito fraguas ya un ultimátum. ¿Pero si no hubiese sido posible escribirte con seguridad?

¿No has visto que a tu padre, a tu madre, a alguien de los tuyos escribo para recordarte que mi alma anda rondando cerca de ti?

Y si esas cartas no se han recibido todas, ¿no temes que alguna tuya se perdiese?

La verdad es sin embargo que tu amiga me alarmó con prevenciones que me hicieron temer un accidente, pues ella anda muy cerca de las personas en cuyas manos una carta a ti, o tuya, sería una prenda tomada. He recibido tu primera carta, y una segunda en que me decías que no tenías voluntad de escribirme, nada más. Y con este capital crees que quedan justificados tus amargos reproches. Sé, pues, justa, y tranquilízate. No te olvidaré porque eres parte de mi existencia; porque cuento contigo ahora y siempre.

Mi vida futura está basada exclusivamente sobre tu solemne promesa de amarme y pertenecerme a despecho de todo; y yo te agrego, a pesar de mi ausencia, aunque se prolongue; a pesar de la falta de cartas cuando no las recibas. Esos años que invocas velan por ti y te reclaman como la única esperanza y alegría en un piélago de dolores secretos que tú no conoces, y de estragos causados por nuestro amor mismo.

A mi llegada a Mendoza avisé a Juanita que escribiese, no pudiendo hacerlo yo, para que supieses mi llegada. ¿El correo está franco? ¿Por qué no escribes sin intermediarios? Hazlo en adelante y abandona este tema de las quejas que dan a tus cartas un carácter desabrido, haciendo más insoportable la separación.

Necesito tus cariños, tus ideas, tus sentimientos blandos para vivir. Atravieso una gran crisis de mi vida. Créemelo. Padezco horriblemente, y tú envenenas heridas que debieras curar. Al partir para San Juan, te envío mil besos, y te prometo eterna constancia.

Tuyo,

Sarmiento.

Pasaron el fin de año en Mendoza y, en los primeros días de 1862, partieron hacia San Juan. Domingo marchaba junto con las tropas ansioso pero triste. El camino le era muy familiar y los verdes espinillos le resultaban propios. Las montañas se encimaban a la izquierda y sus azules le resultaban esplendorosos, pero no lo alegraban demasiado. Volvía a su ciudad querida, pero no encontraría ya a su madre ni a Antonino Aberastain, su compañero de escuela y uno de sus amigos más amados. Lo acosaban también sus problemas conyugales, su complicada relación con Aurelia y los desencuentros con Mitre. Al aproximarse a Pocito, donde Aberastain había sido derrotado, divisaron un grupo de gente, a caballo y de a pie. Una multitud de partidarios políticos los esperaba, para acompañarlos en su ingreso a la capital. Domingo se emocionó y se abrazó con los parientes y amigos más cercanos, saludando al resto con cordialidad.

Parrales verdes y rebosantes les avisaron luego que se aproximaban a la ciudad, enmarcada por álamos y cercas de adobe. En la casa de su infancia, en su primera habitación, Sarmiento se acordó de aquellas noches en que, extinguiéndose el brasero, sombras animadas y misteriosas parecían moverse por las paredes. Atravesó la sala y, en la puerta del dormitorio de su madre, la frialdad de la cama tendida y la soledad de la cómoda con lavatorio le golpearon el alma, avisándole que Paula se había ido. Sintió que había perdido su pasado más remoto y una congoja lacerante le atenazó la garganta. Retrocedió hasta el frío sofá y lloró amargamente durante largos minutos, sintiendo que la ausencia de esa mujer tan querida le arrebataba los placeres de la infancia y aumentaba su desamparo.

16

MARIDO ENGAÑADO Y GOBERNADOR
(1862-1864)

A los pocos días de su arribo, la Legislatura sanjuanina nombraba a Domingo Faustino gobernador de su provincia. Con el ingreso de San Juan a la órbita mitrista, prácticamente todo el país quedaba en consonancia con los resultados del triunfo de Pavón: el único foco opositor parecía ser La Rioja, donde el caudillo Chacho Peñaloza seguía manifestándose "amigo de Urquiza".

Instalado en su casa materna, acompañado por sus hermanas enlutadas y todavía apenadas, Sarmiento se sintió orgulloso y satisfecho de su cargo máximo, pero también triste y melancólico. No sólo por la pérdida de la anciana Paula, sino porque comprendía que, en el estado actual de su provincia, no le sería fácil hacer una buena gestión. Las arcas estaban exhaustas, pero a pesar de ello sus comprovincianos esperaban mucho de él.

—Nos hemos sacrificado tantos años por sus ideas —le dijo un amigo— que ahora esperamos que nos saque de este pozo...

La esperanza de la gente tendía a sacarlo del desaliento, pero comprendía que la situación era difícil y la confianza no es eterna. De todos modos, se abocó con ahínco a encarar las primeras tareas de reorganización administrativa, con el fin de intentar luego aumentar las postas, reformar la Justicia y ocuparse de la educación pública y la minería, estas dos últimas sus principales prioridades.

Inicialmente creó una fuerza provincial destinada a guardar el orden en la ciudad y trató de alentar a los nuevos policías:

—Ustedes cuidarán desde ahora la seguridad de los vecinos, de modo que son funcionarios con deberes y obligaciones. La población estaba acostumbrada a los pícaros, pero ahora confía en hombres honrados como ustedes...

Hizo traer una imprenta nueva desde Valparaíso y sacó nuevamente *El Zonda,* ese periódico tan querido, donde volvió a redactar artículos.

Se encontraba a gusto entre los suyos y el 15 de febrero, el día en que cumplió 51 años, le escribió a Mitre:

Estoy desconocido: me siento sanjuanino. Hace tres días vagaba entre árboles y parras que yo personalmente planté. Al tomar un grano de moscatel, sentí la misma sensación que experimentaba hace treinta años al hacer lo mismo, en la misma parra, que conserva los mismos accidentes.

También le escribió a Aurelia a Buenos Aires, pero esta vez la carta de amor desencadenó un terrible incidente. La misiva fue interceptada en la estafeta y llegó a manos de Dominguito y de Benita. El escándalo estalló y le trajo al flamante gobernador una herida aún más profunda: sus temores estaban justificados y su esposa lo engañaba desde hacía tiempo con un amante. Además, estaba embarazada.

Indignado, humillado, Sarmiento explotó primero y luego cayó en un profundo abatimiento. Se sentía culpable por su infidelidad con Aurelia, pero por sobre todo se sentía herido y vulnerado por el adulterio de Benita. Todo Buenos Aires lo debe haber sabido, pensaba, mientras maldecía a su esposa y tenía ganas de terminar su existencia antes que afrontar públicamente tamaña afrenta.

Para colmo, Dominguito le escribió enrostrándole su mala conducta e ignorando la falta recíproca de su madre.

Al cabo de un par de días de amargura y profunda vergüenza, conversó del tema con su amigo Régulo Martínez y le escribió a Mitre dos cartas reservadas, contándole todas sus desventuras y confiándole el temor que sentía de perder el amor de Dominguito a causa de su "affaire" con Aurelia.

Siguió atendiendo el despacho y tratando de promover medidas progresistas, pese a los escasos recursos del erario. A las pocas semanas, recibió respuesta del gobernador de Buenos Aires:

Buenos Aires, mayo 13 de 1862

Mi querido amigo:

Su desgracia ha llegado a mi conocimiento por su carta del 3, que leí varias veces creyendo haberla comprendido mal; y cuando recibí a los pocos días la del 9 que me confirmaba en ello recién comprendí toda la extensión de sus dolores. Esto le probará a Ud. que acá la cosa nada tiene de pública, que no ha habido el escándalo que Ud. teme, y que Ud. será al fin quien llegará a producir una y otra cosa si se dirige a personas menos discretas que yo.

Sea cual fuere la extensión de su desgracia, yo le diré lo que le decía Ud. a un amigo en Chile: Levántate alma abatida. Esto no puede ser un obstáculo a su vida, sino en cuanto Ud. se deje dominar por ello, quebrando su energía por los padecimientos morales que Ud. mismo se creará. No se confíe, pues, a otro que a mí, que no tengo debilidades ni con mi mujer cuando se trata de la discreción que es un deber. Así, salvará Ud. su dignidad, y al fin, más sereno y más fuerte, tendrá menos dolores de qué consolarse, menos cosas de qué arrepentirse.

Apenas recibí su primera carta hablé con Dominguito, que como le dije antes, viene todos los días a casa, y es compañero inseparable de Bartolito. Encontré hacia Ud. los mismos sentimientos de respeto y de cariño que siempre, y la misma bella alma en que Ud. hace bien en reparar, porque no se ha de perder, aunque alguna vez pueda accidentalmente extraviarse. Me dijo que le escribía todas las semanas, que le enviaba todos los periódicos, que le había enviado todos los libros de derecho público de su biblioteca que Ud. le había pedido. En fin, me habló de Ud., no sólo con interés, sino con orgullo de pertenecerle de cerca. Ese corazón es suyo, y Ud. se apoderará de él siempre, aunque otros quieran alejarlo, aunque él mismo lo quisiera. Yo procuraré que así sea y no omitiré ninguno de sus encargos.

Cuando recibí la suya del 9, en que me adjunta la de Dominguito, en la que hay, a la vez de cierta pedantería de niño que quiere hablar como hombre, cierto candor que manifiesta que no sabe lo que Ud. ha querido hacerle comprender, me sorprendí y me afligí mucho. Pocos momentos después Dominguito pasó por delante de la puerta del cuarto en que yo leía, y entró como para contestar a mi aflicción secreta, a preguntarme si había recibido cartas de Ud., pidiéndome noticias suyas por no haberlas recibido. Me repitió que le había mandado ya los libros pedidos y la ropa, que le iba a mandar el escritorio y los estantes, y que la distancia y lo lento de las comunicaciones le harían creer tal vez a Ud. que no le cumplía lo que pedía tan pronto como deseaba. Como él se manifestase reservado sobre el punto de la incomunicación, y me parecía ansioso de saber de Ud. y tal vez arrepentido de lo que había hecho, no quise abrirme más con él, dejando para más adelante llenar sus indicaciones e instrucciones del modo más prudente y eficaz que sea posible. Cuenta Ud. en mí con un amigo, que le servirá como un hermano, y le será un consolador con la sola condición de que Ud. se muestre hombre, mida su desgracia en lo que es realmente, no la exagere, que no haga como un herido que se irrita la llaga gozándose en sus padecimientos. En una inteligencia como la suya, con los serios deberes que Ud. tie-

ne en la vida, con los destinos que le esperan independiente de las cosas parásitas, eso sería una degradación moral, que crearía una desgracia mayor que la que Ud. pretende conjurar con medios tan mortíferos.

Su sueldo como director de Escuelas aún no ha sido suspendido, y hace días deseo ver a D. Manuel Ocampo para acordar con él que lo tenga a su disposición, a fin de que Ud. sepa que tiene esa reserva, al menos por un par de meses, que será lo que pueda prolongarse la consideración de su renuncia.

Como se lo dirán los diarios, los documentos públicos y las cartas de los amigos, su nombre gana cada día más en gloria y consideración, se lo cita como autoridad y se simpatiza con su persona y sus trabajos a la distancia, de una manera verdaderamente tierna. Corresponda a esos sentimientos, mostrándose más digno aún de ellos, y crea que soy siempre su mejor y más apreciado amigo.

Bartolomé Mitre

A las zozobras afectivas que Domingo sufría, se añadía la angustia de toda la población por algunas incursiones de montoneros del Chacho Peñaloza en territorio sanjuanino y la amenaza de una invasión a la capital de la provincia. El caudillo riojano se había declarado en contra de Mitre y había invadido Catamarca y Tucumán. Derrotado en el norte, se había recompuesto en La Rioja y desde su estancia en La Guaja era un peligro constante para sus vecinos.

Al enterarse de que Benita había perdido su embarazo en Buenos Aires, Sarmiento volcó sus sentimientos escribiéndole a Mitre:

San Juan, mayo de 1862

Mi querido amigo:

Ya puede por mis confidenciales imaginarse lo que deploro la pérdida del heredero legítimo con que me favorecían y lo que debo maldecir el poder de dos palabras que puse en el sobre de una carta que devolvía, las cuales tuvieron el poder de quitar del medio y sin ver la luz pública, el inédito escrito de que se me quería hacer responsable. Creo siempre por este hecho en la potencia que me hace con la palabra crear o suprimir los acontecimientos. Acaso hay inhumanidad en este lenguaje; pero lo siento y no es caso callarlo.

Bonita situación me habría hecho el buen éxito de la villana intriga. Ahora cuento con que Ud. reúna su influencia a los esfuerzos de mis amigos, que ya están en campaña para apartar lejos de la vista el obstáculo innoble creado para mi vuelta posible a la vida pública cuando Ud. me necesite. Es necesario que el tiempo haya hecho olvidar la mancha aun después de lavada. Es más necesario aún que el alejamiento de ella sea una protesta evidente aunque muda, de no aceptar la infamia. Por tanto no debe perderse tiempo en dar pasos prudentes a fin de desembarazar el camino.

Salgo hoy mismo de una situación tirante, habiendo tenido que armar la Provincia, por temor de una irrupción de Peñaloza. Con 300 carabinas y 300 sables formé un entusiasta batallón de infantería vestido de paño, despilfarrando para ello los uniformes que tenía hechos para regalar al ejército de línea. Voy pues marchando a fuerza de coraje, y en cuanto a ilusiones tengo a mi público embaucado y boquiabierto, sobre todo en materia militar pues no se imagina Ud. cuánta sorpresa ha causado ver un ejército equipado a la porteña y guardadas las formas en todo. Es prueba que ayer me fusilé un pícaro con toda pompa.

No quiero terminar esta carta sin reconocerle a Ud. mucha fineza para conmigo, y el completo restablecimiento de nuestras íntimas relaciones y cariño de los mejores tiempos. Las palabras afectuosas que su última encierra, aquel no creer mi posición actual sino como un tratamiento higiénico para caballo flaco, que retoza porque lo dejan engordar para montarlo otra vez, aquel esperar más que yo de la buena dirección dada a mis ideas, todo esto me consuela, fortifica y anima. No sabe Ud. el estrago que ha hecho en mi alma la herida que he recibido en el corazón. Soy otro hombre, receloso, humilde, huyendo de las ideas, de la política, de pensar sobre todo; y como fui siempre una máquina de pensar, absorbiendo este trabajo incesante del espíritu toda mi existencia, cuando la función cerebral ha cesado, la existencia de la realidad me ha hecho descender muy abajo de esa realidad misma. Era sincera y profunda mi creencia de que no saldría de San Juan. Aquí gozo de una felicidad relativa: me siento ennoblecido por el afecto de los unos, el respeto de todos, y las afecciones de familia que son fuertes en mi corazón.

Ve Ud. cómo me olvido de sus tareas y de la seriedad de sus atenciones. Soy de Ud. afectísimo amigo,

Sarmiento

Luego de varios enfrentamientos y tratativas frustradas, el general Paunero firmó un tratado con el Chacho, mediante el cual el jefe montonero se sometía al gobierno nacional, pero a la vez obtuvo que se lo reconociera como encargado de pacificar La Rioja y vigilar la reorganización de sus autoridades.

Sarmiento, que había chocado con Paunero y con Rivas durante el avance de las tropas mitristas, expresó su disconformidad con este acuerdo. Peñaloza no era para él un individuo confiable, sino un caudillo primitivo rodeado por gauchos indolentes a quienes les permitía los salteamientos y el pillaje.

Al pactar con el Chacho y haber ordenado el repliegue de las fuerzas de Rivas hacia el sur, el gobierno nacional lo había dejado con un bandido peligroso amenazándole la frontera. En su correspondencia pública con Mitre le explicaba estos temores y justificaba sus opiniones. En las cartas confidenciales, le confiaba sus amarguras personales.

San Juan, junio 20 de 1862

Mi distinguido amigo:

He recibido su contestación a mis confidenciales del 3 y 9 del pasado, admirando en ellas su discreción, agradeciéndole en el alma sus consuelos y el sentimiento que los inspira.

Gózome en efecto en irritar mi herida, la enveneno en lugar de curarla, y cuando su carta llegó hacía quince días que estaba reconcentrado sobre mí mismo, esperando ver estallar, como el incendiario, el fuego que ha encendido en un rincón oscuro del edificio.

Mucho me ha calmado su carta. ¡Mucho! pero no todo lo que necesito. Hace ya un año mortal que gimo bajo el peso de mis tormentos; y el tiempo sólo me trae agravación y recrudescencia. ¿Es culpa mía? Será en buena hora, pero hay algo de fatal. Es toda mi vida que viene a refundirse en este odioso incidente. Es la repetición con otras formas de un hecho constante. Cuando llegué con Ud. al poder, los sucesos de San Juan me alejaron. Cuando fui nombrado plenipotenciario, la aprobación de Derqui lo hizo incongruente. Cuando teníamos unificada la nación, una loca imprudente me cubría de lodo. ¿No ve Ud. repetirse mi ostracismo de 1852? No me exagero el mal. Es que tales antecedentes y circunstancias lo acompañan, que sacrificaré todo antes de aceptar la idea siquiera de la posibilidad de vernos. No es el público lo que me preocupa: es la vida íntima, la degradación moral aceptada, y el crimen triunfante para imponer nuevas condiciones, nuevos martirios como los que he soportado diez años. Fíjese en esa fecha. Yo he llevado en el seno una víbora y disimulado sus mordeduras, hasta que me mordió en el corazón. No escribiré a nadie en adelante. Hice a designio que muchos conociesen la ver-

dad (no está oculta como Ud. lo cree, no se engañe) porque quería poner una muralla de bronce por delante. Régulo Martínez le informará del último paso dado, por medio de Angelita de Riera, la antigua amiga.

He roto con Dominguito, es decir me he arrancado una parte de mi corazón. Explotador sin sentimientos caballerescos, me anuncia que estará con ella. Le he indicado que pida habilitación de edad y se emancipe, con su nombre legal, terminando toda correspondencia. Es imposible conservarla, con un intermediario.

Sé que mi esposa derrocha dinero con profusión, gracias a Ud. y a la falta de delicadeza de ella para recibir dobles pensiones. Si Ud. cree conveniente alguna vez suspenderle la pensión que le lleva mi administrador Ocampo, para forzarla por hambre a salir, dígaselo a él de mi parte. Haga Ud. poco caso de mis consejos. Mis medios serán siempre mortíferos como Ud. lo indica. Una sola cosa exijo. No verla jamás; sobre todo no ser llevado al presidio horrible en que se han agotado al fin mis fuerzas. Me escriben nuevamente que Rawson es el consultor sino el consejero que ella tiene. Se ha ocupado de acallar los rumores, cegar las fuentes, borrar los rastros y excitar simpatías; y esta obra ha sido hecha con habilidad, constancia y éxito.

Mis agentes no hicieron sino disparates, le dieron nuevas armas, embozando las que podían herirla y aguzando las suyas. Un empleado del Correo fue puesto por ella, para sustraer cartas. Ya ve que es capaz de mucho. Última y finalmente le escribí a Dominguito que no viniera, como se lo había impuesto. ¿Para qué? Acaso para prolongar su lucha, quedando ese vínculo sin cortarse. ¡He quemado mis naves! Necesito no reposo, sino restablecer en mí mismo el sentimiento de la propia estimación. Ésta es la llaga, querido amigo, que hay que curar. Ésa era mi fuerza y la he perdido, por los sinsabores domésticos. Para levantar la cabeza, necesito poderme decir, ¡estoy libre, aunque solo!

Perdóneme todo esto. No cede sino por momentos la afección. Hoy he dormido de día, por huir de la existencia, y me levanto a escribirle. Quedo su amigo.

Sarmiento

Fundó un Colegio Preparatorio para evitar que los jóvenes que buscaban educación secundaria debiesen abandonar la provincia. Al inaugurarlo, manifestó que San Juan se había conservado culta, pero a costa de la disolución de sus familias, con pérdida de sus mejores hijos.

Las cartas de Mitre le traían noticias sobre los sucesos en el país. Las provincias habían encargado las relaciones exteriores al gobernador de Buenos Aires y el país se aprestaba a elegir presidente y vice. La única fórmula era la que conformaban Mitre y Marcos Paz, por cuanto los federales de Urquiza no se presentaban. En su parte confidencial, estas misivas le renovaban su dolor:

Buenos Aires, 18 de julio de 1862

Mi querido amigo Sarmiento:

He hablado con Benita y con Rawson y con ambos he sido expreso y categórico en mis explicaciones.

A Rawson le he dicho francamente: "Sarmiento desconfía de Ud. en este incidente. No sé qué noticias tenga, o si esto nace de lo lastimado que debe hallarse su corazón; pero como creo que esa prevención no es justa, y que siendo así, debe Ud. tener medio para satisfacerlo como amigo, y darle explicaciones que lo tranquilicen y le quiten ese sinsabor, se lo digo a Ud. sugiriéndole que le escriba sobre el particular". Me dijo que tenía cómo satisfacer a Ud. y quedó en escribirle. Espero que lo habrá hecho.

En cuanto a Benita, y sin entrar a la apreciación de lo que ha pasado, le diré que es una mujer bien desgraciada, y que si como me lo dice tiene la evidencia de su falta, está Ud. vengado y bien vengado, pues de todos modos, será más desgraciada que Ud. Sin embargo, en las posiciones que ambos han tomado, y con las armas que esgrime, es digna de luchar con Ud. En posesión de las cartas de que Ud. me ha hablado, y de otras pruebas escritas, entre ellas declaraciones de las vecinas, la encontré muy valiente y resuelta a dar el escándalo, acudiendo con ellas ante los tribunales. Una palabra mía la desarmó. Después de hacerle las reflexiones del caso, le dije que Ud. estaba resuelto a todo, a que todo se supiese, a que todo se publicase, a perder hijo, porvenir y todo, antes de ceder en nada, y que sobre esa base podía proceder contando de antemano con que ella como mujer dejaría todo el vellón en las espinas. Ella convino conmigo en que el temor del escándalo no lo quebraría a Ud.; pero en cuanto a salir de acá, con recursos o sin ellos, me declaró también de la manera más resuelta y terminante que no saldría nunca de Buenos Aires, aunque tuviera que conchabarse de criada, y que si su hijo optaba por Ud., estaba también resuelta a perder hijo y todo, antes de ceder. Entonces le dije que algo habíamos adelantado con hablar, que era evitar un escándalo inútil y perjudicial para ambos, y definir claramente las posiciones de los dos.

Tal es el estado del asunto. El escándalo está evitado; pero Ud. no conseguirá arrancarla, no porque crea ser más feliz aquí que en otra parte, según me ha parecido, sino porque así lo ha resuelto.

En vista de esto, negocié el viaje de Dominguito a San Juan, ofreciéndole que él volvería a continuar sus estudios aquí, y consintió en ello por temor de que se declarase en contra, pero resuelta siempre a quedarse aquí, si él se quedaba allá y con Ud. Así es que, sea que pretenda sitiarla por hambre o por ese afecto, he adquirido en mi conversación con ella la certidumbre de que no la reducirá por esos medios.

Por lo demás, la insistencia con que algunos amigos (que saben siempre todo lo que pasa en Buenos Aires) le escriben aconsejándole su venida, le probará que la publicidad del asunto no es acá tan grande como Ud. lo supone; y que si algo se ha difundido su desinteligencia, es en el sentido del plan de defensa por ella puesto en práctica y que (según me ha dicho) data desde antes de su partida, cuando Ud. alguna vez le insinuó la duda sobre el caso probable, que tuvo lugar después. Es decir, que Ud. quiere que exista el motivo para romper con ella, y consagrarse libremente a otras pasiones, lo que aun, cuando tenga un lado sombrío, salva en lo público su honor, tal como lo entiende la generalidad. Pero, aun sin esto, y hablándole parcamente como amigo, debo decirle que no es la presencia de ella aquí, como Ud. parece creerlo, el principal y más serio obstáculo a su aparición en esta escena. El impedimento más serio para la opinión, para Ud. y para todos, es lo otro, lo que traería sobre Ud. nuevas tempestades y amarguras. Y creo por mi parte, que ellas serían más seguras, cuando más independiente fuera Ud., y que será arrastrado por un torrente, aunque Ud. pretendiese luchar con su propia inclinación, lo que me parece no tiene Ud. todavía la resolución de hacer.

Mi opinión es, pues, que prudencialmente para Ud. y para los fines de su rol político, por ahora, está Ud. bien donde está. Como le he dicho antes, es Ud. irremplazable en el interior.

Ahora, si yo le hubiera de dar un consejo como amigo, yo le diría que la resolución más digna de un hombre que quiere levantarse a los ojos propios y a los ajenos sería dejar cicatrizar un poco las heridas abiertas; y templado por la meditación, a la par que dignificado por el trabajo, volver cuando todo se haya serenado un poco, a la escena tumultuosa en que Ud. debe figurar siguiendo su destino, entrando sencillamente, con seriedad y mansedumbre, al hogar triste y frío en adelante, no ya para hacer la vida común en la atmósfera de las simpatías, sino para hacer el sacrificio generoso de la felicidad, al porvenir del hijo que le sobrevivirá y que así honrará mejor su memoria. Levantando de este modo su estimación propia, Ud. se sentirá entonces con bastante fuerza para absolver a la desgraciada que al fin ha sido su compañera, y que debe serlo para el bueno y para el mal tiempo; y al levantarse a regiones más severas, quizá tendría también bastante fortaleza para pensar humildemente que muchas veces las faltas de que más nos quejamos, tienen su origen en nosotros mismos, y cuando en casos semejantes hay faltas recíprocas no hay balanza para pesarlas.

Lo he dicho todo, y a un hombre como Ud. no debo decirle más. Régulo Martínez le dirá lo demás que quiere saber.

Bartolomé Mitre

Dominguito llegó a San Juan, como fruto de las gestiones que había efectuado Mitre ante Benita, en Buenos Aires.

Su padre estaba en su despacho de la casa de gobierno cuando vio entrar al jovencito de 17 años vestido con un elegante uniforme militar y luciendo una mirada traviesa. Sorprendido por ese atuendo, Sarmiento se paró, abrió los brazos y se dirigió iluminado hacia su hijo, estrechándolo en un abrazo emocionado y orgulloso. Antes de que el gobernador formulara alguna pregunta, Dominguito explicó que Mitre le había dado despachos de oficial de la Guardia Nacional, por lo cual se había encargado ese ostentoso traje militar. Domingo se sonrió condescendiente y le preguntó por sus flamantes estudios en la Universidad, aunque sabía ya que no andaban demasiado bien.

Caminaron luego hasta la casa de doña Paula, donde Sarmiento estaba efectuando unas ampliaciones que completarían una nueva ala sobre el costado derecho. A pesar de los desencuentros familiares que habían tenido, conversaron cordialmente y Domingo le fue indicando lugares y gente en el trayecto.

Dominguito congenió con los jóvenes y muchachas de su edad y participó de paseos, fiestas y serenatas. A las semanas llegó también Bartolito Mitre y Vedia y Sarmiento instaló a ambos amigos en una nueva habitación, que por una puerta daba al jardín y por el fondo lindaba con las caballerizas. Por ser hijos del gobernador y el hombre fuerte de la Nación, por su condición de porteños y por la desenvoltura y ánimo festivo de los dos, se constituyeron en personajes principales en los banquetes, inauguraciones oficiales como la de la Quinta Normal, desfiles y toda clase de reuniones sociales.

Dominguito asistía también a su padre en la gobernación y

disfrutaba de la vida provinciana, con el calor de sus tías y demás parientes.

Domingo, a su vez, recuperó parte de la perdida alegría al considerar que se había reconciliado con su hijo. El gobernador concurría a su despacho oficial por la mañana y la tarde. Por las noches, trabajaba en el escritorio que se había construido en la nueva ala de su casa y, desde allí, gozaba al escuchar en el cuarto contiguo las voces de Dominguito y Bartolito comentando las alternativas de sus actividades juveniles.

Una noche, después de cenar, salió el tema del conflicto conyugal y Domingo descargó su amargura sobre su hijo, hablándole largamente sobre el tema, mientras el jovencito permanecía grave y reconcentrado. Al entrar en los puntos más urticantes y hacerle saber que la ruptura era definitiva, el padre rompió en contenidos sollozos. El muchacho, haciendo esfuerzos para superar su propia tristeza, puso una mano sobre el hombro de su progenitor y trató de acercársele:

—No llore, papá. ¡Un viejo como usted...!

Mi querido Mitre:

He recibido su confidencial del 18 de julio y los curiosos informes que contiene. Le agradezco el interés que ha tomado en mi causa y lo compadezco por lo que su buen corazón ha debido sufrir con el espectáculo de mal tan grande y tan sin remedio. Mi carta ésta lo hará sufrir más; pero éste será el último sufrimiento, aunque el más cruel. Después de la muerte fuerza es consolarse; son los dolores y las agonías las que despedazan el corazón del espectador.

He leído su carta ¡ah, cómo he de decirle que con serenidad! No, pero la he leído con estudio de los hechos que refiere y consejos que me da. Principiaré por estos últimos. No conoce Ud. la gravedad del mal. No es la situación que ante la opinión me hacen los sucesos lo que me guía: no es olvidar un agravio lo que me cuesta, sino aceptar vivir los pocos años de vida que me quedan envilecido ante mis propios ojos y martirizado y pisoteado como lo he sido diariamente diez años. No olvide: ¡diez años!

Esa resolución tranquila y meditada que me pide para más tarde, volver al hogar triste y frío, ya la tuve en 1860. Todas esas consideraciones pesaron sobre mí en caso análogo, y por mi hijo, por la opinión, el porvenir y por amor fui prudente y me envilecí a sus propios ojos. Todo lo hice, y no un día sino años enteros de sacrificio. Pero hay error de apreciación en Ud. cuando cree que puedo reconocer humildemente que soy el artífice de mi mal, que tengo que levantarme a mis propios ojos, que nada tengo que ver con eso que llama opinión allá, presente ella, o más independiente yo, para entregarme a una inclinación que no pienso combatir. Error de porteño que cree que mis pensamientos están en Buenos Aires y que éste es un valle de lágrimas; error en que está ella y venía el viajero, y ha disipado aquí. La adjunta carta que confío a su lealtad le dejará traslucir algo de la realidad.

Pero en lugar de volver como Ud. me dice, al hogar frío y triste, y yo añadiré indecoroso y manchado, para vivir ante un carcelero que acusa y que hiere y aja para vivir, Ud. parece ignorar que he entrado o vuelto después de veinte años, al hogar puro de la familia paterna, donde encuentro amor, respeto, veneración; donde tendré siempre un lecho para morir llorado, reverenciado, asistido por cien parientes. Esto es lo que no se comprende desde allá. Tres años forzosos debo estar, por deber, por gloria, por placer, pues soy feliz como puede serlo hombre que tiene sin embargo una úlcera, que no le duele, sino cuando la toca. Viajero, ministro, diputado iré alguna vez a Buenos Aires; pero mi hogar está aquí y me volveré tan luego como no tenga que hacer allá.

¿De qué va a servirme reconstruir la familia perdida? Ya he cumplido con mis deberes de padre. El hijo es ya un hombre; y dentro de poco se casará si le place; somos amigos y lo seremos porque soy digno de su estimación; porque he de valerle siempre. Lo demás ¿para qué? Aceptar un suplicio hasta la muerte, a la edad de 52 años, sería merecerlo. Mi pobre compañera murió, aunque le sobreviva una mujerzuela que desprecio, que aborrezco como a una víbora, y de quien no espero, amigo, enemigo, fiel, infiel sino las maldades que hacen su historia y su existencia. No pensará nunca sino en el mal. ¿Cree Ud. que a los 60 años de edad iré a Buenos Aires a tributar el homenaje de mis caducas gracias a una querida? Hoy día mismo sería ridículo pensarlo. Esas cosas tuvieron razón de ser. ¿Sabe por qué principiaron? Por elevarme a mis propios ojos. ¿Sabe por qué continuaron? Porque habiendo jurado abandonarla, se me brutalizó, y teniendo esa prueba escrita que se relaciona con las cartas, no quiso jamás, aun en medio de la paz y buena armonía romperla. Se me quería tener con la espada de Damocles pendiente de un hilo, para ajarme, y después para garantizarse. Entonces ya Ud. infiere lo que hice. Por dignidad, vea, mudé una relación rota, que ha vivido alimentada no por el amor sino por el orgullo. Seis años ha durado esta odiosa situación; y el crimen cometido últimamente no ha sido más que el último acto de aquella demencia que le

hace obstinarse en permanecer en el teatro vacío, cuando los actores han desaparecido.

De estas penosas consideraciones resulta la resolución final que tomo. Las nuevas cartas son la amenaza permanente y el escudo que encubre la verdad. Sea; pero una hora que yo lo acepte es mi condenación a mis propios ojos; necesito vivir, y como no es largo el camino no debo perder un momento en hacerme cortar el miembro dañado. A Roma por todo.

Ordeno a don Manuel Ocampo no pase en adelante pensión alguna de mi parte, porque no la pagaré; y no la pagaré porque cuidadosamente me he puesto en la imposibilidad de hacerlo. Lea la adjunta de Sarratea desde Valparaíso. He tomado de él dos años adelantados de arriendos, y los he colocado en acciones en la Compañía de minas, para no contaminarme con el contacto de ese dinero. He gastado más de dos mil pesos en mejorar, asear, adornar la casa en que voy a pasar el resto de mis días, por necesitarlo así, y para no tener dinero. Mi sueldo de gobernador es escaso para mis gastos y los de mi numerosa familia.

No se alarme porque ella se quede sin recursos. Ocampo me escribe que la ha hecho buscar en vano en Junio para darle su pensión que recibió recién en Julio. La alta y baja de las onzas dan para mantener una femme entretennu, y cuando ésta es una dama y la mujer de un personaje, vale la pena que el corredor de J. M. de Rosas la ostente. En cuanto al niño a quien no he dicho sino estas palabras, ¿tienes noticia de tales incidentes de que eras testigo?, ¿quieres otra prueba? No te daré ninguna que la degrade. Haz lo que quieras. Pero con ella o conmigo. Castro o Sarmiento. Acá ha cambiado de estudios. Se dedica a la mineralogía, para lo que le hice estudiar química. Es secretario de la sociedad de minas con $ 50 e irá a Londres con Rickard si el negocio se realiza. Este maestro y compañero lo moraliza en cuanto a hacerlo pensar en estudios serios, y yo en distraerlo de la frivolidad pedantesca de Buenos Aires. Anoche decía a un amigo suyo: "Me siento otro hombre. Se ha obrado una revolución en mi espíritu. Me ha hecho un bien mi papá en traerme. Voy a trabajar para ganar dinero". Irá pues a Buenos Aires, seguirá o se quedará, como él quiera. Si se queda, su madre ha dejado de tener autoridad sobre él. De él salió decirme el otro día que él la haría irse a Chile, donde la quinta de Yungai está por arrendarse hace año y medio; y dentro de tres será un montón de ruinas. La de Valparaíso no durará más tiempo según está de vieja.

De manera que quedándose en Buenos Aires porque así lo ha resuelto, no necesitaría más que dejarle al niño que lo desmorali-

ce, sin padre, para tener en pocos años satisfecha a la Providencia, que no consentirá en que tanta maldad quede impune. Entonces tendrá ella cincuenta a la cola, y realizará su bello ideal, ser ama de llaves. ¿Por qué cree Ud. que deseo que salga de allí? Para dar una satisfacción a la vindicta pública de que la mujer respeta la voluntad de su esposo; para hacerla que respire una atmósfera más sana, remedio que me he administrado yo, sacrificando mi rol histórico y treinta años de vida. ¿Ella qué sacrifica? Debíame esa satisfacción; alejarse del teatro del contraste. Qué garantías me dará de cordura allí a mí, que siendo mi querida le propuse dejar su casa y marido, para vivir conmigo; y después de lloriquear consintió, tal es la demencia en que la pone la pasión. Si ella nada de esto siente y nada siente en efecto, porque así la hizo Dios, yo no puedo, no quiero dar una suma mensual a cuya sombra goce, viéndose en secreto con su cómplice. Levanto el telón y el público verá correr a los actores.

Una cosa le pido y es que a mi nombre le intime salir de Buenos Aires e irse a Chile. No puedo escribirle; no me obedecerá, porque es palabra que no conoció nunca; pero necesito dar la orden. ¡Adiós mi buen amigo! Cuánto debe sufrir con estos leprosos.

Siento aprovechar este papel manchado ya con tales cosas, para hablarle de otra necesidad que tiene que apelar a sentimientos más dulces. No tengo espada habiéndose deteriorado la mía; y necesito un anteojo; y como ambas cosas tuve y se las cedí, le pido que me mande por el correo un florete o espadín, y un anteojo de gemelos que son más cómodos; y como el primero no puedo obtenerlo de Chile sin las armas chilenas y el segundo lo desearía excelente, cuento con que Ud. me los mande.

Vale,

Sarmiento

Al cabo de dos meses, Dominguito debió regresar a Buenos Aires y le escribió a Mitre anunciándole el viaje.

San Juan, setiembre 27 de 1862

Al Exmo. Sr. Brigadier General Dn. Bartolomé Mitre

Señor mío:

En la próxima Mensajería parto a Buenos Aires a tomar de nuevo el hilo de mi carrera, que por lo menos me asegura un plan invariable de estudios, contra el caos de proposiciones distintas que se me han hecho. Vuelvo a Buenos Aires a cumplir la palabra de Ud. como amigo de mi padre y en busca de consejos que me abran un camino y me den luz en medio de tantas cosas que me envuelven y ahogan. Sufro, Sr. general: tengo diecisiete años, y me quieren hacer juez de una cuestión en que son partes las dos afecciones más grandes que tengo sobre la Tierra. Sufro porque veo resoluciones tomadas ya, y de las cuales no volverán atrás. Voy a Buenos Aires esperando encontrar en Ud. una tabla de salvación para mí siquiera, ya que en esta lucha se ha oído la orden de sálvese quien pueda.

Reciba Ud. las más sinceras manifestaciones de amistad y cariño de

Domingo F. Sarmiento (h)

Domingo propició una ley sobre temporalidades, que afectó propiedades de la Iglesia para destinar esos fondos a obras públicas, mejorando hospitales, cementerios y cárceles. Asimismo, sobre la antigua y abandonada iglesia de San Clemente, inició la construcción de un gran edificio destinado a escuela. Como también el Colegio Preparatorio fue instalado sobre una propiedad de la curia, la oposición política y los sectores católicos iniciaron una intensa campaña de desprestigio. Un sacerdote llegó a decir desde el púlpito que Sarmiento, como todos los masones, era discípulo del diablo y hasta tenía cola.

Una mañana, el gobernador se cruzó por la calle con este clérigo y le estrechó la mano, saludándolo. Pero luego se la llevó hacia su espalda, algo abajo de la cintura, diciéndole:

—Toque, padre. Cerciórese de que tengo rabo, así podrá predicar su próximo sermón con fundamento...

La situación financiera de la provincia ahogaba a Domingo. Había creado una oficina de estadística, un departamento topográfico, una oficina de hidráulica y quería promover colonias agrícolas, pero la falta de dinero esterilizaba todas sus iniciativas y creaba quejas en los empleados públicos y en la población en general.

Se sentía también acosado por dos circunstancias. Su esposa no quería dejar Buenos Aires para volver a Chile, y Peñaloza seguía amenazando a San Juan desde La Rioja.

Sarmiento había conocido personalmente al Chacho en 1841, cuando las tropas derrotadas de Aráoz de Lamadrid cruzaban la cordillera hacia Chile y el sanjuanino las encontró y organizó la ayuda. Desde su regreso al país, el caudillo había sobrevivido políticamente a todos los gobiernos, interviniendo con sus rotosos llaneros en todos los conflictos locales, a los que acudía presuroso. Aunque no tenía ideas políticas claras, ni programas de gobierno, ni tácticas militares científicas, lograba una gran adhesión en los pobladores rurales que no tenían medios regulares de vida y se aprovechaban de arreos de ganados o despojos y confiscaciones a los vencidos. El sanjuanino lo equiparaba a los *kadies* árabes que él había contemplado en Argelia, que recibían su investidura de cada nuevo gobierno, el cual cerraba los ojos a las previas correrías que habían hecho para robar ganado a las otras tribus. Aunque lo consideraba un bárbaro y un bandido, Sarmiento admiraba la habilidad de Peñaloza para hacer arremetidas fulminantes contra pueblos, utilizando la sorpresa y la rapidez, para luego correr por llanos y montes asolando a otras aldeas y desgastando a los enemigos.

Por su asombrosa capacidad de movilización, así como por su facultad de rehacerse luego de los contrastes, el gobernador cuyano temía que el Chacho se sublevase nuevamente e invadiese San Juan tomando su capital.

"Hay entre nosotros una inseguridad latente, como cuando se vive en tierra donde tiembla", le escribía Sarmiento a Mitre, haciéndole saber que los montoneros del Chacho robaban ganado en La Rioja y también hacían excursiones de bandidaje a San Juan, Córdoba y San Luis. Desde Córdoba, a su vez, Paunero se quejaba de que el gobernador sanjuanino destinaba tropas y recursos a su escolta personal, en vez de dedicarlos a la defensa de su territorio.

Mitre fue elegido presidente y asumió su cargo el 12 de octubre de 1862, acompañado del tucumano Marcos Paz como vice. El día en que esta noticia se confirmó en San Juan, Domingo estuvo inquieto, desasosegado. Si bien el porteño era uno de sus mejores amigos y esta novedad debía satisfacerlo y alegrarlo, había algo que lo incomodaba.

Verse a sí mismo abatido y preocupado con su situación personal y política, lo contrariaba. Volvió a su casa al atardecer y, como hacía ya calor, le pidió a su hermana Rosario que pusiese la mesa en el fondo, bajo los naranjos, para cenar al aire libre. Régulo Martínez vino a compartir la cena y, al notar el malhumor de Sarmiento, lo interrogó:

—¿No estará celoso, Domingo?

El anfitrión hizo un gesto de negativa y pidió que trajeran cerveza, para brindar por el amigo común que había asumido tan alta responsabilidad. El cosquilleo de la bebida en su garganta lo fue apaciguando e hicieron brindis tras brindis hasta la madrugada. Un cálido sopor le fue amortiguando el cuerpo: se puso dicharachero y terminó exaltando la amistad y cantando algunas cuecas, olvidado de apremios políticos y cuitas personales.

Las esperanzas que tenía Domingo de poder mantener una buena relación con su hijo a pesar de su ruptura conyugal se desvanecieron. A su regreso a Buenos Aires, el muchacho volvió a disgustarse con su padre, por el hecho de que no les enviaba ningún dinero a ellos, pese a que las rentas provenientes de Chile le pertenecían a Benita.

"Nos está haciendo morir de hambre a mí y a mi madre, esa prostituida según usted, cuyo nombre lo deshonra, pero cuyo dinero lo mantiene", le escribió Dominguito indignado, haciéndole saber que dejaba de ser su padre, hasta que les restableciera los fondos que les correspondían.

Dolido por la acusación, y movido también por un juicio por alimentos iniciado por Benita en Buenos Aires y que llegó a San Juan por exhorto policial, Domingo envió a Mitre un poder autorizando a su esposa a administrar sus bienes propios. Le pedía al presidente de la República, amigo y mediador, que le insinuara a Benita que correspondiera a ese gesto devolviendo las cartas de Aurelia que había interceptado, con el fin de destruirlas para no molestar a terceros.

Los temores del gobernador sanjuanino, en relación con el Chacho, no resultaron infundados. Consolidada su posición en virtud del trato con el gobierno nacional, Peñaloza fue acumulando armas, caballos y seguidores y, en marzo de 1863, se pronunció contra la administración mitrista. Concertado con caudillos federales de Mendoza y San Luis, inspiró actos de vandalaje y se propuso marchar sobre San Juan, con el fin de destruir las posiciones de Sarmiento, que lo acusaba de perturbador.

Domingo reaccionó en el acto tratando de organizar la defensa de su provincia, movilizando hombres, armas y recursos materiales. Se dirigió al gobierno nacional pidiendo ayuda y también alertó a los mandatarios vecinos.

El presidente Mitre, a su vez, se aprestó a sojuzgar a los sublevados movilizando tropas nacionales y designó a Sarmiento comisionado federal en La Rioja y director de la guerra contra los caudillos, a cuyo efecto pidió al Senado que se le confiriera el grado de coronel. Mitre sostenía que los rebeldes eran delincuentes comunes que atacaban los poblados para robar y saquear y, por lo tanto, instruyó en el sentido de que no se los tratara como sublevados políticos. "Declarando ladrones a los montoneros, sin hacerles el honor de considerarlos como partidarios políticos ni elevar sus depredaciones al rango de reacción —le indicó por carta a Sarmiento—, lo que hay que hacer es muy sencillo: simples movimientos de ocupación, simple campaña de policía."

Más enérgico y agresivo, Domingo decretó el estado de sitio en su provincia (y luego en La Rioja) y ordenó penar con azotes y trabajos forzados a los rebeldes prisioneros y culpables de delitos comunes. Escribió también un artículo en *El Zonda:*

Ciudadanos: Peñaloza se ha quitado la máscara. Desde su estancia de Guaja, secundado por bárbaros oscuros que han hecho su aprendizaje político asaltando en los caminos, se propone reconstruir la república sobre el modelo de los llanos. Bajo su dirección e impulso, estas provincias se convertirán en un vasto desierto donde reinarán el pillaje, la barbarie sin freno y la montonera constituida en gobierno.

Dirigió también una exhortación a los riojanos, señalando que el Chacho era demasiado estúpido, corrompido e ignorante como para que le prestaran apoyo. "Podrá ser un bandolero —sostenía— pero nunca un jefe de partido".

Bajo el comando de Paunero, Rivas, Sandes y otros jefes, las tropas nacionales comenzaron a operar y fueron venciendo a los sublevados en San Luis, Mendoza, Catamarca y La Rioja. A pesar de estos triunfos parciales, los montoneros se rehacían y reaparecían en otros puntos de las mismas provincias para asestar nuevos golpes.

Sarmiento tenía permanentes conflictos con los jefes militares, muchos de los cuales tenían mayor graduación que él mismo. Por la contradicción que esto significaba, el sanjuanino urgió a Mitre a obtener en el Senado su ascenso. "Hágame coronel, por Dios, compréndame", llegó a exigirle.

También con el Poder Ejecutivo nacional el cuyano tenía diferencias. El ministro del Interior, Guillermo Rawson, le remitió una nota expresando que solamente el gobierno federal tenía facultades para dictar el estado de sitio y desautorizando por tanto dicha medida excepcional.

Domingo trinó al leer esta misiva. Rawson había sido su amigo desde la infancia y acababa de tener un entredicho con él por haber actuado como consejero de Benita en Buenos Aires. Sarmiento tenía sospechas de que hubieran sido amantes y ahora, para colmo, le salía con esta oposición absurda e inoportuna.

Redactó una respuesta reivindicando la facultad de las provincias para establecer el estado de sitio, ya que ninguna razón de peso impedía el ejercicio de un poder no delegado. En un país donde son corrientes los caudillos y montoneros —sostuvo— no pueden salvarse las instituciones con mandatarios débiles.

A pesar del fuego que puso en la contestación, no se desahogó del todo. Ya le había explicado a Mitre que para vencer a los bárbaros era necesario hacerse más bárbaro que ellos. Le había dicho que el Chacho tenía algo de mito y que era preciso combatirlo a fondo. "Si Sandes va, déjelo ir; si mata gente, cállense la boca; son animales bípedos de perversa condición y tratarlos mejor no sirve", le había escrito. Y ahora que él, morigerando sus impulsos, había dictado una medida legal y razonable, todavía lo desautorizaban. No lo podía entender ni aceptar. "Rawson —pensó— está contra mí. Y Mitre es un débil de carácter que no se atreve a contradecirlo".

El jefe de las tropas federales en Mendoza venció y apresó al líder rebelde Francisco Clavero, quien fue enviado a Sarmiento para su juzgamiento. Clavero había sido el ejecutor de Antonino Aberastain, de modo que para Domingo esto significaba una satisfacción. Un tribunal militar condenó al montonero a la pena de muerte y, ante la apelación, el gobernador decidió remitir el expediente al presidente de la república.

Aunque las dificultades cotidianas de la gobernación lo abrumaban, Domingo encontraba de noche, en el escritorio que había instalado en su casa, un clima de mayor sosiego y tranquilidad. Leía y escribía frente a un magnífico mueble de caoba con múltiples cajones, algunos de ellos en forma de *secretaire*. A veces abría la más íntima de las gavetas y encontraba allí, en la relectura de las cartas de Aurelia, consuelo y ánimo para tanto desaliento:

Te amo con todas las timideces de una niña, y con toda la pasión de que es capaz una mujer. Te amo como no he amado nunca, como no creí que era posible amar. He aceptado tu amor porque estoy segura de merecerlo. Sólo tengo en mi vida una falta y es mi amor a ti. ¿Serás tú el encargado de castigarla? Te he dicho la verdad en todo. ¿Me perdonarás mi tonta timidez? Perdóname, encanto mío, no puedo vivir sin tu amor.

Escríbeme, dime que me amas, que no estás enojado con tu amiga que tanto te quiere. ¿Me escribirás, no es cierto?

La adhesión de algunos pobladores rurales y el miedo de otros daban fuerza a los caudillos federales. El Chacho, luego de dos derrotas, apareció en San Luis y de allí pasó a Córdoba, donde llegó a ocupar la capital. Recibido con alegría por sus adictos, impuso contribuciones a las familias más ricas y ordenó detenciones de ciudadanos, mientras muchos de sus soldados se dedicaban al saqueo.

Los ejércitos nacionales de San Luis y San Juan, comandados por Paunero y Sandes, confluyeron entonces sobre Córdoba y derrotaron a Peñaloza, quien nuevamente huyó hacia el oeste. Pero en vez de cruzar hacia Chile, como se esperaba, desconcertó a sus perseguidores y apareció en los llanos de La Rioja, donde golpeó otra vez. Sintiéndose fuerte, el Chacho envió desde allí una carta a Sarmiento, en la cual manifestaba que era víctima de una persecución y le ofrecía la paz.

Sarmiento estaba en su despacho, en San Juan, cuando llegó un mensajero con la misiva del Chacho. Aunque los términos eran promisorios, no dudó sobre el sentido negativo de su respuesta. Le contestó que él (Peñaloza) había iniciado hostilidades sin ser gobernador de su provincia y que no podía representar a la misma ni hablar por ella. Agregó que si se consideraba general de la nación (como se titulaba), debía entonces someterse a las autoridades federales para ser juzgado por rebelión por los tribunales militares. Finalmente lo calificó de traidor y representante de la barbarie.

El gobierno nacional insistía con su postura en el sentido de que las provincias no podían decretar el estado de sitio y Sarmiento se exasperaba cada vez más. Envió un artículo a *El Nacional* de Buenos Aires preguntando por qué entonces, para ser coherente con su tesis, el Poder Ejecutivo nacional no lo establecía en las provincias convulsionadas.

Cuando Rawson le devolvió una carta por falta de estilo, él hizo lo propio. Y al presidente Mitre directamente lo increpó diciéndole que para garantizar la tranquilidad pública necesitaba los medios que otorga la ley. “Un ministro que contra el gobierno habla de los derechos del ciudadano es un anarquista o un demagogo —sostenía—. Ustedes crearán la anarquía y la están creando. Yo, jamás”.

Vehemente, molesto con la actitud que consideraba reticente del mandatario y amigo, le decía:

Todo lo que nos divide en esta cuestión del estado de sitio es que yo he sido siempre hombre de gobierno y usted no; ni quiere ni acaso puede serlo. Yo tengo por divisa fundar el gobierno y lo pongo en mis doctrinas, contra la barra, contra el poder que se arrogan las cámaras, contra las interpelaciones.

A pesar de estas demandas casi insolentes del gobernador sanjuanino, el presidente Mitre seguía actuando con serenidad. Desaprobó la condena a muerte de Clavero argumentando que el reo no era militar de carrera y, por lo tanto, debía ser juzgado por los tribunales ordinarios.

Ante el rechazo por parte de Sarmiento a su ofrecimiento de paz, Peñaloza resolvió reiniciar la lucha y ocupar la capital sanjuanina.

Una mañana, Domingo estaba en su despacho y le comunicaron que los montoneros del Chacho estaban concentrándose en Caucete, a sólo cuatro leguas de allí.

Se sobresaltó y mandó de inmediato un mensaje al mayor Pablo Irrazábal, que estaba con sus fuerzas nacionales en Punta del Monte, pidiéndole que viniera a atacar a los sublevados y los dispersara. Se trasladó luego hasta el cuartel de San Clemente, con el propósito de organizar la defensa de la ciudad. Convocó a todos los soldados de la urbe, alertó a la población y emplazó cañones en el fuerte. A las seis de la tarde, con cuatrocientos infantes armados, cuatro piezas de artillería y trescientas reses de reserva y los vecinos aprestados, pensó que podía asegurar la capital y los suburbios. Sobre la torre de la catedral, un vigía avistaba movimientos en Caucete con su catalejo, pero no podía distinguirse el sentido de los sucesos.

A la caída del sol, las fogatas ardían en la plaza de armas y los defensores, inquietos, cuidaban sus posiciones. Para combatir la angustia, Sarmiento, alrededor del vivac, contó a los oficiales principales la historia del cazador inglés que, asustado en la India por un tigre de Bengala, se refugió de noche en un bungaló. El felino se acostó gruñendo en la puerta, azotándose los costados con la cola y esperando la madrugada para atacar. Pasaba así la noche y, con el correr de las horas, el británico empezó a pensar que morir no es tan fácil y que algo o alguien vendría a salvarlo. Cuando el sol empezaba a alumbrar y el tigre ya estaba relamiéndose, se sintieron unos ladridos salvadores y el animal huyó ante el alboroto.

La moraleja, señores —concluyó el gobernador—, es que hay que estar atento a los ladridos.

A las once de la noche, un mensajero avisó que las tropas nacionales habían vencido a Peñaloza. Las campanas echaron a vuelo y los soldados y toda la población respiraron aliviados, luego de una tensa jornada de sobresalto y emoción. Los perros habían ladrado y San Juan se había salvado del saqueo.

Vencido y con pocos hombres, el Chacho regresó a los llanos y buscó refugio en Olta, un pequeño pueblo. Hasta allí llegó una partida comandada por el capitán Ricardo Vera que sorprendió al viejo caudillo tomando mate, en la casa del vecino que lo había alojado. Intimado a rendirse, el riojano entregó su facón y fue recluido en una habitación. Poco después arribó el mayor Irrazábal, lo hizo amarrar y le clavó una lanza en el pecho. Luego le cortaron la cabeza y la pusieron sobre una pica en la plaza del poblado.

A los pocos días, el mismo capitán Vera informaba al gobernador de San Juan, en su despacho, los detalles de la ejecución:

—Y allí quedó clavada la cabeza, para que sirviera de escarmiento y certificara el fin de la montonera, mi teniente coronel...

Sarmiento, satisfecho y aplacado, se acercó al oficial y le apretó los dos brazos con sus grandes manos.

A Mitre le escribió, comentándole sus opiniones:

No sé que pensarán ustedes de la ejecución de Peñaloza. Yo, inspirado por el sentimiento de los hombres pacíficos y honrados, he aplaudido aquí la medida, precisamente por su forma. Sin cortarle la cabeza a aquel inveterado pícaro y ponerla en expectación, las chusmas no se habrían aquietado en seis meses. Tener caudillos de profesión, que hallen en la razón de Estado el medio de burlarse de la ley y la Constitución, es uno de los rasgos de la vida argentina y de nuestro modo de ser. Pero cortarles la cabeza cuando se les da alcance, es otro rasgo argentino. Seamos lógicos: el derecho no rige sino con los que lo respetan; los demás están fuera de la ley, y el idioma no tiene estas locuciones en vano. Muerto el Chacho, y humeando en Tontal los hornos de Rickard en la explotación minera, he pagado mi deuda al suelo de mi cuna.

Aunque en un principio el presidente de la Nación expresó su satisfacción por el desenlace de los hechos riojanos, quiso también mostrar diferencias con los procedimientos:

Con respecto a las circunstancias de la muerte del Chacho —le contestó a Sarmiento—, *no he podido prestar mi aprobación a tal episodio: nuestro partido ha hecho siempre ostentación de su amor y respeto a las leyes y a las formas que ellas prescriben, y no hay a mi juicio un solo caso en que nos sea permitido faltar a ellas sin claudicar de nuestros principios.*

Pese al alivio que Sarmiento sintió por el ahogo definitivo de la sublevación del Chacho, en el fondo siguió disconforme. Percibía que la situación política continuaba deteriorándose para él en San Juan. A pesar de sus esfuerzos para activar la extracción de minerales y la educación, mucha gente lo resistía y las dificultades económicas del erario lo agobiaban.

Le cuestionaban su soberbia y el hecho de que hubiera creado una guardia para su custodia personal, mientras los sueldos de los empleados públicos se atrasaban. Los sectores católicos y tradicionales lo rechazaban, pero tampoco encontraba apoyos en los grupos liberales.

Se sentía solo, aislado, sin respaldos locales ni nacionales, ya que pensaba que tanto los jefes militares como el gabinete de Mitre querían su fracaso y lo desalentaban poniéndole obstáculos y oscureciéndole sus mejores acciones.

Comenzó a pensar en renunciar a la gobernación y aceptar un destino diplomático en los Estados Unidos, conforme Mitre se lo había ofrecido tiempo antes.

Régulo Martínez, amigo y confidente, le había insinuado esta tesitura al presidente. Le había manifestado que Domingo estaba triste, por sus sufrimientos domésticos y por el fracaso de su administración. "Hablando en plata —le escribió al primer mandatario—, Sarmiento es un magnífico tribuno, un publicista de primera clase, pero incompetente para gobernar."

Las dudas atormentaban al sanjuanino. Sentía que las dificultades como gobernante y su tragedia familiar lo habían dejado sin ilusiones, sin confianza en sí mismo, ni en el porvenir. Rechazaba totalmente la idea de regresar a Buenos Aires debido a la presencia de Benita y, por ello, lo tentaba el proyecto de viajar a Norteamérica. Pero, a la vez, temía que lo acusaran de cobarde o desertor, o que una ausencia prolongada provocara su olvido político.

La desazón que sintió al comprobar que el gobierno nacional tomaba distancia de la muerte del Chacho, lo terminó de decidir. Estaba harto de estas actitudes duales y de las incomprensiones propias de las pequeñeces provincianas. Partiría a los Estados

Unidos, para salir de esta asfixia y vivir en un país civilizado, amplio y generoso. Allí podría completar el estudio de una sociedad tan ejemplar y quizá podría echar los cimientos de su rehabilitación humana y política. Le comunicó su última decisión a Mitre y, el 5 de abril de 1864, presentó su renuncia a la Legislatura.

Tres días después, Domingo subía al caballo en el fondo de su casa y, como lo había hecho tantas veces en su vida, partía hacia el oeste para cruzar la cordillera. Al entrar a la quebrada del Zonda, el ocre de las montañas lo puso melancólico. Se acomodó sobre la montura, miró hacia el lado de Buenos Aires y, tratando de sobreponerse al desaliento, murmuró:

—Se equivocan si creen que me entrego. Lucharé desde lejos y volveré a crecer.

17

EMBAJADA DE AMOR Y MUERTE
(1864-1868)

Los vientos otoñales le enfriaban el rostro, pero Domingo disfrutaba al paso de su caballo, que marchaba a la vera del río ascendiendo levemente, mientras las aguas amarronadas se deslizaban en sentido contrario, dibujando recodos plenos de burbujas. Los álamos empezaban a escasear y sus hojas amarillentas parecían escapar hacia la cima de las montañas, cuyos aislados arbustos añadían un toque dorado a las formaciones aceradas. Al doblar una curva, las enormes moles tomaban bruscamente tonos de marfil tachonados de verde, para convertirse en minutos en muros de salmón con reflejos de azufre.

Los paisajes de la cordillera apaciguaban su ánimo y tranquilizaban su espíritu, tan atormentado hasta unas pocas horas antes. La presencia de algún sauce meciendo las aguas del río, o proporcionando sombra a algún rancho aislado, le devolvía tranquilidad a su ánimo, sacudido al extremo en los difíciles días de la gobernación. El aroma a tierra y yuyos lo vivificaba.

Al pasar Las Cuevas y comenzar el descenso, sintió que la cercanía de Chile lo reconfortaba y que podría encontrar allí las fuerzas para recomponerse y lograr iniciar luego en los Estados Unidos una etapa de estudio y de recuperación. Al llegar al bajo enfiló directamente a Valparaíso, donde se alojó en casa de su amigo Mariano de Sarratea, quien administraba allí la propiedad que Benita había heredado de su primer marido.

El presidente Mitre le había encargado a Sarmiento tratar con Chile algunos asuntos: arreglar deudas provenientes de la guerra de la Independencia, mejorar el tratado de límites y firmar convenios de comercio. Pero estando en la ciudad portuaria, llegó la noticia de que una flota española había tomado las islas Chinchas, frente a las costas peruanas, y este hecho conmocionó a la opinión pública y casi desorbitó al sanjuanino. Envió una carta de solidaridad al ministro de Relaciones Exteriores peruano (aunque todavía no estaba acreditado como enviado en ese país) y partió para Santiago.

Se alojó en casa de Jacinto Rodríguez Peña y fue recibido en el Palacio de la Moneda por el presidente José Joaquín Pérez, ante quien debía presentar sus credenciales como representante diplomático.

Orgulloso de su nueva condición, Domingo le manifestó que había llegado a Chile para arreglar algunos intereses pendientes, pero que la provocación incalificable hecha por España al Perú exigía que "la estrella de Chile y el sol argentino, unidos otra vez por la tradición de sus glorias", sostuvieran incluso por las armas los derechos del país americano agredido por el enemigo común.

Aunque el presidente chileno fue muy parco en su respuesta, Domingo se retiró contento. En los días siguientes, fue agasajado por antiguos amigos como Manuel Montt y Victorino Lastarria, con quienes recordaba los difíciles días de su exilio y empezó a sentirse mucho mejor comparándolos con los actuales. El cargo diplomático era más plácido que la tormentosa gobernación y el sanjuanino disfrutó de almuerzos y cenas informales en los negocios del portal de Sierra Bella, donde saboreó con fruición papas con chuchoca, porotos granados o pastel de choclo, esos antiguos platos de los tiempos bohemios regados, entonces como ahora, con unos buenos vasos de vino pipeño y alguno que otro golpe de chicha baya.

Una tarde, un amigo chileno se presentó en casa de Rodríguez Peña y le comentó a Sarmiento que el escritor Benjamín Vicuña Mackenna quería saludarlo y que estaba esperando en la esquina la respuesta del cuyano. La reticencia de Vicuña se debía a que otrora había formulado unos comentarios burlones sobre Domingo, en Buenos Aires, pero el sanjuanino dio por olvidado el episodio e indicó que lo hicieran pasar y conversaron cordialmente.

En varias cartas a Mitre, el entusiasta y flamante diplomático informó sobre su discurso ante el presidente Pérez y la indignación general de la opinión pública en contra de España, y sugirió acreditar un representante ante el Congreso Americano que estaba por reunirse en Lima sin la presencia de los Estados Unidos.

En esos días llegó Bartolito Mitre y Vedia, quien venía desde Buenos Aires para acompañar a Sarmiento como secretario en su legación. Mitre le había encomendado que tratara de formar a su hijo y Domingo recibió encantado el pedido, pues la presencia del muchacho venía a traerle el recuerdo de Dominguito, con quien seguía distanciado geográficamente y en espíritu.

Después de ser agasajado por Emilia Herrera de Toro en su estancia *Lo Aguila* y celebrar el 25 de mayo con un almuerzo con el legendario general Las Heras, Domingo partió de nuevo para Valparaíso, donde se encontró con los otros colaboradores que iban a acompañarlo en su misión a los Estados Unidos: Alberto Halbach y Emilio Salcedo. También recibió allí una carta de Mitre, criticándole su discurso ante el presidente chileno, lleno de rayos y relámpagos, que al haber sido contestado en forma tan delicada había dejado a los argentinos "colgados y en ridículo". "Usted ha hablado más alto que los mismos peruanos, que después de tanta bulla no han dicho nada sustancial", le enrostraba el presidente, recalcando que el imprudente discurso era un hecho muy grave, porque se había salido del protocolo e implicaba una declaración de guerra contra España, para la cual el enviado no estaba facultado. Además, como Chile no había aceptado la invitación a la alianza ni a la guerra, sostenía que eso había implicado un desaire público para la Argentina. "Usted ha actuado por una consideración de plaza pública y después —agregaba— me sale con esa pamplina del Congreso Americano en Lima". En razón de que ese congreso ha sido convocado en odio a la democracia norteamericana, explicaba, nosotros le negamos hasta nuestro concurso moral. "Espero que usted me disculpará —decía finalmente— en nuestra franca y sólida amistad, a prueba de estas rudas polémicas, la forma de mis observaciones, que me son dictadas por el interés público y por el vivo interés que usted me inspira en la misión delicada que está desempeñando".

Domingo sintió que la sangre se le subía a la cabeza de rabia, aunque después se sonrió, admitiendo tibiamente que acaso su discurso había sido demasiado encendido. De todos modos, le escribió esa noche a Mitre rechazando la acusación de que había obrado en busca del aplauso de la plaza pública, por injusta e infundada, ya que nunca había sido propenso a "ceder a estas consideraciones".

Con sus tres acompañantes, partió en buque hacia Lima, adonde llegó en plena primavera. La ciudad tenía movimiento y encanto, además de estar agitada por un sentimiento antiespañol al que Sarmiento adhirió en forma inmediata. Presentó sus credenciales ante el presidente y asistió a reuniones de educadores, en las cuales era recibido con hospitalidad y reconocimiento. Los diarios publicaban sus actividades y el sanjuanino se sintió muy a gusto.

Aunque sus instrucciones consistían en informar sobre la situación internacional, sin intervenir en el Congreso Americano ni comprometer a su gobierno, Domingo se dejó llevar por su entusiasmo y firmó un documento contra España. También se incorporó al Congreso, aunque aclaró que no lo hacía como representante de su país sino como un ilustre americano a quien se invitaba especialmente. A las pocas semanas, fue invitado a asistir a la inauguración del edificio de la Escuela de Artes y Oficios y fue ubicado entre el cuerpo diplomático. Pero antes de comenzar el acto, el cuyano se paró y se dirigió hasta donde estaban los profesores, ubicándose entre ellos con gran satisfacción de docentes y público. Después hizo uso de la palabra declarando que los países americanos debían concertar una alianza contra las agresiones extranjeras.

Su figura se hizo popular en Lima y, esa misma noche, el presidente peruano ofreció una recepción en su honor, a la que asistieron diversas damas —entre ellas las propias hijas del primer magistrado— vestidas con los colores azul y blanco de la bandera argentina.

Domingo estaba contento con su actuación y la aprobación que encontraba en reuniones y tertulias, pero tanto el ministro Elizalde como el presidente le escribieron para reprocharle su conducta, por no haber acatado las instrucciones impartidas. "Usted ha procedido como miembro del Congreso Americano por no despopularizarse con las limeñas —le dijo Mitre—, asumiendo muchos papeles y olvidándose que el suyo es el de un ministro plenipotenciario."

Furioso, Sarmiento le contestó que había pronunciado pocos discursos en el Congreso y éstos siempre "contrariando a las limeñas". "Yo no he firmado tratados —se defendía— pero si los hubiera considerado convenientes los habría suscripto sin vacilar, porque en esto del honor de mi patria no es sólo el presidente y el ministro de Relaciones Exteriores quienes están encargados de guardarlo, ni sólo a ellos está reservada la apreciación del caso. Cuídese de las fascinaciones del poder —lo exhortaba— que nos hacen creer que crecemos en años, prudencia y saber, mientras los otros descienden en la misma proporción, hasta ver a los demás como granos de mostaza."

A principios de 1865, Domingo siguió viaje hacia los Estados Unidos. Partió indignado por la actitud de Mitre y sus ministros y se sentía perseguido por todos ellos. ¿Por qué me humillan más?, se preguntaba. Les dejé el campo libre en Buenos Aires, yéndome a San Juan y luego a los Estados Unidos, y a pesar de eso todavía me atacan en Lima. Le escribió a Pepe Posse contándole sus sentimientos, expresándole que a fuerza de empequeñecerse para no estorbar a nadie en su camino, había venido a convertirse en la piedra de esquina en la que todos los perros alzaban la pata para mear.

Llegó a Nueva York en plena primavera y se alojó en un hotel de la Quinta Avenida. Quedó impresionado por el progreso de la ciudad en los dieciocho años que habían transcurrido desde su visita de 1847. Edificios altos, avenidas anchas y, cruzando el río Hudson, Brooklyn se extendía con casi 400.000 habitantes. El presidente Lincoln había sido asesinado hacía 30 días y la nación estaba consternada, pero la finalización de la guerra de secesión parecía haber infundido a la sociedad un frenesí de crecimiento. Coches, ómnibus, trenes, peatones circulaban a prisa por barrios que antes no existían y que estaban engalanados por árboles, enredaderas y verjas que daban un tono vital y distinguido a la estupenda urbe.

En el viaje había perdido la valija donde llevaba sus cartas credenciales, de modo que escribió a Buenos Aires pidiendo le mandaran otras. Viajó de todos modos a Washington para explicar este inconveniente y asistió allí, junto con el cuerpo diplomático, a un desfile militar de 200.000 hombres. En el mismo palco estaban el presidente Andrew Johnson y los generales Grant, Sherman y otros héroes de la contienda civil. Al día siguiente concurrió al tribunal militar que estaba juzgando a los asesinos de Lincoln y se conmovió al ver declarar a una testigo negra, cosa novedosa pues hasta la abolición de la esclavitud la gente de color no podía testificar.

Visitó después Richmond, casi en ruinas, y Baltimore, desde donde realizó un paseo hasta Ellicot's Mills. Al volver a Nueva York, le escribió a Aurelia encantado con el viaje y sugiriéndole que se viniera a visitarlo con su padre, don Dalmacio:

¡Oh, si usted pudiera determinar al doctor cordobés a darse un paseo de cuatro meses por este país encantado, cuánto gozaría viendo las maravillas de la civilización, el torbellino de la vida pública, del comercio, de la prensa, de los telégrafos y vapores que aquí pululan! Pero es predicar en el desierto. ¡Se morirá de puro viejo, sin conocer sino la quinta de Adrogué, donde me parece verlo con el sombrerito al ojo!

A Juana Manso, que había sido su colaboradora en labores educacionales en Buenos Aires, también le escribió contándole que el norte se aprestaba a ayudar al vencido sur enviándole ochocientas maestras, para promover el desarrollo de los libertos.

Éstas son las educadoras que nosotros debemos llevar a nuestro país —opinaba Domingo— para entregar a las mujeres la enseñanza e introducir mediante ellas la ciencia y el arte.

En cuanto al modo en que había recorrido las ciudades norteamericanas, explicaba que lo había hecho así:

Volando por ferrocarriles y vapores, atravesando paisajes encantados, ciudades y villorrios, alquerías y sembrados, bosques seculares, bahías y ríos navegables, con sufrimientos risibles, abriéndome paso entre la muchedumbre de la que yo era una partícula, comiendo cuando se podía, durmiendo tomado de un hierro entre dos vagones de un tren o en la punta de un sofá en el buque, por no poderse obtener a ningún precio ni asiento ni camarote.

En estos días se enteró de que la Argentina, en alianza con Brasil y Uruguay, había entrado en guerra contra el Paraguay. Dejando de lado su malestar con Mitre, le escribió de inmediato:

Me ha sorprendido dolorosamente la noticia de la guerra suscitada por el gobernante del Paraguay contra la república, perturbada así en su marcha de progreso. Pasada esa primera impresión, mi corazón ha respondido al grito de venganza que todo el país ha lanzado contra aquel insolente. He leído su proclama llamando a las armas y sentido hervirme la sangre. Espero órdenes, haciendo votos por la felicidad y gloria de nuestras armas.

Ya que no puedo volar a reunírmeles, le mando un sombrero a lo Grant, para que cubra su cabeza y le inspire, con el recuerdo del héroe, altas concepciones militares.

Cuando supo que Dominguito se había incorporado como oficial al ejército en operaciones, su euforia se tornó en preocupación. Pero también se sintió orgulloso del coraje de su hijo y confió en que el presidente y amigo podría limitar la temeridad del muchacho.

El propósito de Sarmiento era estudiar las instituciones norteamericanas (en particular las educativas) y las causas de su progreso, de modo que resolvió quedarse en Nueva York y viajar solamente lo imprescindible a Washington. Comenzó a redactar una *Vida de Lincoln* fruto de algunas traducciones parciales y partió hacia New Haven, Connecticut, para una reunión de educadores del Instituto Americano de Instrucción. Conoció allí a James Wickersham, una autoridad en la materia que lo impresionó por su sapiencia y cordialidad.

Desde Chile le avisaron que había muerto su yerno Julio Belín, como fruto del deterioro anímico proveniente del mal curso de sus negocios de imprenta. Lamentó enormemente el fallecimiento de su yerno, amigo y antiguo socio. Le escribió a Faustina dándole aliento y fue a visitar a su nieto Augusto, quien estaba internado en un colegio católico de Nueva York, para estrecharlo en un abrazo y compartir la pena.

Completó en un par de meses la *Vida de Lincoln* y partió para Boston y Concord, a este último lugar para visitar a la viuda de Horace Mann, el educador que había conocido y admirado durante su anterior viaje. Concord era un apacible pueblo de puritanos, con calles anchas y arboladas e inexistente vida nocturna. A las ocho de la noche, sus calzadas estaban desiertas. Mary Mann lo recibió con simpatía y creció allí una sólida amistad, basada en la admiración recíproca hacia Horace Mann. Mary había sobrepasado los 60 años y mostró una gran atracción hacia ese educador sudamericano de 54 años que mostraba tanta erudición y vitalidad.

Mary tenía una hija casada con el escritor Nathaniel Hawthorne y estaba muy bien relacionada en el ambiente intelectual. A través de ella, Sarmiento fue invitado a cenar por el filósofo Ralph Waldo Emerson, quien durante el diálogo y hablando del tiempo, le comentó que "la nieve contiene mucha educación". Sus anfitriones Mann lo llevaron a Cambridge, donde Domingo conoció al poeta Henry Longfellow y al astrónomo Gould.

Al volver a Nueva York, Domingo comenzó a redactar un informe titulado *Las escuelas, base de la prosperidad y de la república en Estados Unidos* y a traducir la *Vida de Horace Mann,* escrito por su viuda.

Partió a Washington a presentar sus credenciales como embajador y en el invierno volvió a la capital, para asistir a una reunión de superintendentes de escuelas, donde se encontró de nuevo con James Wickersham y le propuso viajar a la Argentina para asumir alguna función educacional. Se reunieron otra vez en el verano en Indianápolis y Wickersham lo invitó a que viajaran juntos hasta Chicago, donde él estaba establecido.

Sarmiento se deslumbró con los progresos y la magnificencia de Chicago, que reemplazaba los pantanos con palacios de mármol y era una muestra de los prodigios que obraban la industria, la libertad y la inteligencia.

Wickersham le presentó allí a su hermano Swayne y su cuñada Ida, un matrimonio joven y encantador. Él era un médico de 35 años y ella tenía solamente 25. Ida era esbelta, pálida y, posiblemente por tener sangre francesa, sus cabellos eran negros y le daban una singular belleza. Era muy femenina y coqueta y

Domingo quedó encantado con su simpatía y tono aristocrático. Normalmente el embajador viajaba en compañía de Bartolito Mitre, quien hacía de traductor. Pero como en esa oportunidad había ido solo, Ida se ofreció a darle clases de inglés y Sarmiento aceptó de buen grado. Los Wickersham eran puritanos, de origen cuáquero, pero Ida era tan mundana y abierta que el alumno empezó a enamorarse de la maestra y a pensar que era correspondido en esos sentimientos. "Puede ser mi hija y es absurdo que un viejo como yo pueda gustarle", se decía Domingo, pero Ida era a veces tan seductora e insinuante que quedaba lleno de dudas y de entusiasmo.

Regresó a Nueva York contento por la experiencia y, a los pocos días, le escribió a Ida agradeciéndole las clases de inglés y enviándole un retrato. Ida le contestó mandándole uno suyo y, aunque el texto de la carta no era demasiado elocuente, el maduro sanjuanino se llenó de ilusiones juveniles.

La actividad febril en los Estados Unidos, más la excitante experiencia que había tenido con la jovencita Ida, habían devuelto el optimismo a Domingo. El alejamiento de Benita le había hecho casi olvidar las amarguras de su drama conyugal, y sus quehaceres inquisitivos, más que diplomáticos, le habían hecho superar la decepción que había sentido otrora por la incomprensión de Mitre y sus ministros, como Rawson y Elizalde. Alquiló una residencia de verano a orillas del lago Oscawana y comenzó a escribir la *Vida del Chacho Peñaloza*. En un artículo que redactó para un diario argentino, explicaba sus actividades:

Marcho de capital a capital: el tren se traga por horas las distancias intermedias. Tengo una curiosidad insaciable, inextinguible. Nadie habrá visto más que yo, aunque muchos habrán viajado más. Véolo en la muchedumbre que me acompaña. Conversan, leen, duermen: sólo yo estoy pegado al vidrio de la ventanilla del tren desde que amanece hasta que anochece, mirando, con los ojos fijos siempre, viendo desfilar bosques, maíz, papas, casitas, fábricas, villas, cascadas y siempre viendo, mirando, alegre, silencioso, contemplativo. He adquirido así la facultad de ver, de medir, de comparar, de observar, de contemplar, de recordar.

Otra vez en Nueva York, una tremenda noticia vendría a sacarlo de este incesante movimiento. Bartolito Mitre entró a su despacho con un papel en la mano y la cara descompuesta:

—Dominguito fue herido en Curapaytí, señor. Está muy grave...

Sarmiento sintió que algo se desgarraba dentro de él y quedó demudado por el miedo y el horror. Cuando a los minutos Bartolito le confirmó que su hijo había muerto desangrado por una herida en el talón, Domingo se desplomó en los brazos de su joven secretario y ambos lloraron desconsolados, estrechándose mutuamente. Encorvado, vencido, Domingo se sentó finalmente en un sillón sin poder convencerse del todo de la tragedia. Hacía cuatro años que se había alejado de Dominguito y lo veía todavía alegre, vestido con su uniforme de militar, comentando en San Juan con Bartolito las alternativas de sus fiestas y saraos. Esa noche no pudo dormir y, durante mucho tiempo, cuando intentaba imaginarse a su hijo desangrándose en el campo de batalla como un capitán de 21 años, la figura del adolescente de 17 años echándose a un costado los cabellos en actitud de festivo galán, lo reemplazaba de inmediato. Y las risas del joven travieso surgían inextinguibles en sus oídos y creía estar escuchando sus cuentos o anécdotas de baile, aunque esas antiguas voces juveniles venían a mezclarse con un dolor inconmensurable que lo atormentaba doblemente y lo sumía en las lacerantes hondonadas de la culpa y el desconsuelo. Dominguito, Dominguito, se decía muchas veces en esas madrugadas, cómo querría tenerte de nuevo para decirte todo lo que te quise y que ninguno de los puntos que nos separaron tiene importancia ni significación. Dominguito, Dominguito, hijo querido de mi vida...

Los meses pasaban y Domingo trató de intensificar sus actividades para atenuar el dolor. Mary Mann estaba traduciendo al inglés el *Facundo* y el cuyano le enviaba los datos de su biografía para incorporarla al volumen. Había terminado la *Vida del Chacho* y quería editarla en conjunto con la de Facundo y la de Aldao, con la esperanza de que estas publicaciones sirvieran para sus objetivos políticos. El año siguiente, 1868, terminaba el mandato presidencial de Mitre y ya empezaba a hablarse de los sucesores. Domingo había confiado sus expectativas a Pepe Posse, en Tucumán, a Mary Mann, en Concord, y a dos mujeres en Buenos Aires: Aurelia Vélez Sarsfield y Juana Manso. Cuando supo que el diario *La Tribuna,* de Buenos Aires, había reproducido un artículo del *American Journal of Education* que lo mencionaba como posible candidato a la presidencia, el embajador se sintió reconfortado. Poco después viajó a Francia, para visitar la Exposición Universal. En París fue agasajado por los residentes argentinos con una cena. Hilario Ascasubi, el poeta gauchesco, quien había sido enviado para comprar armas para el gobierno de Mitre, lo presentó así:

Caballeros y madamas:
un cuarto de siglo hará
que muy cerca de la pampa
me dio un amigo su estampa
como prenda de amistá.
Y en prueba de que les cuento
la verdá, velay presento
su figura con placer,
para lucirla y beber
a la salú de Sarmiento.

También se entrevistó con el político Adolphe Thiers, pero al cabo de un mes regresó a Nueva York, pues quería seguir desde su sede las novedades políticas.

Domingo había empezado a publicar el periódico *Ambas Américas* y envió un ejemplar al profesor James Wickersham. Éste lo invitó a visitarlo en su residencia veraniega de West Chester, Pensilvania, y el argentino partió de inmediato, entusiasmado por la idea de encontrar allí a Ida. Efectivamente, el médico y su joven esposa también estaban allí y el lugar era encantador: a orillas del histórico arroyo Brandywine, el pequeño poblado mostraba árboles en flor y estaba serpenteado por senderos luminosos, puentes umbríos y posadas añosas.

Ida lo recibió con la coquetería de siempre y su bello rostro se iluminó al verlo. Se ofreció para continuar con las clases de inglés y el maduro embajador aceptó en el acto, ante la indulgente mirada del marido. Llovió un par de días y, reunidos en el salón, leían en grupo los *Pickwick Papers* de Charles Dickens. Domingo notaba que Ida se dirigía siempre a él y le sonreía intencionadamente. Una tarde, ya en la intimidad de las clases, ella lo regañó por una mala pronunciación y Domingo tomó fuerza y se atrevió: avanzó hacia ella y la besó en la boca. La joven respondió a su gesto y se abrazaron ardientemente. Domingo no cabía de gozo y esa noche no pudo dormir por la emoción. Una indecible sensación lo embargaba. El sentirse amado por una criatura que le había parecido inalcanzable lo llenaba de contento y de dulzura, devolviéndole una confianza y un bienestar que creía perdidos para siempre.

Al día siguiente hicieron el amor y Domingo le expresó, en inglés y en español, que la adoraba.

Volvió eufórico a Nueva York. Allí se encontró con una carta de Lucio V. Mansilla, el sobrino de Rosas, quien había combatido en Curapaytí con Dominguito, y le pedía autorización para proclamar su candidatura a presidente de la Nación.

Acepto sin gazmoñería, sin ilusiones y sin entusiasmo —contestó Sarmiento—. *Fijarse en mí, ausente y sin partido, me parece un adelanto, porque significa buscar un ideal de gobierno y trabajo. Mi programa está en veinte años de vida, hechos y escritos, en la prensa, la escuela y el ejército. Póngase a mi lado, sostengan mi debilidad y, por mi madre y por Dominguito, prometo que levantaré la piedra y la subiré hasta la montaña.*

Su hija Faustina también le había escrito, pero pidiéndole que no aceptara ser candidato.

Iré a donde mis compatriotas me llamen —le respondió—, *no a gozar honores, sino a poner mi hombro en el edificio que se desploma. Es preciso que te armes de coraje como tu padre, que acepta la vida como viene, sin creerse con derecho a una felicidad en la Tierra, que nos ha sido negada. Sé mi hija en eso, en sufrir, en trabajar, en esperar tú otra vida más allá del sepulcro; yo en esperar en la justicia de la posteridad, que es el cielo de los hombres públicos.*

Y al tucumano Pepe Posse, sobre el mismo tema de la candidatura, le escribió entusiasmado:

Ya los culones de Buenos Aires sienten dónde les aprieta el zapato. Te diré que, si me dejan, le haré a la historia americana un hijo. Treinta años de estudio, viajes, experiencia y el espectáculo de otras naciones, me han enseñado mucho.

Según le informaban desde Buenos Aires, su candidatura progresaba en la opinión pública. La figura de Urquiza no tenía mucho andamiento porque su partido, el federal, estaba muy debilitado. Elizalde, a su vez, aparecía muy próximo a Mitre, por lo cual lo alcanzaba el desprestigio gubernamental debido a la prolongación de la guerra del Paraguay y los alzamientos de Felipe Varela en La Rioja y Juan Saa en Cuyo, que reeditaban los del Chacho. Además, era porteño y se pensaba que después de Mitre debía venir un provinciano. Sarmiento venía a conformar varios atributos: era un notorio hombre de provincia y se le conocía como persona firme, de mucha autoridad, casi hasta la extravagancia. Y sin duda, era un liberal, que seguía siendo la fuerza dominante después de Pavón.

Domingo mandaba a los diarios argentinos artículos contra Mitre, acusándolo de parcialidad, y contra Urquiza, tildándolo de bárbaro y montonero.

El 6 de enero de 1868, a tres meses de las elecciones argentinas, Ida le escribió desde Chicago haciéndole saber que estaba viviendo con su marido en el hotel Saint James y pidiéndole que fuera a pasar una temporada allá. Corroído por la incertidumbre de la situación electoral, el candidato partió a Chicago y se alojó en el mismo hotel de su joven amada. Fue a la ópera con los Wickersham, asistió a cenas y bailes dados en su honor y se relacionó con intelectuales y educadores de la ciudad, gracias a recomendaciones de Mary Mann.

Reanudó también las clases de inglés, de modo que maestra y alumno pudieron disfrutar de varios momentos de intimidad y placer.

Al cabo de un mes, al volver a Nueva York, se enteró de que los autonomistas porteños habían resuelto apoyar la fórmula Domingo Sarmiento-Adolfo Alsina, lo que aumentaba sus posibilidades frente a Elizalde.

El vicepresidente Marcos Paz había muerto en Buenos Aires en ejercicio de la presidencia. Mitre debió regresar desde el Paraguay y reorganizó su gabinete: designó a Elizalde como ministro de Relaciones Exteriores y a Sarmiento ministro del Interior, pretendiendo demostrar que no tenía preferencias entre los candidatos. Hasta tanto el sanjuanino regresara de los Estados Unidos, Eduardo Costa lo reemplazaría interinamente.

También en San Juan lo habían elegido a Sarmiento como senador nacional. Pero el sanjuanino, que desconfiaba de Mitre por considerarlo favorable a Elizalde, declinó el ministerio ofrecido. En cuanto a la senaduría, resolvió no incorporarse por el momento, dejándola pendiente para el caso de que no llegara a presidente.

El 12 de abril se realizaron las elecciones y, en la mayoría de las provincias, triunfaron los electores liberales partidarios de Sarmiento. En Buenos Aires, vencieron los autonomistas de Alsina. Se suponía que en el Colegio Electoral, a reunirse en agosto, debía triunfar la fórmula Sarmiento-Alsina, pero el sistema electoral indirecto también posibilitaba otras combinaciones. Cuando se supo que Alsina mantenía conversaciones con Elizalde y con Urquiza, una cierta incertidumbre se extendió sobre el futuro político del país.

Antes de regresar a la Argentina, Domingo quiso despedirse de Ida. Viajó a Chicago con Bartolito y se alojaron en el hotel Saint James. Trató de estar con su amada el mayor tiempo posible y le regaló un collar y unos aros de coral, algo temeroso de que el marido pudiera amoscarse con el obsequio. La muchacha, sin embargo, lo tranquilizó y fue muy dulce con él, aunque también algo coqueta con Bartolito. Al besarse y abrazarse finalmente, el embajador sintió una inmensa ternura y se preguntó si volvería a verla alguna vez.

Partieron desde allí hacia Ann Arbor, para asistir a la ceremonia de colación de grados de la Universidad de Michigan. Sarmiento había insinuado anteriormente a Mary Mann la conveniencia de contar con un doctorado *honoris causa* de alguna universidad, particularmente la de Harvard, pero las gestiones no habían dado resultado.

Sentado en el palco principal, el sanjuanino escuchó en medio del acto que el rector mencionaba su nombre. Entendió el sentido y recibió con manos temblorosas por la emoción su título de doctor *honoris causa*. Le pidió a Bartolito que explicara en inglés que, aun cuando el Colegio Electoral lo designara presidente de la Nación, seguiría siendo solamente un maestro de escuela.

Viajó a despedirse de Mary Mann en Concord y luego a Washington, para saludar al presidente Johnson. El 23 de julio se embarcó en el *Merrimac* rumbo a Buenos Aires, sin saber todavía si sería consagrado presidente. Al llegar a la cubierta miró a sus amigos en el muelle y luego los altos edificios de Nueva York. Pensó en Ida y en Mary Mann y se dijo a sí mismo que nunca iba a poder olvidarse de los Estados Unidos.

El *Merrimac* llevaba pocos pasajeros y Domingo se sentía cómodo en el barco. Se había agitado los últimos días organizando los detalles de la partida y el armado de baúles, pero ahora estaba más distendido. Ya en mar abierto vio desde la cubierta unas toninas y pensó que eran los potros de la pampa oceánica, brincando sobre las olas. Los motores de vapor habían suprimido las contingencias de la abundancia o falta de vientos, como en sus anteriores travesías, y la marcha era armoniosa y regular.

Aurelia le había pedido que le pusiera por escrito las impresiones de su último viaje a Francia, pero prefirió ir escribiendo un diario con las vicisitudes de su travesía hasta Buenos Aires. Así como soy un intermediario entre la navegación a vela y el vapor, anotó, soy un heredero de la colonia española que quiero imponer los adelantos norteamericanos. Como los viejos revolucionarios de la independencia, voy gritando ¡mueran los godos! tratando de organizar la república.

Disfrutaba con las puestas de sol y, al llegar al mar Caribe, las aguas pasaron a tener un maravilloso color azul cobalto, como no lo había visto nunca. La rueda del vapor levantaba espumas plateadas que se fundían en un deslumbrante abismo azul, dejándolo conmovido durante ratos y ratos. Al pasar por Cuba unos delfines siguieron al buque, como los perros que corren festejando a los caballos.

En Saint Thomas bajaron a tierra, pero Domingo se vio atacado por cólicos. Una señora francesa le ofrece limonadas e infusión de arroz y lo saludan varios cónsules sudamericanos, sabedores de que prácticamente es el presidente electo. El sanjuanino no tiene esta certeza y, cuando vuelve a pensar en la política argentina, pierde la placidez en que se encuentra. Se acuerda de su período de gobernador y de tantos sectores que se oponían a sus iniciativas reformistas.

Siguen viaje al sur y pasan por muchas islas con cañaverales e ingenios. Los pasajeros del buque lo saludan con respeto, reconociendo su prestigiosa personalidad. Al acercarse al continente las aguas vuelven a ser verdes y el capitán le explica que se debe a la mezcla con las corrientes dulces del Amazonas, que no está lejos. El crepúsculo vuelve a ser espectacular y, esa noche, las mujeres suben a cubierta. Domingo piensa que son protestantes, y maldice a Calvino por haberlas dejado sin moños, sin galas, sin color. Se acuerda en cambio de Ida, llena de mimos, de encanto, de mohínes, en medio de su ambiente puritano. Me llamaban la reina de las praderas, le había dicho una tarde, en que ella lo deslumbraba enseñándole frases en inglés. *The prairy queen,* había repetido el maduro y rudo hombretón, admirado. El embajador había escrito un artículo en inglés explicando que los puritanos recurren al whisky para recuperar la vitalidad y la alegría que la religión les niega y se lo había enviado a Ida para que lo corrigiera. Esa noche escribió en su diario para Aurelia, pero no podía dejar de pensar en Ida.

El 4 de agosto, día de Santo Domingo de Guzmán, la tripulación y los pasajeros agasajan a Sarmiento con un banquete. Después de otro soberbio atardecer, aparece en el firmamento la Cruz del Sur.

Al acercarse a la ciudad de Pará, en la boca del Amazonas, las aguas verdes van empalideciendo y llegan a tornarse topacio pajizo, como las del Plata. Éste es el color regio —anota— que usan los ríos soberanos. Desembarca y un carruaje lo lleva por calles de palmeras hasta la casa señorial de su anfitrión Piedrabuena, rodeada por plantas exóticas. Los diarios locales lo dan como presidente electo, pero la incertidumbre sobre su futuro político no lo deja dormir bien. Extraña el balanceo de su camarote y el ruido del mar mezclado con el rumor de la rueda. Durante la mañana goza de la contemplación de los árboles que se enciman unos a otros y se unen por enredaderas que se elevan pidiendo su parte de sol. Pajaritos amarillos con alas azuladas llamados *japius* y similares al zorzal, alegran al viajero con su permanente trinar que imita a los otros ruidos de la floresta. En el almuerzo Domingo devora un pollo con paltas con abundante vino de Madeira.

Volvió al barco indigestado por la comilona. Los pasajeros lo felicitan por las noticias que confirman su elección como presidente, pero él se siente melancólico. "Hubiera deseado que mi pobre madre viviese para que gozase en la exaltación de su Domingo", escribe. Piensa en Dominguito y en cuánto necesitaría su aprobación, su entusiasmo, su pluma.

Los días se ponen más fríos y el cuyano recuerda que, abajo del Ecuador, están en invierno. Las aguas brasileñas son azul turquesa. Al pasar por Ceará recuerda que un científico ha afirmado que allí había glaciares y que, según se cree, el mundo ha sido alado en alguna época. "La teoría de Darwin es argentina y me propongo nacionalizarla por Burmeister", anota.

En Pernambuco le anuncian que la fortaleza de Humaitá, en Paraguay, ha sido tomada por las tropas de la Triple Alianza. Recorre la ciudad, que lo deslumbra por sus mansiones y los malecones engalanados con palmeras, mangos y papagayos. En la casa del cónsul argentino, una delegación municipal lo saluda como al presidente de la república aliada. Al volver al puerto, cargado de naranjas y ananás, es entrevistado por los periodistas.

Al regresar al vapor, lo homenajean: el capitán de un barco norteamericano, llegado desde Río de Janeiro, ha venido a confirmar su elección como primer mandatario argentino. Domingo siente que una oleada de emoción le sube desde las piernas hasta el tronco y luego pasa hasta los brazos. Siente alegría y temor. En tierra había leído que Urquiza estaba preparando tropas para resistir su elección. ¿Podrá gobernar?

Llegaron con lluvia a Bahía y, por eso, desembarca sólo al día siguiente. Con sol, el jardín público lo deslumbra. Sube a la parte alta de la ciudad y visita la iglesia del milagroso Señor de Bomfin. Lo impresionan las callejuelas antiguas, los conventos y teatros. Y el sabor de sus naranjas, dulces, grandes y pulposas.

Antes de llegar a Río, donde el *Merrimac* finaliza su travesía, se realiza un banquete de despedida, en cuyo menú sobresale una sabrosa galantina. Domingo come varias porciones y vuelve a indigestarse.

La bahía de Guanabara se abre y el mar se cubre de velas. Los morros gigantescos rodean al Corcovado y Domingo queda alelado por el sublime escenario. Una lancha del Arsenal lo espera para llevarlo a tierra. El comandante que lo recibe es el mismo marino que lo condujo durante la batalla del Tonelero, en la campaña contra Rosas. Han pasado dieciséis años y se estrechan cordialmente la mano. El cónsul argentino lo conduce hasta el Club Fluminense, donde va a alojarse.

El flamante presidente pide que lo despierten a las 3 de la madrugada y parte aún de noche hacia el Jardín Botánico. El amanecer lo deslumbra en medio de la fulgurante vegetación y la escena le parece propia del Tiziano. A la tarde es recibido por el emperador, que lo trata cordialmente, como a un viejo amigo. Van juntos hasta el Instituto Histórico Geográfico.

Parte en el buque *Aunis* y llega de noche a Montevideo. A la mañana le confirman en su camarote que fue proclamado presidente por el Congreso de la Nación. Sigue hacia Buenos Aires y la inminencia de las responsabilidades políticas le hace dejar atrás el recuerdo de Ida. Le alegra saber que va a estar cerca de Aurelia y le molesta la proximidad de Benita, sombra negra en su tumultuoso pasado. Le preocupa la actitud que asumirá Urquiza: ¿este caudillo bárbaro lo seguirá atacando?

La calvicie había aumentado y las cejas se habían poblado fieramente. Parado en la cubierta, con un pie avanzado y el mentón saliente, sus hombros corpulentos parecían darle una fuerza singular. Los brazos también eran robustos y terminaban en dos manazas fuertes, que habían conocido los rigores de una vida dura. Había dejado su país hacía cuatro años, decepcionado, frustrado, triste. Poco había podido hacer como gobernador, y en San Juan y en el gobierno nacional todos se habían ido alineando en su contra. No podía olvidar las humillaciones que Benita le había infligido y el dolor de haber perdido dos veces a Dominguito, primero como hijo y luego como ser humano, sin retorno.

Pero acá estaba de vuelta, como presidente de la República. La actividad en los Estados Unidos le había hecho superar las amarguras y solo, sin partido y sin dinero, había logrado triunfar. Miró a la multitud reunida en el puerto, se preguntó si Aurelia estaría allí esperándolo con el viejo Vélez, y se preparó para desembarcar. Se dijo a sí mismo que esta vez iba a golpear todavía más fuerte, le doliera a quien le doliera. No le iban a arruinar esta oportunidad.

Al llegar al muelle se confundió en abrazos con sus seres queridos y partidarios. Había ensayado varias veces en su camarote el discurso que pensaba pronunciar, pero se dio cuenta de que las lágrimas le impedían hablar. Decidió gritar entonces un escueto "Viva la Patria", pero la emoción lo superó y los sonidos se ahogaron en su garganta.

Domingo se instaló en una casa de la calle Belgrano, entre Bolívar y Defensa, en compañía de su hermana Rosario (quien vino de San Juan) y su hija Faustina y sus nietos Belín Sarmiento, llegados desde Chile luego de la muerte del impresor Julio Belín.

Al día siguiente, lo visita allí una nutrida delegación de maestros y alumnos. Se emociona y dice que viene de un país donde la educación lo es todo y por ella hay democracia. Para que los montoneros no se levanten, para que no haya vagos, es necesario educar al pueblo y enseñarles a todos lo mismo, para que todos sean iguales. Ahora que soy doctor de una de las principales universidades del mundo —les manifestó—, puedo decirles que los doctores que nada saben de escuelas no nos sirven. Es necesario hacer del gaucho un hombre útil y para eso debemos hacer de toda la república una escuela.

Los rumores de que Urquiza se iba a levantar en armas en el Litoral para impedir su asunción lo preocupaban. Le pidió a Mitre que gestionara ante el Senado su ascenso a coronel, pero el presidente le hizo saber que no podía otorgar ese pedido en su último tramo de gestión. El sanjuanino, ya resentido porque consideraba que Mitre había apoyado a su rival Elizalde, quedó aún más enojado con su antiguo amigo y favorecedor.

Al tercer día de su arribo, Sarmiento fue invitado a cenar a la casa de Mariano Varela. La madrugada siguiente se levantó al alba y fue a visitar la tumba de su hijo Dominguito, en la Recoleta. Permaneció allí un rato largo, transido de dolor, y luego regresó en el carruaje hasta su casa.

Un periodista de *La Nación Argentina* lo vio pasar con mal semblante y, al día siguiente, el diario mitrista acusó al presidente electo de haber vuelto a la madrugada, en mal estado, de una francachela en lo de Varela. Domingo se sintió herido en lo más profundo y el episodio ahondó su resentimiento con Mitre.

Concurrió a un banquete que le ofreció la logia masónica Constancia, con motivo de su elección como presidente de la Nación. Declaró que la masonería no tenía como objetivo atacar a ninguna religión; pero que para tranquilizar a los timoratos que podían pensar eso, prefería desligarse de la institución, para dedicarse plenamente a su deber como mandatario de una nación católica pero que aseguraba la libertad de cultos y de conciencia. Cuando vuelva a ser simple ciudadano —concluyó— regresaré a ayudaros en vuestras filantrópicas tareas.

La Municipalidad de Chivilcoy lo invitó a visitar el pueblo, con el cual había colaborado anteriormente con proyectos de colonización agrícola.

Heme aquí, pues en Chivilcoy —dijo entonces—. *He aquí al gaucho argentino, con casa en que vivir y con un pedazo de tierra para hacerle producir alimentos para su familia. Digo, pues, a toda la república, que Chivilcoy es el programa del presidente Domingo Faustino Sarmiento, doctor en leyes de la Universidad de Michigan, como se me ha llamado por burla. A los gauchos, a los montoneros, a los caudillos, les prometo hacer cien Chivilcoy con tierras para cada padre de familia, con escuelas para sus hijos.*

Dedicado a preparar su futuro gabinete, Domingo estaba abocado a la selección de personalidades. El coronel Lucio V. Mansilla lo visitó una noche llevándole una lista, en la que él mismo figuraba como ministro de Guerra. Aunque Mansilla había sido el primero en postular su candidatura, Sarmiento rechazó la sugerencia:

—Necesito gente sesuda en los ministerios, Mansilla. Usted y yo somos locos, y juntos seríamos inaguantables...

Como en sus anteriores años en Buenos Aires, Sarmiento visitaba todas las tardes la casa de los Vélez Sarsfield. Don Dalmacio había sido su favorecedor y Aurelia seguía siendo su gran amor, consejera y confidente. Ahora que el matrimonio de Domingo se había desarmado públicamente, su relación tenía menos trabas y necesitaba menos tapujos.

En la sala de los Vélez Sarsfield, con los nuevos muebles Segundo Imperio de caoba y terciopelo bordó, Domingo encontraba un ambiente de intimidad y calidez. La presencia menuda y nerviosa de Aurelia, penetrante e intuitiva, lo ayudaba a resolver los asuntos difíciles o delicados. Con ella terminó de elegir a su gabinete, que quedó integrado con el propio Don Dalmacio como ministro del Interior, Mariano Varela en Relaciones Exteriores y el joven Nicolás Avellaneda en Justicia e Instrucción Pública.

Los liberales mitristas quedaron disconformes con estas designaciones, por entender que se había marginado deliberadamente a sus hombres. Sentían que Mitre, que había patrocinado la gobernación de Sarmiento en San Juan y luego lo había nombrado ministro plenipotenciario en los Estados Unidos, merecía más consideraciones. Los autonomistas del vicepresidente Adolfo Alsina, a su vez, tampoco quedaron muy satisfechos. Sus votos habían sido decisivos para la consagración de la fórmula y esperaban más cargos. Además, estaban molestos por un comentario indiscreto hecho por Sarmiento, quien había manifestado burlonamente que las funciones del vicepresidente consistían en tocar la campanilla del Senado y que, durante su mandato, iba a invitarlo a almorzar periódicamente para que comprobase su buena salud.

Aurelia Vélez Sarsfield

18

CONFLICTIVO PRESIDENTE (1868-1874)

El 12 de octubre de 1868, Sarmiento prestó juramento como presidente ante el Congreso Nacional y luego se dirigió al Fuerte, a recibir los atributos del mando del jefe de Estado saliente. El recinto estaba repleto de gente y Mitre, tras de una mesa, debía dar codazos a quienes lo apretujaban para que no lo derribaran. Domingo tuvo que luchar contra la multitud para poder acercarse hasta allí y recibir la banda y el bastón, el mismo que había usado Urquiza y que el entrerriano le había hecho llegar como obsequio, en promisorio gesto.

El sanjuanino quedó indignado por la falta de organización en la ceremonia y pensó que ese desorden, que tanto conspiraba contra la autoridad presidencial, era un signo de la debilidad que caracterizaba a Mitre.

Pese a esta opinión, visitó al ex mandatario en su casa para ofrecerle que reasumiera el mando de las fuerzas que habían quedado en Paraguay, pero don Bartolo prefirió declinar el ofrecimiento y permanecer en Buenos Aires.

Los primeros actos, designaciones y cesantías de la nueva administración mostraban que Sarmiento se alejaba cada vez más de los liberales mitristas. Un empleado público que colaboraba con un diario de esta tendencia fue despedido y se presentó al despacho del presidente con intención de protestar. Domingo se alteró y lo echó a cogotazos de su oficina. Después dictó una resolución que prohibía que los agentes se dirigieran al primer mandatario sin habilitación previa de los ministros.

La prensa opositora se ocupó del incidente y las críticas llovían sobre el presidente: lo acusaban de perseguir a los mitristas y lo calificaban de loco, maniático, déspota y animal. Un comentarista ocurrente quitó de la palabra SARMIENTO las letras del apellido MITRE y el resultado fue singular: Sarmiento, sin Mitre, es un ASNO, aseguraba el periodista.

Por las tardes, al dejar la Casa de Gobierno, Sarmiento visitaba a Aurelia y a don Dalmacio en su casa, y comentaba con ellos las alternativas políticas y los comentarios periodísticos. Después de cenar, de vuelta en su hogar, se sentaba en su escritorio y redactaba personalmente artículos defendiendo su gestión, que se publicaban en *El Nacional*.

La provincia de Corrientes padecía una crisis política y la situación preocupaba al gobierno nacional. La Legislatura había elegido a un nuevo gobernador, pero el anterior mandatario, que había sido desplazado por una intervención federal, reclamaba su reposición y contaba con el apoyo de Urquiza, gobernador entrerriano de gran influencia en el Litoral. Sarmiento le pidió a Vélez Sarsfield que viajara a Corrientes. El ministro del Interior tomó conocimiento del conflicto y luego se entrevistó varias veces con Urquiza, a quien llevó un mensaje del presidente con una exhortación a mantener la paz y la tranquilidad institucional de la república. Urquiza le contestó que podía dar tranquilidades a Sarmiento, asegurándole que él acataría la decisión de la Legislatura correntina y que contribuiría a la pacificación de la república apoyando al nuevo gobierno nacional.

También en San Juan se produjo un conflicto entre la Legislatura y el gobernador, y el presidente decretó la intervención federal. Vélez Sarsfield no estaba muy de acuerdo con esta posición y luego de una larga discusión en el gabinete amenazó con renunciar. Esa noche, Sarmiento se presentó a la puerta de la casa de los Vélez llevando una valija con ropa.

—¿Y ese equipaje? —le preguntó Don Dalmacio.

—Usted y yo debemos unificar criterios. Y no me iré de acá hasta que nos pongamos de acuerdo...

Vélez se sonrió ante la extravagancia e hizo pasar a su amigo y jefe político. Debatieron la cuestión constitucional hasta la madrugada y, días después, el ministro del Interior defendió en el Senado la posición acordada.

La gestión de Vélez Sarsfield había acercado las posiciones entre Sarmiento y Urquiza y producido un deshielo en sus largos desencuentros. Como testimonio de la reconciliación, el gobernador entrerriano envió al presidente una *robe de chambre* y un gorro de dormir, indicando acaso que podría descansar tranquilo. Domingo le contestó:

Mi distinguido general:

Recibí anoche en robe de chambre a los ministros y amigos que venían a felicitarme por el triunfo que obtuvieron en el Senado las posiciones del Ejecutivo sobre la cuestión San Juan. Esto le demostrará que me consideré honrado con el obsequio e hice alarde de ello. En los pasados veinte años nos unió la lucha contra Rosas y nos separaron nuestras desemejanzas. A la vejez, empero, podemos marchar sin querellarnos aceptando un término medio entre la libertad y el gobierno. Mi programa consiste precisamente en hacer menos gobierno que usted, pero más gobierno que el general Mitre. Si fuimos llevados a la lucha usted con el cañón y yo con la palabra, creo que ha transcurrido ya el tiempo suficiente para que olvidemos nuestras cicatrizadas heridas.

Los hermanos Manuel y Antonino Taboada, caudillos santiagueños, habían servido a Urquiza primero y luego a Mitre y habían apoyado la candidatura de Elizalde. Tenían gran influencia en todas las provincias del norte y amenazaron a Sarmiento con provocar un levantamiento armado en su zona. El presidente no se amilanó y les envió una nota diciéndoles que los pondría en vereda y enviaría tropas nacionales para reducirlos.

También le escribió a Urquiza, haciéndole conocer el episodio y comentándole que no toleraría los desmanes de los Taboada ni de nadie que pretendiera desconocer la autoridad presidencial. Lo exhortó también a que fortalecieran la amistad y la confianza recíproca, ya que entre ellos había habido diferencias pero nunca dobleces.

Usted y yo —agregaba—, *por caminos distintos, hemos venido trabajando para formar un país con los desunidos elementos que nos dejó una guerra civil de 30 años. Usted era la encarnación del país histórico, mientras yo representaba el programa de lo que debía hacerse para entrar al mundo de los países civilizados. Estas dos fuerzas de lo real y lo posible se fueron modificando y están llegando a un punto de confluencia que servirá para que constituyamos la república y nuestros nombres desciendan juntos a la posteridad.*

Mientras Sarmiento se acercaba cada vez más a Urquiza, se alejaba en lo político y en lo personal de Mitre. Los legisladores mitristas (en particular el senador Nicasio Oroño) se oponían a todas las iniciativas oficialistas y sus periódicos calificaban al presidente de patán asesino y arbitrario. A su vez, el mandatario acusaba en *El Nacional* a la administración anterior por sus "suciedades, abusos, escándalos, falsificaciones y negocios ilícitos". En privado, decía que don Bartolo era un charlatán que tres veces había concurrido borracho al Senado.

En una carta al caudillo entrerriano, Domingo le hacía notar esta paradoja:

Usted ha tenido el tino de someterse al fallo electoral, que es condición plena de la república. En usted este acto era una virtud; en el ex presidente Mitre era un deber. De usted yo no tenía por qué esperarlo; de mi antiguo amigo, debía ser la cosa más natural del mundo. Los roles, sin embargo, están cambiados. El viejo caudillo prestó su hombro al antiguo enemigo, mientras el correligionario de treinta años se alza contra un presidente constitucional, que tiene el derecho de ser por todos acatado.

Todos los meses recibía carta de Ida. Le alegraba tener noticias de ella y, dentro de sus limitaciones de tiempo y ánimo, trataba de contestárselas. Para obsequiar a la joven señora, que en los Estados Unidos lo había compensado de tantos desdenes femeninos sufridos anteriormente, encargó a un comisionista de París un vestido de seda rojo y se lo hizo enviar a Chicago, a través del cónsul argentino en Nueva York.

Qué precioso color y qué adornos tan bellos —le agradecía Ida—. *Me queda como si me lo hubieran hecho al cuerpo. ¿Quién sabía mis medidas? Me sentiré como una reina cuando lo lleve. ¿Vendrá usted, por favor, para verme con el vestido puesto?*

Conforme a su antiguo criterio, Sarmiento quería poner el acento de su gobierno en difundir la educación, haciéndola accesible para toda la población. Había aprendido en los Estados Unidos que la ilustración posibilitaba la democracia y de allí su lema "educar al soberano". Debido al acercamiento que había logrado con Urquiza, promovió la creación en Concepción del Uruguay, capital de Entre Ríos, de un curso normal para preceptores, anexo al Colegio Nacional, como también una Escuela Normal para mujeres que insumió una larga tramitación. Envió asimismo un proyecto al Congreso para fundar una Escuela Normal en Paraná, que se integró con maestras norteamericanas contratadas especialmente. Propició otra Escuela Normal para Tucumán y colegios nacionales para diversas provincias, como también una legislación sobre bibliotecas populares que fueron diseminadas por todo el país.

Trató de cumplir con su programa de "tierras y escuelas" propiciando una ley de colonización agrícola de los territorios nacionales, pero no logró la aprobación parlamentaria.

Con el fin de consolidar la reciente amistad, Sarmiento aceptó visitar al gobernador entrerriano en su palacio de San José. Hizo traspaso del mando al vicepresidente Alsina y partió en el buque de guerra *Pavón,* acompañado por ministros, funcionarios, diplomáticos y periodistas. Después de visitar Rosario, el vapor ancló en Concepción del Uruguay, en la madrugada del 3 de febrero de 1870, aniversario de la batalla de Caseros. A las 7 de la mañana de ese caluroso día, desde la cubierta, Domingo divisó en el muelle la figura de Urquiza, vestido de civil y con más años y más peso, rodeado por los mismos soldados de caballería que habían triunfado contra Rosas hacía dieciocho años. El sanjuanino se sonrió al recordar las incomodidades que le causaba el perro Purvis, en aquellos días, cuando debía entrevistar al general. Una falúa llevó al presidente hasta el improvisado muelle y los viejos adversarios se estrecharon en un abrazo, en medio de la música, explosiones de cohetes y aclamaciones del público. Subieron a un carruaje y marcharon hasta la plaza principal, en donde ingresaron a una magnífica casa de altos, de propiedad de Simón Santa Cruz, marido de una hija de Urquiza. El huésped se impresionó por el gusto europeo de la mansión y recibió allí a una delegación de escolares.

Luego del desayuno, antes de que el sol se hiciese sentir más, partieron para San José con toda la comitiva. Al cabo de dos horas de marcha con animada conversación entre los mandatarios, la galera hizo su entrada a la residencia. Sarmiento quedó encantado con las magnolias, arces y araucarias de la avenida de ingreso y con la importancia y armonía de la construcción. En el primer patio, alfombrado con paño punzó y entoldado con guirnaldas y farolas, un trofeo representaba el triunfo de Caseros. Dos cañones de bronce estaban flanqueados por las cuatro banderas victoriosas: la argentina, la entrerriana, la oriental y la brasileña. Sobre una larga mesa en forma de herradura se sirvió el almuerzo, que el presidente devoró con fruición porque la travesía y el aroma a eucalipto habían incrementado su habitual buen apetito. Luego de un breve paseo por el jardín, Urquiza y Sarmiento, más las principales personalidades, pasaron a la sala, donde dos hijas del general, Lola y Justa, ejecutaron varias piezas al piano y con violín. Gratamente impresionado por la magnificencia del solar y la calidez del encuentro, Domingo pensó que la dimensión empresarial del líder entrerriano y su imagen familiar lo estaban mostrando en otra perspectiva que la que él siempre había tenido. Conducido a su habitación para reposar la siesta, se impresionó por la existencia de una canilla de agua corriente, algo absolutamente inusual en el país y que evidenciaba un alto grado de civilización.

Al atardecer se sirvió en el mismo patio un asado con cuero, completado con frutas, dulces y vinos. Sarmiento hizo un brindis con champaña y luego Benjamín Victorica señaló que Urquiza tenía quince mil soldados entrerrianos, con los cuales el presidente podía contar para afianzar la autoridad que investía y defender las instituciones republicanas, que el vencedor de Caseros había fundado para los argentinos.

Se retiró la mesa y se inició un gran baile, iluminado por faroles chinescos y vasos de colores que pendían del gran toldo. El presidente estaba alegre y danzó varias piezas, recordando los bailes públicos que tanto le habían gustado durante su primer viaje a París, hacía ya más de veinte años.

Al día siguiente hubo puchero y Sarmiento y su anfitrión caminaron por el sendero de álamos, hasta el lago. Patos y algún Martín Pescador alegraban el espejo de agua, mientras una nutria comía hojas entre las ramas caídas de la orilla. Dieron un paseo en carruaje y, a la noche, se repitió el animado baile.

Regresaron a la mañana siguiente a Concepción del Uruguay, donde asistieron a un Tedéum y luego a un almuerzo en casa de los Santa Cruz. Allí, Sarmiento invitó a Urquiza a visitarlo en Buenos Aires para las fiestas del 25 de Mayo y, por la noche, hubo fuegos artificiales en la plaza y un baile en el teatro.

A la madrugada de la siguiente jornada, presidente y gobernador partieron en barco hacia Colón. Urquiza dijo allí que Buenos Aires lo había combatido temeroso de que se convirtiera en un nuevo dictador, pero que había perdonado ese agravio porque estaba motivado por un celo exagerado pero sincero en defensa de la libertad. A la noche, Domingo elogió la política de pacificación y respeto a las instituciones del caudillo entrerriano y concluyó:

—Ahora sí que me siento presidente de la República, fuerte por el prestigio de la ley y el poderoso concurso de los pueblos, puesto que cuento para la empresa con el contingente invalorable del general Urquiza.

En medio de los aplausos del público, los dos antiguos enemigos se abrazaron.

El sanjuanino volvió a Buenos Aires contento pero cansado. No reasumió el mando y se fue a su casa del Delta, en Carapachay. Pasó allí una semana ocupándose de sus plantas y cuidando los mimbres que había sembrado. Reposaba en una mecedora, leía y regaba los cebiles, cedros y pacarás que su amigo Pepe Posse le había mandado desde Tucumán.

A los pocos días, le avisan que el dictador paraguayo, Francisco Solano López, había sido muerto por las tropas brasileñas en Cerro Corá. La guerra está prácticamente terminada y debe negociarse su finalización. Manda a felicitar a Mitre por la noticia y ordena que una banda de música toque ante la puerta de su casa. El ex presidente agradece el gesto visitándolo en su despacho.

La reconciliación entre Sarmiento y Urquiza provocó resistencias entre los federales seguidores del entrerriano, que consideraban que el sanjuanino había sido el responsable de la muerte del Chacho y de todos los ataques contra los dirigentes de aquel partido. A los dos meses de la visita del presidente, un grupo de insurrectos ingresó al palacio de San José y asesinó a Urquiza de un balazo en la cara, delante de su esposa e hijas. Simultáneamente, sus hijos Justo y Waldino eran ejecutados en Concordia. Como resultado de esa conspiración, la Legislatura eligió como gobernador interino a Ricardo López Jordán, quien había acusado de traidor a Urquiza y se declaró inspirador de su ejecución.

López Jordán buscó ser reconocido por el gobierno nacional, pero Sarmiento se indignó ante el crimen de Entre Ríos. Como le había pasado con Facundo y después con el Chacho, se sintió amenazado por la barbarie, acosado por los caudillos que no respetaban el orden jurídico. Convocó a una reunión de notables (Mitre y Alsina, entre ellos) y dispuso la intervención federal a Entre Ríos, además de decretar el estado de sitio y despachar tropas nacionales de desembarco y observación. Dirigió también un manifiesto a los entrerrianos, expresando que el asesinato cubría de vergüenza a la república y exhortando a no seguir a los "ambiciosos, oscuros e ignorantes para quienes el odio es un principio y el crimen un medio".

Las medidas no fueron acatadas por López Jordán y se desató la lucha civil en la Mesopotamia. Aunque la administración federal envió 8.000 soldados a Entre Ríos y clausuró sus puertos, estas fuerzas no obtenían victorias y sufrían la resistencia de los pobladores rurales. Los tropiezos del Ejército nacional determinaron la renuncia de su comandante, el general Emilio Mitre, y luego las de sus sucesores Gelly y Obes y Arredondo, todo lo cual provocó enormes críticas de la opinión pública, que calificaba de inoperantes a los conductores de la guerra y al mismo presidente.

Como en los tiempos de su gobernación sanjuanina, Sarmiento se sentía hostigado y aislado. Impulsaba medidas progresistas como la realización de un censo (que determinó que los habitantes eran 1.830.214), la creación de ferrocarriles y telégrafos, la promoción de la inmigración o la construcción de puentes y caminos, pero su situación política se deterioraba permanentemente. Su reciente aliado Urquiza había sido ultimado y sus opositores lo atacaban sin cesar: en lo menudo lo acusaban de loco y arbitrario y de haber hecho trabajar en su provecho, en Carapachay, a los soldados de su escolta y a los marineros de la subprefectura; en lo sustancial, le achacaban su mala conducción del proceso de finalización de la guerra del Paraguay y su actuación en el conflicto limítrofe con Chile.

En medio de tantas tribulaciones, se daba tiempo para contestar algunas de las cartas de Ida, a quien le confiaba que las contrariedades políticas lo estaban avejentando. También le comentó que estaba utilizando unos muebles que el dictador paraguayo Solano López había comprado en Europa para su amante Madame Lynch y que habían sido interceptados y confiscados por el gobierno argentino.

Las misivas de Ida, aunque algo frívolas, le devolvían al fatigado gobernante el entusiasmo y la ternura:

Le escribo todos los meses y pienso en usted cada día. Todo me recuerda a usted. No voy a ningún lado ni veo ninguna exposición sin desear que usted esté conmigo. Ojalá estuviese yo en Buenos Aires. No le permitiría prestar ninguna atención a sus importantes asuntos. Me sentaría en una de las sillas del mariscal Solano López y Madame Lynch, sobre las que usted me habló, y haría que usted me atendiera. ¿No le agradaría abandonar por un tiempo sus asuntos de Estado y gozar de una aventura amorosa por las orillas del Brandywine? Escríbame pronto y créame siempre su

Ida

Al producirse la caída de Asunción y la muerte de Solano López, Brasil había propuesto que se formara un gobierno paraguayo provisional, para que se entendiera con los aliados. Pero Sarmiento prefirió que se mantuvieran las autoridades de ocupación y esta decisión fue criticada por los mitristas, quienes sostenían que de este modo los paraguayos se acercaban a los brasileños y se enojaban con los argentinos.

El sanjuanino cedió a estas presiones y admitió la creación de un gobierno provisional. Y para tratar de congraciarse con el pueblo paraguayo, declaró que la victoria no daba derechos en cuestiones de límites y que en el mundo había terminado la misión de los militares y comenzaba la de los maestros de escuela.

Volvieron a tronar los liberales mitristas, quienes sostenían a través de la prensa que el triunfo militar proporcionaba la facultad de exigir al vencido la reparación de los agravios.

Domingo invitó a Mitre a visitarlo en su despacho y los dos líderes se entrevistaron. Don Bartolo sostuvo que no podía afirmarse que la victoria no daba derechos, cuando precisamente se había comprometido al país en una guerra para afirmarlos. El presidente rectificó parcialmente su posición y se firmó un tratado preliminar de paz, estableciéndose que si no se lograba un acuerdo general, los aliados podrían tratar separadamente con el vencido. Brasil buscó un arreglo con Paraguay y, a la vez, dejó sin respaldo a la Argentina en sus reclamos sobre los territorios del Chaco.

Esto deterioró las relaciones con Brasil y la nueva crisis internacional angustió a la opinión pública, temiéndose la posibilidad de otra guerra. Sarmiento, que ya había creado el Colegio Militar (quería la profesionalización de esta actividad), fundó la Escuela Naval y ordenó comprar armamentos, pero extremó también las negociaciones por la paz. Le pidió a Mitre que aceptara una misión diplomática ante el Brasil, y éste, luego de meditarlo, aceptó y partió hacia Río de Janeiro donde, luego de largas negociaciones, logró firmar un acuerdo. Visitó después al emperador y, desde allí, el secretario de la misión informó al presidente Sarmiento sobre los términos del arreglo: se restablecía el tratado de la Triple Alianza, se aceptaba el acuerdo de paz entre Brasil y Paraguay, y el Brasil ayudaría a la Argentina a lograr un arreglo con Paraguay.

Sarmiento se molestó con Mitre por haber sido informado por un secretario y no directamente por su enviado extraordinario; por haber transmitido al emperador que el presidente argentino tenía una buena opinión del tratado de la Triple Alianza; y por no haberse logrado una suspensión del tratado de paz brasileño-paraguayo. Estos roces entre el presidente y su representante fueron suavizados por Carlos Tejedor, quien había asumido el Ministerio de Relaciones Exteriores en reemplazo de Varela, pero la antigua amistad personal entre Mitre y Sarmiento estaba cada vez más deteriorada.

El ministro de Guerra eleva al presidente la lista de coroneles que sugiere ascender a generales y Domingo, al examinarla, advierte que Indalecio Chenaut es uno de ellos. Hacía 40 años, siendo ayudante, Sarmiento había servido a sus órdenes en San Juan.

A los pocos días se realiza una reunión en el despacho presidencial y el ministro va presentando al primer mandatario a los militares que aspiran al máximo grado. Al llegar el turno de Chenaut, el sanjuanino le extiende la mano y comenta:

—Conozco bien al coronel Chenaut. Cuando fui su subordinado, me negó el ascenso a capitán que le solicité.

Chenaut se pone más tieso de lo que estaba y el rostro se le acalora con el disgusto. Al terminar la entrevista, el coronel se retira apesadumbrado y confundido, molesto por el episodio y pesimista sobre su futuro castrense.

Ceñudo y severo, Sarmiento se despide de los jefes militares con rostro serio. En su intimidad disfruta como un chiquillo el mal momento de Chenaut, pero a la mañana siguiente firma su pliego de ascenso y lo envía al Senado con los otros pidiendo el acuerdo correspondiente.

Después de varias derrotas, las fuerzas nacionales que luchaban contra López Jordán lograron vencerlo en Ñaembé, ayudadas por el gobernador correntino, y el caudillo se exilió en el Uruguay. Sarmiento vio en ello un alivio, pero a las pocas semanas se desató en Buenos Aires una epidemia de fiebre amarilla, que diezmó a la población. El presidente viajaba a dormir muchas noches a Mercedes para evitar el contagio, lo que le valió nuevas críticas de una oposición cada vez más disconforme.

Visitó Córdoba para inaugurar allí una exposición y, a su regreso, nota que pierde aceleradamente la audición. Consultó a los mejores profesionales, pero el mal no tiene remedio y Domingo se siente amargado y disminuido. "Puede usted imaginarse lo que sufro", le confesó a Manuel Rafael García, al comentarle que uno de sus oídos era ya "un mero simulacro". Desde entonces debió ayudarse con una trompetilla y se mortificaba al tener que hacer repetir las palabras a sus contertulios y soportar sus sonrisas intencionadas.

Para colmo, se producía un conflicto con Chile debido a la sanción de leyes que, en el país vecino, extendían su jurisdicción hasta el extremo este del continente. Paralelamente, el gobernador de Punta Arenas postulaba ocupar el río Santa Cruz y un funcionario militar chileno firmó un tratado de paz con los indios tehuelches, buscando lograr el reconocimiento implícito de que la Patagonia era chilena.

Sarmiento, aunque amaba entrañablemente a Chile, reaccionó con energía. Dividió la Patagonia en dos territorios nacionales, procedió a otorgar concesiones para poblarla y colonizarla, y protestó por el tratado con los tehuelches, sosteniendo que significaba un acto de jurisdicción ejercido por Chile en territorio argentino. Aunque el gobierno chileno desautorizó y anuló el tratado, reconociendo que Neuquén era territorio argentino, el debate se desató en ambos países con ardor e intensidad.

Las autoridades de Chile expresaron entonces que pretendían el estrecho de Magallanes, Tierra del Fuego y las costas del Atlántico hasta Puerto Deseado. Desde allí se tiraría una línea recta hasta la cordillera de los Andes, que limitaría a los dos países de sur a norte.

Domingo, que había designado embajador a Félix Frías, antiguo compañero de exilio, hizo saber que Tierra del Fuego, el estrecho de Magallanes y la Patagonia eran tres territorios distintos, aclarando que la existencia de Punta Arenas sobre el estrecho para facilitar la navegación no podía dar derecho sobre dichas zonas.

Mientras los embajadores y cancilleres intercambiaban notas, la cuestión fronteriza se discutía con apasionamiento en el periodismo y en los parlamentos. Los opositores argentinos recordaron que, durante su exilio, Sarmiento había propuesto en la prensa que Chile instalara una factoría sobre el estrecho de Magallanes, lo cual tuvo como consecuencia la fundación de Punta Arenas. Se reiteró entonces la vieja acusación rosista de "traición a la patria" y los diarios contrarios al gobierno renovaron su campaña contra el presidente de la Nación.

Desde Chile, por su parte, el embajador Frías le comunicó a Domingo que el comentario público y el periodismo, para reforzar las posturas chilenas, sostenían que el propio Sarmiento había reconocido en el pasado las pretensiones de ese país.

Atacado, aislado, amargado por su sordera, actuó de todos modos con firmeza y claridad. Le escribió una carta personal al "padre Frías" sosteniendo que su opinión de 1842, 1849 y del momento, era que Chile se situara en un punto de la zona oeste del estrecho de Magallanes, dentro de sus límites, "a fin de establecer remolques para habilitar aquella vía marítima poco frecuentada por el comercio". Agregaba que el intento chileno de extender sus pretensiones a la Patagonia era totalmente extraño a las ideas emitidas entonces, que sólo tendían a hacer utilizable el canal y desarrollar la navegación.

Como este asunto puede afectar profundamente mi reputación —añadía— *confío al antiguo amigo mi defensa. Y si a despecho del buen sentido, del decoro, del deber que impone a los chilenos no traer a colación artículos periodísticos para argüir con ellos derechos, esto pusiese en conflicto mi persona con mi posición, en cuanto pueda dañar en lo mínimo a la república, estoy dispuesto a descender del puesto que ocupo, a fin de que pueda yo mismo consagrarme a defender como individuo los derechos de mi país.*

Habían pasado ya varios años de presidencia y Domingo no encontraba tranquilidad ni satisfacciones. Levantamientos o rebeldías en el interior, críticas sistemáticas de los liberales mitristas que él pensaba que debían haber sido sus defensores, ataques enconados de la prensa opositora, falta constante de dinero en la administración para sostener sus iniciativas o creaciones progresistas, indiferencia de la opinión pública sobre sus innovaciones que pretendían incorporar al país al orbe civilizado. El gobierno lo había desgastado y había perdido apoyos y lealtades, enredándose en debates y discusiones como en sus mejores tiempos. Además, había corroborado la impresión que había recogido en sus primeros años en Buenos Aires, a su regreso de Chile: no se entendía bien con los porteños. Venían todos los días a su despacho decenas de ellos, siempre elegantes, desenvueltos, hablando rápido y con seguridad, bordeando la arrogancia. Pero siempre llegaban para pedirle algo o para indicarle que las cosas debían hacerse así o asá, y nunca para ofrecer colaboración o esfuerzos. Los estancieros eran muy ricos, pero a Sarmiento le resultaban improductivos. El presidente quería impulsar la agricultura y sugirió alambrar los campos como había visto que se hacía en los Estados Unidos, pero los ganaderos rechazaron una propuesta tan extravagante. Los porteños medios parecían ilustrados, pero Domingo comprobó que eran superficiales: tenían solamente una información periodística y no leían libros ni podían profundizar ningún tema. Solían ser recién llegados, sin tradición ni sabiduría, sin contacto con el pasado y temerosos del futuro. A medida que las dificultades políticas lo acosaban, el cuyano acentuaba su desprecio hacia esta clase de personas y, simultáneamente, percibía que este sentimiento era recíproco, insuperable y de larga data. Una noche, conversando con sus nietos mayores, resumió esta relación hablándoles de un personaje de la sociedad, apellidado Ocantos.

—Cuando yo vine a Buenos Aires, pobre, sanjuanino y feo, Ocantos era buen mozo, rico, secretario del Senado, y me despreciaba. Luego fui senador, ministro, y seguía despreciándome.

Después fui gobernador, embajador y ahora presidente. Y fíjense, Ocantos sigue despreciándome.

Uno de los pocos reconocimientos que recibió le llegó de los deportistas ingleses del Buenos Aires Cricket Club, que lo designaron socio honorario de la institución. El presidente, a quien le gustaba remar en su isla del Tigre, les agradeció la deferencia de puño y letra, destacando que el mundo moderno le debía al pueblo británico la continuación de la tradición griega de cultivar los valores físicos a la par de los espirituales.

Domingo llegó una noche a su casa y, muy divertido, les contó a su hermana Rosario, a su hija Faustina y a sus nietos, las alternativas de una visita que había realizado esa tarde al manicomio de la ciudad. Al recorrer el establecimiento, notó que los internados, reunidos en el patio, hablaban entre sí mientras lo miraban. Finalmente, uno de ellos avanzó hacia él como si hubiera sido comisionado por los demás y le dio una singular bienvenida:

—¡Al fin, señor Sarmiento, entre nosotros...!

Domingo reía con sus familiares y éstos no podían saber si había alguna exageración en la anécdota.

Desde las fronteras interiores del norte, en el Chaco, o del sur, los indios realizaban incursiones sobre las estancias y turbaban la paz de esas zonas. Robaban ganados, se llevaban cautivas, perturbaban las tareas rurales y hacían inseguros los caminos. Sarmiento trató de reforzar los fortines y, a la vez, firmó tratados con varios caciques ofreciendo grados militares y alimentos, a cambio de paz. En una oportunidad, el hijo del cacique Calfucurá lo visitó con una delegación de aborígenes del sur, acompañado por su lenguaraz. Como el mandatario ordenó que se abrieran las ventanas del despacho, el jefe hizo preguntar al intérprete sobre esa medida:

—Dígale —explicó el presidente— que los indios tienen un olor a potro insoportable para nosotros...

—Contéstele que los cristianos huelen a vaca y eso es desagradable para los indios —replicó el cacique.

Al conocerse en Buenos Aires la noticia de que un incendio había destruido casi totalmente la ciudad de Chicago, Domingo pensó inmediatamente en Ida. Le escribió al profesor Wickersham preguntando por la suerte corrida por su hermano y cuñada pero, antes de recibir respuesta, llegó una carta de su joven amante:

Querido amigo:

Le escribo desde Chicago o, mejor dicho, desde lo que ha quedado de esta ciudad que fue grande y hermosa. La totalidad de la zona norte, la mayor parte del sur y parte del oeste fue destruida por el fuego hace hoy una semana. A las 12 de la noche huimos del hotel Saint James y durante toda esa noche espantosa estuvimos en el terreno contiguo al lago, en las vías ferroviarias, en el rompeolas, rodeados de llamas, menos por ese costado, en medio de un remolino de polvo y ceniza. A las 9 de la mañana huí hacia el ferrocarril para escaparme del fuego y corrí por las vías, expuesta al peligro constante de que el viento, fortísimo, me soplara al lago. Pero vivo, gracias al cielo, aunque usted no puede imaginarse los horrores que hemos sufrido ni toda la destrucción que vemos. Ahora estoy en Wabash Avenue y, mirando hacia el norte, sólo vemos ruinas, pues se calcula que 20.000 edificios se quemaron. Perdí todo excepto algunos de mis vestidos y mi marido perdió su consultorio, su biblioteca, casa, carruaje, trineo, etc.

Vuelvo ahora a Waukegan, Illinois. Por favor, escríbame allí. ¡Tanto tiempo sin recibir carta suya! Yo le he escrito todos los meses, desde que usted se fue. Será un consuelo para mí, ahora que estamos arruinados, saber que usted me recuerda, a mí y a su amada Chicago.

El gobernador de San Luis le hizo saber que en la iglesia de San Francisco del Monte se había encontrado un dintel de algarrobo, sobre el portal, con la siguiente inscripción: "*Unus Deus, Una Ecclesia, Unum Baptisma,* D.F.S.". Añadía que los viejos pobladores, sabiendo que el actual presidente de la Nación había vivido allí una temporada hacía 46 años, le habían comentado sobre la existencia de ese mensaje con sus iniciales y quería recordarle tal circunstancia en la confianza de que le resultaría grato.

Al recibir la comunicación, Domingo se dejó llevar por las añoranzas y recordó a su viejo y querido tío, el presbítero José de Oro. También reflexionó sobre el significado de la leyenda que había grabado sobre la viga de la capilla y, al responder la carta del mandatario puntano, le manifestó:

Le daré a usted el sentido histórico de la inscripción de los maderos. ¡Triste cosa! Estas tres unidades quieren decir: ¡intolerancia religiosa!, y son la protesta que mi tío consignaba allí contra lo expresado en la Carta de Mayo, la primera Constitución provincial con declaración de derechos y garantías, promulgada en 1825 por el gobierno de don Salvador María del Carril. El presbítero Oro estaba emigrado en San Francisco del Monte, y al reparar el templo destruido por un rayo, me dio aquellas palabras con encargo de grabarlas en un arco natural de tres curvas perfectamente iguales que hacían un madero y debía rematar el coro, montado sobre gruesos pilares de algarrobo. Dos años después yo andaba peleando contra el sentido de la inscripción grabada por mis manos en San Francisco del Monte de Oro.

Se inauguraba la estatua a Manuel Belgrano y Sarmiento garrapateó la noche anterior unos apuntes de discurso. Al día siguiente buscó la bandera federal que había encontrado en casa de Rosas después de la batalla de Caseros y partió con ella al acto. Al hacer uso de la palabra, explicó lo que significaba el estandarte de Belgrano y luego sacó teatralmente de entre sus ropas la enseña oscura de la dictadura:

El pendón negro con sus gorros sangrientos —dijo—, *que en los Inválidos de París recuerda como trofeo la ruptura de la cadena con que Rosas intentó amarrar la libre navegación de los ríos, no es, por fortuna, nuestra bandera. ¡La bandera celeste y blanca, Dios sea loado, no ha sido atada jamás al carro de ningún vencedor de la Tierra!*

Y con una cadencia especial, casi como si recitara un poema, concluyó:

En nombre del pueblo argentino
abandono a la contemplación de los presentes
la estatua ecuestre del general Belgrano
y lego a las generaciones futuras,
en el duro bronce de que está formada,
el recuerdo de su imagen y de sus virtudes.
Que la bandera que sostiene su brazo
flamee para siempre
sobre nuestras murallas y fortalezas,
a lo alto de los mástiles de nuestras naves
y a la cabeza de nuestras legiones;
que el honor sea su aliento,
la gloria su aureola,
la justicia su empresa.

Escuchó los cerrados aplausos todavía transportado por su propia oratoria. Aquellos pocos momentos de satisfacción, cuando tenía la completa seguridad de que sus palabras e ideas habían resumido los sentimientos de los presentes, lo compensaban de tanta incomprensión y contrastes sufridos en el ejercicio del gobierno.

Se encontraba ya en su quinto año de período presidencial y su administración no encontraba paz ni tranquilidad. Después de haber estado exiliado en Uruguay y Brasil, Ricardo López Jordán invadió Entre Ríos con sus partidarios, calificando a las autoridades nacionales de tiránicas y absolutistas. El gobernador entrerriano pidió ayuda al gobierno nacional y Domingo reaccionó de inmediato: decretó el estado de sitio y organizó una expedición militar de diez mil hombres con el designio de aniquilar a los rebeldes. Presentó un proyecto destinado a premiar con cien mil pesos a quienes entregaran la cabeza del cabecilla sedicioso y dispuso que el propio ministro de Guerra dirigiese las operaciones. Pero, tal como había sucedido a principios de su mandato, las maniobras eran lentas y difíciles: Sarmiento se impacientaba y la oposición calificaba de inepto al oficialismo. "Esta guerra va haciéndose tan vergonzosa como la anterior —se quejaba el propio ministro de Guerra—. Llevamos siete meses en templar guitarras y no hemos logrado sino sólo diez muertos."

Para colmo, las acciones rebeldes llegaron hasta la propia capital. Un sábado a la noche, Domingo partió en coche por la calle Maipú hacia la casa de los Vélez Sarsfield. Al cruzar la esquina de Corrientes, se oyó una fuerte detonación, y el cochero, advirtiendo que algo anómalo sucedía, azuzó a los caballos y aceleró la marcha del carruaje. Debido a su sordera, el presidente no percibió el episodio y llegó con toda inocencia a casa de Aurelia.

A los pocos minutos, se presentó allí el jefe de Policía quien, todavía alterado, contó los pormenores del fallido atentado contra Sarmiento: dos jóvenes hermanos italianos, armados con un trabuco y un puñal envenenado, habían sido apresados al huir del lugar y confesaron su delito. El trabuco había reventado por exceso de pólvora al ser usado y había herido en el brazo al agresor. Los terroristas, apellidados Guerri, habían llegado como marineros de un barco de carga tres días antes y habían sido contratados en Montevideo para realizar el ataque. El cuchillo había sido cubierto con sulfato de estricnina y las balas con ácido prúsico, para hacer que cualquier herida fuera mortal.

El atentado conmovió al país, pero no amilanó al presidente.

Tres meses después, el sanjuanino se ausentó en barco hacia el Litoral, para visitar el escenario de la lucha contra los subversivos y tratar de acelerar la campaña. Al llegar a Rosario a bordo del vapor *Emilia,* hizo probar unas nuevas ametralladoras contra las barrancas del Paraná, que alcanzaron también a algunos edificios. En Paraná repitió la operación con el propósito de intimidar a los rebeldes, pero también logró que algunos vecinos protestaran y los sectores opositores acentuaran sus calificativos de "loco" y "desaforado". A los pocos días, López Jordán era vencido en las batallas de Don Gonzalo y Las Talitas y volvía a refugiarse en el exterior.

Pasó el último verano de su presidencia en su isla de Carapachay, disfrutando del fin de la rebelión y de la placidez del Delta. Estaba muy sordo y empezó a pensar que, después de su mandato, la falta de oído le dificultaría el ejercicio de otro cargo público. Le escribió a Pepe Posse confiándole sus impresiones:

Querido Pepe:

La guerra terminó, esta vez, como en Ñaembé, como en Luján, como en Caucete, el día en que yo las tomo de mi cuenta, agotados los generales en inútiles esfuerzos.

He pasado un mes en las islas, uno de los más serenos y activos de mi vida. Levanto una casita, planto un jardín, navego, y vuelvo con entusiasmo a mis sueños juveniles. Es posible que me quede por ahí, si logro como espero hacerme la residencia más bella que estos lugares puedan proporcionar. No me sobra dinero para tener coche y casa montada en Buenos Aires. No vuelvo a San Juan por tu experiencia por allí.

No quiero viajar ni legaciones.

Tengo árboles colosales, bote, vapores de tránsito y tendré lo que constituye la vida rural, civilizada y real sin mucho dinero con esperanza de ganarlo, con sus productos, y sobre todo vivir tranquilo, y según mis gustos.

¿Qué hay en Tucumán que pueda engalanar la isla, en plantas o enredaderas? Mándame semillas, pues otro sistema costaría algo, y eso entra en el plan evitar siempre que se pueda. Si pescas un loro manso y hablador no haría mala figura.

Mil recuerdos a tu mujer e hijos y cuenta con tu amigo,

Sarmiento

Posse le respondió:

A fin de mes se pondrá en viaje tu loro. Vas a recibir un animal más racional que los racionales; puedes conversar con él: no te rías. Habla, canta, pide lo que desea. Recién creo lo que dicen Darwin y Clemencio Roger de esa especie. Destápate los oídos, para sorprenderte de lo que te diga de mi parte tu loro.

Tu amigo,

Posse

Al acercarse las elecciones de renovación presidencial de 1874, tres candidatos se perfilaban para suceder a Sarmiento: el vicepresidente Adolfo Alsina era postulado por los autonomistas porteños; Bartolomé Mitre representaba al liberalismo mitrista; y Nicolás Avellaneda, ministro de Educación, era el hombre propulsado por la unión de liberales sarmientistas y ex urquicistas del interior, ahora llamados nacionales.

Domingo había presentado un proyecto propiciando el voto secreto y el sistema de circunscripción uninominal, pero la iniciativa fue rechazada por el voto en contra de los legisladores alsinistas y liberales del interior. Como el presidente, además, había adoptado la modalidad de enviar tropas nacionales a los lugares donde había elecciones, el mitrismo lo acusaba de propiciar el fraude a través de estos "procónsules". Sarmiento se defendía sosteniendo que los jefes militares solamente controlaban el desarrollo de los comicios y habían prestado juramento de no mezclarse en las luchas electorales, pero la oposición redoblaba su desconfianza y acusaciones.

Al efectuarse las elecciones de diputados nacionales, los mitristas sostuvieron que el autonomismo les había arrebatado el triunfo mediante el fraude en la provincia de Buenos Aires y llamaron a una gran concentración de protesta. Alsina, sin embargo, hizo llegar la siguiente propuesta a Avellaneda: lo apoyaría en la elección presidencial a cambio de la aprobación en el Congreso de los diplomas de los diputados autonomistas acusados de fraudulentos.

Como había ocurrido hacía seis años en la anterior elección presidencial, Adolfo Alsina actuaba de árbitro y se aseguraba la vicepresidencia, esta vez con Mariano Acosta en la fórmula triunfante.

Sellada la alianza y proclamada públicamente, el mitrismo se mostró indignado por considerar que significaba la convalidación del fraude perpetrado en las elecciones para diputados nacionales.

Al realizarse los comicios presidenciales, triunfó la fórmula Avellaneda-Acosta. Pero en Buenos Aires, al igual que en San Juan y Santiago del Estero, venció el mitrismo y esto hizo pensar que no iban a confirmarse los diplomas de los diputados cuestionados. Avellaneda, luego de algunas dudas, cumplió su parte de las promesas y el Congreso Nacional confirmó el ingreso de los legisladores alsinistas.

Sintiéndose burlados y vulnerados, los liberales mitristas resolvieron volcarse a la revolución y pidieron al general Mitre que encabezara el movimiento. Los diarios hablaban del inminente levantamiento y el Club Constitucional, mediante un manifiesto, incitó a la rebelión.

El loro llegó de Tucumán pero no habló por un buen tiempo, por lo cual Sarmiento telegrafió a su amigo: "Tu loro es un animal".

A las semanas llegó la contestación de Posse:

Tucumán, agosto 31 de 1874

Mi querido Sarmiento:

Te he mandado una maravilla con el loro que tratas tan injuriosamente de animal. Aquí los loros habladores valen dos y tres pesos, y debía ser un portento ese que tienes cuando he pagado $25 por él.

Sucede siempre que al cambiar de clima, de naturaleza y de objetos y personas desconocidas les viene el mutismo. Mi hija Manuela llevó dos loros muy habladores que cayeron en una profunda pena: uno murió de melancolía, y el otro al año recién recobró el habla.

Si has conservado enjaulado al loro, has hecho una barbaridad. La prisión es la mitad de su silencio. La jaula no fue sino un accidente de transporte. Es necesario que lo hagas dormir adentro mientras haga frío. Para que esté libre y contento hazlo colocar en una estaca clavada en la pared: así se ha criado. No le den cosas grasosas a comer. Pan mojado en agua, papas hervidas, pero frías, naranjas y semillas de zapallo, dándoselas pegadas al corazón de la fruta para que él las extraiga; todo eso es su alimento favorito. Cuando recobre su alegría y su lengua le pedirás perdón de rodillas por haberlo tratado de animal.

Tuyo,

Posse

Veinte días antes de la transmisión del mando presidencial, los jefes militares de Azul y San Luis se declaraban en rebeldía y lo mismo hacían los comandantes de dos cañoneras. El director de *La Prensa,* José C. Paz, dejaba los editoriales del diario para sumarse al proceso y Bartolomé Mitre también abandonaba la pluma en *La Nación* y marchaba hacia Colonia, preparándose a asumir el mando de los insurrectos.

Aunque la sedición era un hecho anunciado, Sarmiento se sintió herido en lo más profundo. Mitre me atormentó durante la presidencia —pensó— y ahora quiere arruinarme el acto final.

El ejercicio del gobierno lo ha desgastado, pero la rebelión le hace surgir energía. Declara el estado de sitio y dirige una proclama al pueblo de la república:

Os denuncio el delito no sólo de conjurarse contra el país, anonadando su crédito, destruyendo su riqueza y amenazando ferrocarriles, telégrafos y todos los beneficios de la civilización, sino otro crimen que nos cubrirá de vergüenza: la traición a la amistad para llevar adelante planos inicuos.

Redacta mensajes a los gobernadores y a los jefes militares y escribe artículos para los diarios adictos *El Nacional* y *La Tribuna,* mientras decreta la clausura de *La Nación* y *La Prensa.*

Le informan que el general Arredondo se ha rebelado en San Luis e intenta dirigirse con sus tropas a Córdoba. Se instala entonces en la oficina del telégrafo y dirige un cable a Villa Mercedes al general Teófilo Ivanowsky, jefe de esa región militar: "Arreste a Arredondo".

Pero el sublevado se ha adelantado y manda a su vez a intimar rendición a Ivanowsky. Como éste se resiste, los amotinados lo matan a tiros y bayonetazos.

Domingo, febrilmente, sigue enviando telegramas a los jefes rebeldes, haciéndoles saber que "no se limpiarán la sangre de Ivanowsky con que sus asesinos los han salpicado" e intimándolos a someterse a las autoridades constitucionales. Aunque hubieran existido fraudes —argumenta—, éstos no justifican las sediciones contra un gobierno legal.

Irritado, molesto por la acción subversiva que ha alterado al país aunque las acciones no hayan llegado hasta Buenos Aires, Domingo vive sus últimos días como presidente con indignación. Responde a los argumentos revolucionarios de Mitre con una diatriba de treinta y seis páginas contra éste, que publica por entregas en *La Tribuna.* Lo fulmina como escritor, como militar, como presidente y como periodista y lo califica como un típico generalote sudamericano aspirante a dictador. Pero este demagogo —sostiene— sólo cuenta con el apoyo de sus ex ministros y sus generales orientales, pues hasta sus hermanos y su cuñado Julio de Vedia se mantienen fieles a su deber.

El 11 de octubre de 1874, Sarmiento dicta un decreto que reitera la intimación a rendirse a los militares facciosos y, por la noche, vuelca toda su rabia y decepción en una charla con Aurelia. Al día siguiente, en medio de una intensa lluvia que baja la temperatura y hace intransitables las calles, entrega la banda y el bastón a su ex ministro Nicolás Avellaneda. Mortificado, dolido, le dice a su sucesor que en realidad no existe una verdadera revolución porque no hay un pueblo revolucionario. Todo consiste —exagera con amarga ironía— en que un general de la Nación no se ha presentado arrestado en el cuartel del Retiro, pese a la orden superior.

19

SORDO Y SENADOR
(1874-1883)

A los tres días de haber dejado la presidencia, Sarmiento volvió a la Casa de Gobierno a conversar con su sucesor. La sordera lo hacía sentirse disminuido y por ello no había aceptado ser embajador en Brasil, pero tampoco pensaba quedarse retirado en su casa sin hacer nada. Las dificultades del gobierno habían agregado arrugas a su frente y endurecido su ceño, pero sus ojos encendidos mostraban todavía la energía de los tiempos productivos. Quería dirigir las obras de finalización del parque de Palermo, erigido en las tierras que habían sido de Juan Manuel de Rosas, y las del Arsenal Naval de Zárate, ambas iniciativas de su administración. Conversó sobre esto con Avellaneda y además lo instó a ser duro con los rebeldes, siguiendo los pasos que él había adoptado. Al finalizar la entrevista, el presidente lo interrogó:

—¿Qué puedo hacer, don Domingo, para asegurar su futuro?

—Con un edecán que me sirva de secretario y franquicia para mi correspondencia, estoy servido.

Como Avellaneda insistió en que pidiera algo para él, Sarmiento le solicitó que requiriera al Senado su ascenso a general. El mandatario sonrió porque conocía la debilidad de su antecesor y, a los pocos días, cumplió con todo lo solicitado. La Cámara de Senadores, sin embargo, no trató la petición de acuerdo.

Para calmar sus inquietudes políticas, Domingo empezó a publicar artículos en *La Tribuna,* condenando severamente a los amotinados contra el gobierno constitucional. La iniciativa de ascenderlo a general había provocado numerosas bromas en la prensa, particularmente en los periódicos humorísticos *El Mosquito* y *Antón Perulero,* este último dirigido por Martínez Villergas, el autor del *Sarmienticidio.* El sanjuanino contestó con una nota larga, en la que enumeraba sus méritos militares y detallaba los grados que había obtenido.

La víspera del Día de los Muertos, dirigió en La Recoleta el traslado de los restos de Dominguito desde el panteón de la familia Varela hasta uno construido al efecto. Colocó sobre el féretro una banda con los colores patrios y una corona de hojas de plata y caminó por las calles interiores del cementerio transido de dolor, como si los años no hubieran pasado. Lo acompañó una quincena de familiares y amigos íntimos y, ni siquiera por esa circunstancia, quiso hablar ni comunicarse con su ex esposa. Avellaneda y su mujer, Carmen Nóbrega, intentaron un acercamiento a través de un almuerzo en su casa para ambos, pero el cuyano no quiso saber nada.

Mitre desembarcó en la playa atlántica del Tuyú y se puso al frente de los tres mil quinientos hombres sublevados por el general Rivas, con los cuales inició la marcha en dirección hacia Buenos Aires. Su propósito era esperar en los alrededores de la capital a las fuerzas rebeldes del general Arredondo, que venían desde San Luis.

Sin embargo, tropas leales al mando del coronel José Inocencio Arias vencieron a Mitre en La Verde y éste capituló, asumiendo la responsabilidad del alzamiento. A su vez, Arredondo fue derrotado en Santa Rosa por el coronel Julio Argentino Roca, quien fue ascendido a general en el propio campo de batalla.

Domingo celebró los acontecimientos en artículos para *La Tribuna* y le escribió a Pepe Posse comentándole los hechos:

Mitre ha sido derrotado por un cadete. Su estado mayor se componía de quebrados y sus filas de periodistas. Estamos esperando a Roca, quien tenía hoy una conferencia con Arredondo para terminar la guerra sin más sangre. Creo que estamos al comienzo de una buena situación. Los nuevos caudillitos se quedaron haciendo figuras de cuadrillas en el sur, lo que ha salvado en La Verde la repetición de alguna Madura.

Se fue a su casa en el Delta para pasar el verano. Una amiga que lo visitaba le pidió que le anotara en un álbum algunas líneas sobre su vida. El cuyano garrapateó:

Nacido en la pobreza, criado en la lucha por la existencia, más que mía de mi patria, endurecido a todas las fatigas, acometiendo todo lo que creí bueno y coronada la perseverancia con el éxito, he recorrido todo lo que hay de civilizado en la Tierra y toda la escala de los honores humanos, en la modesta proporción de mi país y de mi tiempo; he sido favorecido con la estimación de muchos de los grandes hombres de la Tierra; he escrito algo bueno entre mucho indiferente; y sin fortuna, que nunca codicié, porque era bagaje pesado para la incesante pugna, espero una buena muerte corporal, pues la que me vendrá en política es la que yo esperé y no deseé mejor que dejar por herencia millares en mejores condiciones intelectuales, tranquilizado nuestro país, aseguradas las instituciones y surcado de vías férreas el territorio, como cubiertos de vapores los ríos, para que todos participen del festín de la vida, del que yo gocé sólo a hurtadillas.

Desde allí, al mes, volvió a escribir a su amigo tucumano:

Mi querido Posse:

He dado una fiesta veneciana en mi isla, con la que se mostraron sorprendidos agradablemente los centenares de concurrentes. Vivo en ella y gozo en hacer bagatelas y crear belleza, olvidando que estoy en este mundo. Tengo ya treinta variedades de cactus y he encontrado al fin el que tiene flores rosadas.

La pacificación ha sido tan completa que fastidia.

Tuyo,

Sarmiento

Regresó de Carapachay fatigado por la inacción y sufrió un fuerte resfrío que acentuó su sordera. Combatía el hastío yendo todos los días hasta Palermo, donde recorría los terrenos a caballo, vigilando el rellenamiento y controlando la siembra de plantas. A Posse le había escrito diciéndole que "la flora argentina debe estar representada en el parque y Tucumán es nuestro jardín. Por ello debes enviarme sus flores y árboles: cebiles, pacarás, cedros y palos borrachos". De vez en cuando, viajaba también hasta Zárate, para visitar las obras del Arsenal Naval.

En esos días murió Vélez Sarsfield. Aurelia lloró la muerte de su padre y Domingo sintió la pérdida doblemente. En primer lugar por ver tan triste a su amada. Y además, porque si bien había considerado a don Dalmacio algo astuto y desaprensivo para la política, era uno de los pocos amigos con quienes nunca se había peleado y lo admiraba por su saber jurídico.

Decidió escribir una biografía de Vélez Sarsfield y comenzó a redactarla. La iniciativa alegró a Aurelia, quien siguió viviendo en la casa paterna con su hermana Rosarito. Domingo, como lo hacía desde siempre, continuó visitándola en su casa todas las noches.

Desde París, su nieto Augusto le envió los primeros ejemplares de la nueva edición del *Facundo,* para la cual el mismo Domingo había escrito un prólogo en los últimos días de su presidencia. Sarmiento abrió uno de los volúmenes y leyó con fruición:

El autor combatió por las armas y por la prensa a Rosas, hasta firmar en Palermo, con la propia pluma del dictador, en su casa, el parte de la batalla de Caseros, que acabó con su poder. En aquella contienda escribió la vida de Quiroga, persiguiendo y caracterizando en él, la lucha de la civilización y la barbarie. Combatió a Urquiza y desmoronó su poder, hasta hacerlo entrar en las formas del gobierno regular, y destruyó al Chacho, a quien venció en batalla, siendo gobernador de San Juan.

El autor y militar que durante treinta años tuvo tan conspicua parte en la destrucción de estas tiranías populares, emprendió al mismo tiempo la tarea de educar al pueblo, y se ha hecho el más notable, casi el apóstol de la educación popular.

Como los romanos en el consulado, se ha preparado para la presidencia de la Nación, pasando por todos los empleos: concejal municipal, senador, ministro, gobernador, coronel y enviado diplomático a tres repúblicas, entre ellas Estados Unidos, donde su nombre es conocido como hombre dado a la educación del pueblo y reputado a la par de Emerson, Mann y otros que han sido sus amigos.

En la política interna ha introducido principios y prácticas de orden que aseguran la tranquilidad pública contra las eternas revoluciones americanas; y electo presidente de la Nación ausente a tres mil leguas, baja de la presidencia de la República respetado por sus adversarios, amado de los suyos y estimado por todos.

La lectura le sonaba tan grata a su vanidad, que Domingo se iba haciendo a la idea de que era realmente un tercero quien le prodigaba estos elogios. Al terminar el prólogo, el cuyano se sentía de mejor ánimo y, con gran satisfacción leyó unos párrafos del texto de *Facundo*.

Con los ahorros que había efectuado de su sueldo de presidente, su administrador Manuel Ocampo le compró una casa en la calle Cuyo 53. Sarmiento, que nunca se había preocupado mayormente del dinero y ni siquiera había tenido conciencia de su situación patrimonial, se entusiasmó con la idea de vivir en casa propia. Su hermana Rosario y su hija Faustina prepararon los baúles y dirigieron la mudanza.

Era una morada amplia, de una sola planta, con dos patios y un fondo con parral, que a Domingo le recordaba los jardines de su San Juan. En el primer patio había una sólida araucaria y en el segundo un aljibe. Un mirador se levantaba antes del fondo y, rodeando los dos patios, se encontraban diez habitaciones en las que se ubicaron, además del dueño de casa, Rosario y Faustina, los cinco nietos Belín Sarmiento: Julio, Elena, Eugenia, Emilia y María Luisa. El mayor, Augusto, estaba estudiando en París. El sanjuanino colgó en la sala uno de los cuadros que más lo atraía, *Galileo frente a la Inquisición,* y en el portal reprodujo sobre las paredes unas pinturas pompeyanas de la casa de Livia. Eugenia, que había recibido lecciones de pintura en Chile con Raymundo Monvoisin y su tía Procesa Sarmiento de Lenoir, instaló su taller en un desván.

Su abuelo, que se consideraba un pintor frustrado, se enorgullecía con los progresos de Eugenia y la alentaba en su quehacer artístico.

Recibió una carta de Benita, reclamándole porque se le había dejado de pagar la suma de $200 mensuales provenientes de su sueldo de presidente. Su ex esposa le hacía saber que si no se reanudaban las entregas, iniciaría un nuevo juicio por alimentos o solicitaría al Congreso una pensión en su carácter de madre de un ex combatiente muerto en la guerra contra el Paraguay.

Domingo se indignó contra lo que consideró un procedimiento extorsivo. A las pocas semanas hizo un testamento, declarando su heredera absoluta a su hija natural Faustina. Adjuntó al documento la misiva de Benita, "amenaza de escándalo para arrancarme dinero", haciendo constar que estaba excluida de la herencia por haberse separado hacía catorce años y por poseer mayor fortuna que él mismo.

Recibió carta de Ida haciéndole saber que se había divorciado del doctor Wickersham y que debía empezar a trabajar para poder sostenerse. Domingo se dio cuenta de que las dificultades que había afrontado durante sus años en la presidencia, más la presencia constante de Aurelia, habían enfriado su entusiasmo por la bella señora norteamericana. Reflexionó también que él tenía ya 64 años e Ida 34 y esa diferencia de edad se acentuaba por la distancia geográfica y por su sordera. Le contestó su misiva, pero pensó que sería muy difícil que pudieran verse nuevamente.

La Legislatura sanjuanina designó a Sarmiento senador nacional por esa provincia. Domingo dudó en aceptar porque su falta de oído no iba a permitirle participar adecuadamente en los debates, pero finalmente juró el cargo.

Al mes de su ingreso al Senado, el cuerpo empezó a debatir una iniciativa del presidente Avellaneda tendiente a conceder una amplia amnistía a los revolucionarios mitristas del año anterior. El flamante senador, que ya en *La Tribuna* se había opuesto a esta medida de perdón, integró la comisión de negocios constitucionales que emitió un dictamen restringiendo el alcance del olvido propuesto.

Ya en el recinto, Sarmiento expresó que, vigente ya la Constitución, no podía admitirse la injerencia del ejército en las cuestiones civiles porque, como había dicho George Washington, el gobierno de los militares es un despotismo absoluto.

El otro senador por San Juan era Guillermo Rawson, mitrista, quien señaló que tanto el gobierno de Rosas como el de Sarmiento habían sido despóticos y abusivos y por ello habían levantado grandes resistencias. Por eso, argumentó, en aras de la unidad nacional debía concederse una amnistía generosa a quienes habían recurrido al levantamiento o la rebeldía. Manuel Quintana opinó en igual sentido y la votación confirmó este criterio, en medio de un gran desorden de la barra que obligó a levantar la sesión.

Domingo se retiró vencido y ofuscado y, al llegar a la puerta, el público adicto al mitrismo comenzó a insultarlo y vejarlo. Durante dos cuadras, los jóvenes le gritaban "chancha renga", "loco", "asesino" y "canalla", mientras lo seguían y hostigaban con silbidos. Algunos intentaron golpearlo y, mientras era defendido por un militar, el ex presidente se sacó el sombrero y les gritó: "Están insultando a mis canas".

En la sesión siguiente, Sarmiento presentó un reclamo por estas agresiones por considerar que se habían violado sus privilegios parlamentarios.

Lo que me aflige —expresó— es ver jóvenes que están estudiando; jóvenes de quince y veinte años, que tienen el coraje de esperar a un senador nacional a la salida del Congreso de la Nación, para hacerlo pasar como por una carrera de baqueta; jóvenes que me interrumpían el paso y que puestos en mi presencia, mirándome, me hacían el saludo de un silbo, una risotada o una burla. Y yo pregunto: ¿En qué país estamos? ¿A qué tiempo hemos llegado? Yo podría decirle a alguno de estos jóvenes: Venga, hijito, a mi lado; hablaré con usted. ¿Qué edad tiene? Vea la mía; está usted sano, fuerte y robusto, y yo soy anciano, hasta sordo soy; tengo eso además que me impide hasta oír bien las injurias que me dirigen.

Ante el silencio de la barra, señaló que no iba a ceder ante la violencia:

Si las voces de reprobación, si los gritos que se dan, si la fuerza del número, que pesa sobre mí principalmente, son medios de coacción para hacerme pensar como desean los que piensan en contra de mis ideas, yo diré a los que tengan la posibilidad de hablar con esos jóvenes, que no conocen la historia. Yo soy don Yo, como dicen, pero este don Yo ha peleado a brazo partido veinte años con don Juan Manuel de Rosas y lo ha puesto bajo sus plantas, y ha podido contener en sus desórdenes al general Urquiza, luchando con él y dominándolo. Todos los caudillos llevan mi marca. Y no son los chiquillos de hoy día los que me han de vencer, viejo como soy, aunque dentro de muy pocos años la naturaleza hará su oficio

Conmovido pero férreo, terminó su discurso definiéndose a sí mismo:

He querido que la barra me oiga una vez, que vea toda la libertad de que soy capaz. Y es una pérdida para el país, que ustedes encadenen y humillen y vejen a este espíritu, que ha vivido sesenta años, duro contra las dificultades de la vida; que ha sufrido la tiranía, que ha sufrido la pobreza que ustedes no conocen, y las aflicciones que puede pasar un hombre que no aprendió en la escuela sino a leer, y que desde entonces viene abriéndose camino con el trabajo, la honradez y el coraje de desafiar las dificultades. Hablo así para que vean que es inútil silbarme o aplaudirme; de los aplausos hago poco caso, porque soy a ellos poco meritorio —y quisiera hablar con muchas personas que me aplauden, a ver si saben y entienden qué es lo que alaban—, y con los silbidos sucede lo mismo

Aunque el Senado rechazó el pedido de formar una comisión investigadora, sus palabras impactaron y al salir fue incluso vitoreado por algunas personas. Pero el sanjuanino ni siquiera las miró y, refunfuñando, subió a un coche y se fue a su casa.

Al reanudarse el debate de la amnistía, Rawson volvió a atacar a Sarmiento, diciendo que los abusos que había cometido decretando el estado de sitio e interviniendo en las provincias habían provocado la reacción y rebeldía del mitrismo. Recordó también que, siendo gobernador de San Juan, había aprobado el asesinato del Chacho Peñaloza.

Al otorgarse la palabra a Domingo, éste manifestó que debido a su sordera no había podido oír la exposición de Rawson, por lo cual solicitaba el levantamiento de la sesión para poder leer la versión taquigráfica y luego responder. Ante las sonrisas generales, el pedido fue concedido. Al día siguiente, Sarmiento afirmó que su gobierno se sometió a la ley y la Constitución. Y en relación con el Chacho, sostuvo que si bien él se había alegrado de su final, los verdaderos responsables de su muerte eran Mitre, que había ordenado hacer una guerra de policía, Rawson, Paunero, Arredondo e Irrazábal.

Durante un cuarto intermedio, los dos legisladores contendientes coincidieron en un pasillo y alguien mencionó la circunstancia de que eran comprovincianos:

—Los sanjuaninos somos así —bromeó Sarmiento—. Cuando nos encontramos después de un tiempo nos saludamos cruzando un par de chicotazos.

Al votarse el fondo del asunto, triunfó la posición de Rawson y se concedió una amnistía amplia y generosa a los rebeldes.

El gobernador de la provincia de Buenos Aires, Carlos Casares, le propuso hacerse cargo de las tareas de director general de Escuelas, simultáneamente con sus labores como senador nacional. Domingo aceptó de buen grado, pues significaba continuar con las faenas que había iniciado 20 años atrás, en un ramo tan querido como el educativo. Podría fundar varias escuelas y tratar de hacer efectivas las prescripciones de la reciente Constitución de la provincia, que establecían que el Estado impartiría educación gratuita y que los padres estaban obligados a enviar a sus hijos a la escuela.

En la mañana del 11 de noviembre de 1875, se inauguraba en Palermo el parque Tres de Febrero, fecha que conmemoraba la derrota de Rosas —ex propietario de esas tierras— en Caseros. Hasta ese día la prensa adversa a Domingo criticaba la iniciativa, recordando que Guillermo Rawson, con su autoridad médica, sostenía que ese lugar era insalubre. *La Nación* recordaba que la presidencia del sanjuanino había dejado un enorme déficit económico, sueldos y pensiones impagas, y le reprochaba haber gastado millones en secar esos pantanos para que él pudiera "plantar palmeras y hacerse de tigres, leones, conejos y mulitas". Añadía que sólo una personalidad funesta y extravagante como la de Sarmiento podía haber hecho esos gastos fabulosos en alamedas y estanques, montañas artificiales, cascadas y colecciones de animales.

Domingo había defendido su proyecto en *La Tribuna* y, en carta a Posse, le había comentado que tenía "diez caimanes para alborotar a la gente, además de un tigre para que se coma a Oroño".

A pesar de las críticas, o quizá por ellas mismas, Domingo disfrutó con la fiesta de inauguración y se paseaba orgulloso y dicharachero por los jardines. No solamente había sido el autor de la iniciativa y el director de las obras, sino que también había participado en la elaboración de los planos, la siembra de árboles y plantas, la construcción de casillas para los animales y el tendido de carpas para la fiesta inaugural. La mañana era soleada pero todavía fresca y los invitados y el público recorrían los jardines y almorzaban en los quioscos de bebidas y comidas, que servían vituallas a precios razonables. En una de las mesas un grupo de jóvenes comió y bebió en forma abundante y, en tono de broma, envió la cuenta a Domingo, en su carácter de presidente de la Comisión. Con su habitual chispa, Sarmiento la mandó de vuelta luego de escribir la siguiente aceptación: "Conforme: páguese con los fondos destinados a la manutención de los animales".

A los cuatro meses se inauguró también el Arsenal Naval de Zárate, de modo que Domingo quedó con sus ocupaciones de senador nacional y director provincial de Escuelas, además de redactar artículos para *La Tribuna.* Su sordera le dificultaba la participación en los debates legislativos y le acarreaba burlas y sonrisas maliciosas, por lo que se sentía mejor expresando sus opiniones en las notas periodísticas.

El senador Nicasio Oroño —liberal mitrista y adversario constante de Sarmiento— presentó un proyecto que propiciaba que si el Poder Ejecutivo decretaba el estado de sitio o intervenía una provincia durante el receso del Congreso, debía comunicar el hecho al Parlamento dentro de los primeros diez días de la reanudación de las sesiones. Al justificar su iniciativa, Oroño expresó que durante la presidencia de Domingo se había decretado el estado de sitio para sustituir gobernadores y se cometieron abusos combatiendo y hasta ejecutando a los opositores en las provincias.

Debido a su sordera, Sarmiento pidió un plazo para contestar, de modo de poder leer primero las acusaciones. En medio de las burlas habituales, se le concedió el cuarto intermedio.

Al reanudarse la sesión, el sanjuanino dijo que su gobierno debió haber sido juzgado en su momento y no entendía por qué se lo atacaba permanentemente a tenor de toda cuestión. Se opuso al proyecto de Oroño y atacó vivamente a su autor, calificándolo de "chusma", "ignorante", digno sobrino de "Estanislao López, ese caudillo pardo y degollador".

Oroño volvió a afirmar que Sarmiento también había ordenado fusilamientos y degüellos y, durante cuatro días, los senadores debatieron sobre el alcance de las facultades del Poder Ejecutivo y se insultaron recíprocamente en forma despiadada.

El proyecto fue rechazado y el cuyano, en carta a Posse, le comentó:

El discurso de Oroño fue como una segunda edición del de Rawson, pero no corregida sino hecha en papel de estraza y con tipos torcidos y babosos. Con Rawson sentí que un cirujano me operaba con bisturí, con mano culta y profesional. Con Oroño, en cambio, era un cuchillo de desollador de saladero, lo que sentí correr por mis costillas.

También le agradecía a su amigo el envío de unos deliciosos quesos con ají de Tafí del Valle:

Cuando recibo uno de estos emisarios de Tucumán, expresión genuina de tu cariño, me abstengo de darte las gracias con encarecimiento por miedo de que la oposición me atribuya el torcido propósito de inducirte a mandarme otro. Pero como me anuncias uno en camino, sin esperar a que el ferrocarril llegue a tus puertas, no puedo contener por más tiempo los impulsos entusiastas de la gratitud de mi estómago, que aplaude, haciéndose (como tú lo experimentabas con las empanadas de San Juan) agua la boca.

El presidente lo invitó a integrar la comitiva que lo acompañaría a Tucumán, para inaugurar la línea ferroviaria que uniría Córdoba con aquella ciudad. Partió con gusto para allá y la locomotora que encabezaba el convoy fue bautizada *Sarmiento,* por haberse iniciado durante su mandato la construcción de ese emprendimiento.

Al escribir el *Facundo,* Domingo había descripto las bellezas naturales de la provincia sin conocerlas: "Es Tucumán un país tropical donde la naturaleza ha hecho ostentación de sus más maravillosas galas". Al aproximarse el tren a la ciudad, Domingo comprobó que no había exagerado y quedó deslumbrado por los naranjos con azahares, verdes cañaverales y la tropical exuberancia de las montañas que veía hacia el oeste.

Una multitud los esperaba en la estación. Como parte de la recepción oficial, el director del Colegio Nacional, José Posse, se dirigió a su viejo camarada con estas palabras: "Señor, entremos ahora en la ciudad. Os guía de la mano el amigo de más de treinta años, el hermano de afectos, el depositario íntimo de las confidencias de vuestro corazón".

Se alojó en la residencia de Posse, en el propio Colegio, al lado de la iglesia de la Merced. Participó de buen humor en bailes, banquetes y excursiones. Aunque era muy celebrado y el público se arremolinaba en su domicilio a la mañana y lo acompañaba en sus visitas, se sentía a veces celoso de que Avellaneda fuera el centro de las ceremonias.

Habló en la inauguración del ferrocarril Central Córdoba, recordando que sus vínculos con Tucumán se habían estrechado por haber sido la provincia víctima de las tropelías de Facundo Quiroga. Por eso su libro sobre el bárbaro caudillo riojano —expresó— fue una reivindicación para este suelo. Recordó también su relación con los tucumanos Crisóstomo Alvarez, Posse, Nicolás Avellaneda y con Julio Roca, a quien siendo presidente había dado su primera comisión arriesgada. Cuando necesité ministros, agregó, Tucumán me dio dos: Avellaneda y Uladislao Frías. Recomendó seguir enseñando a leer para que los trenes tuvieran carga, dado que para los pueblos lejanos la industria inteligente es la única salvación.

Asistió a una clase de Historia Natural y, mientras el profesor explicaba las funciones de los dientes, Sarmiento preguntó a los alumnos:

—¿Para qué les sirven los incisivos a las mujeres?

Como nadie supo contestar, él mismo proporcionó la respuesta:

—Para cortar el hilo cuando cosen.

La familia Nougués lo invitó a visitar el ingenio San Pablo y allí fue agasajado con un almuerzo. Al saborearse las empanadas, se habló sobre las distintas formas de prepararlas en cada provincia y se opinó acerca de cuáles eran las mejores: si las tucumanas, las cordobesas, las sanjuaninas o jujeñas. Domingo habló a los postres y dijo que esa discusión había sido un trozo de historia argentina, pues mucha de la sangre que se había derramado había sido para defender cada uno su empanada. Sería bueno —concluyó— que al lado del sacrosanto amor a nuestro terruño, tengamos indulgencia para los demás. Amemos, señores, la empanada nacional, sin perjuicio de saborear todas las empanadas.

Amaneció un día con las piernas hinchadas y un médico le dijo que su corazón estaba grande. Se preocupó, pero trató de no magnificar el tema.

López Jordán volvió a rebelarse en Entre Ríos y grupos mitristas amenazaban con sublevarse en varias provincias. Aunque el caudillo entrerriano fue derrotado en pocos días, el presidente Avellaneda, que también estaba acosado por problemas financieros y dificultades de todo tipo, decidió buscar algún alivio político. Se reunió con Bartolomé Mitre y Adolfo Alsina y surgió así la llamada "política de la conciliación". Dos personalidades mitristas y nuevos autonomistas se incorporaron al gabinete y la oposición bajó de inmediato el nivel de críticas y ataques en la prensa y los clubes.

Sarmiento, sin embargo, expresó su disconformidad con estas alternativas. Manifestó en el Senado que el arte del buen gobierno consistía en que hubiera oficialismo y oposición, además de libertad electoral para todos, de modo que el pueblo pudiese elegir y decidir. Al presidente le dijo que ese acuerdo iba a beneficiarlo inicialmente, pero que tendría un final incierto puesto que representaba la derrota de la autoridad y el triunfo de la anarquía.

Un grupo de jóvenes dirigentes del autonomismo, también descontentos con la conciliación, fundó el partido republicano y buscó a Domingo como mentor, pero el emprendimiento no mostraba demasiado vigor.

La conciliación, empero, facilitó los arreglos parlamentarios del gobierno y el Senado prestó acuerdo al pedido de ascenso a general a Domingo Faustino, efectuado tres años atrás por Avellaneda. Domingo quedó muy satisfecho, pero los periódicos adversos renovaron sus mofas hacia lo que consideraban presuntuosidades militaristas de Sarmiento. *El Mosquito* lo presentó en caricaturas grotescas, vestido con uniforme de general y con charreteras desmedidas. El *Antón Perulero,* a su vez, lo hizo objeto de bromas hirientes.

El entusiasmo por su grado de general, poco le duró a Domingo. Decepcionado por el acercamiento entre Avellaneda y Mitre, molesto por su sordera que le traía incomodidades y burlas, iba poco a las sesiones del Senado y volvió a escribir artículos en *El Nacional*. Viajó a Córdoba a visitar a Aurelia, que pasaba allí una temporada acompañando a su hermana Rosarito, quien estaba enferma y buscaba mejor clima. Le escribió a Pepe Posse, con quien compartía los desalientos humanos y políticos:

No he sido feliz en la elección que me impuso la juventud irreflexiva y hoy estoy aislado y taciturno. La necesidad me ha impuesto vivir fuera de mi casa paterna, y mi sordera y la enfermedad a la garganta me retraen de frecuentar la sociedad.

Tenemos tú y yo que atravesar el más penoso retazo de camino, con la falta de objetivos, las enfermedades y el peor de todos los males del espíritu: el desencanto. El mío lo es del país como elemento de desarrollo, y del pueblo como materia progresable.

Consolémonos como podamos y cuenta con la amistad de

Sarmiento

El problema de límites con Chile volvió a agravarse. El presidente Avellaneda había rechazado el acuerdo preliminar de 1874 y, luego de varios años de negociación, se firmó otro en 1878. Pero esta vez fue el Congreso chileno quien lo desconoció y la prensa de ambos lados de la cordillera retomó su lenguaje agresivo. Avellaneda convocó a una reunión de notables (Sarmiento entre ellos) y luego el Senado trató el tema en reunión secreta. Domingo publicó también una serie de notas en *El Nacional,* en las que analizó documentos coloniales que demostraban que la cordillera de los Andes había sido el límite entre el Virreinato del Río de la Plata y la Capitanía General de Chile. Sostenía por eso que Chile no podía aspirar a la totalidad del estrecho de Magallanes ni a la Tierra del Fuego, como tampoco a la Patagonia. Negociadores chilenos y argentinos volvieron a firmar un acuerdo de *statu quo* o *modus vivendi* por diez años, pero una vez más fue rechazado por ambos Parlamentos. Félix Frías dijo entonces en la Cámara de Diputados que él no era partidario de la guerra, pero que todo país que se respeta recurre a ella cuando es el único medio de defender su honra mancillada. Domingo contestó a su viejo amigo en *El Nacional,* afirmando que "para poder decirse contrario a la guerra es necesario no andar creando casos de honra, que nuestro propio gobierno ha reputado casos comunes de lesión u ofensa, discutibles y reparables por medio de explicaciones, como lo hacen todas las naciones civilizadas".

Al aproximarse el fin de la presidencia de Avellaneda, dos candidatos a sucederlo se perfilaban en el panorama político: el joven general Julio Argentino Roca, ministro de Guerra y figura en ascenso, concitaba el apoyo de los avellanedistas y de la mayoría de los gobernadores del interior; a su vez Carlos Tejedor, gobernador de la poderosa provincia de Buenos Aires, nucleaba al mitrismo y a los pocos autonomistas que todavía apoyaban la alicaída política de la conciliación.

En esos días renunció el ministro del Interior y el presidente sorprendió a la opinión pública, nombrando en ese cargo a Domingo Faustino Sarmiento. Se interpretó que Avellaneda buscaba tonificar al gobierno incorporando a una figura prestigiosa y enérgica, que garantizase la pureza de las libertades electorales.

Domingo, que se sentía desplazado y desalentado, sin horizonte ni futuro político, recibió su designación con alegría y entusiasmo. En su intimidad albergaba el deseo de volver a ser presidente, aunque sólo había confesado esta intención a Pepe Posse y alguno que otro allegado. El nombramiento como ministro lo alentó en esta intención, ya que pensaba que ni Tejedor ni Roca estaban en condiciones de obtener la presidencia y que él mismo podría ser un magnífico candidato de transacción.

Renunció a su cargo de senador nacional (poco concurría al recinto últimamente) y de director de Escuelas de la provincia para asumir el ministerio. Eufórico, le telegrafió a Posse:

El potro amuja las orejas. Se tranquilizará, reconociendo a su viejo amo. Habrá gobierno.

Decidió actuar de inmediato, atacando tanto a Tejedor como a Roca. El gobernador de Buenos Aires se encontraba preparando una fuerza militar para oponerse a la federalización de la ciudad de Buenos Aires, ya que el gobierno nacional había anunciado el propósito de hacerla capital de la República. El ministro del Interior le envió entonces una severa carta recordándole que las provincias no podían organizar ejércitos y se inició entre los dos funcionarios una polémica epistolar violenta y agresiva, llena de recriminaciones recíprocas. Tejedor mencionó que Santa Fe y Entre Ríos alistaban fuerzas para apoyar la candidatura de Roca y expresó que la cuestión capital era una distracción sobre el tema verdaderamente importante, que era la libertad electoral. A su vez, Sarmiento afirmó que la nación era superior a las provincias y envió un proyecto al Congreso que establecía el derecho exclusivo de los poderes federales para organizar y convocar a las guardias nacionales.

Después de 41 años de destierrro, el tucumano Juan Bautista Alberdi regresaba al país. A partir de la violenta polémica que sostuvieron en Chile, Sarmiento lo había odiado y, durante su presidencia, mantuvo la acusación por traidor a la patria que se le había formulado a Alberdi por haberse opuesto a la guerra del Paraguay.

Al enterarse de su retorno, sin embargo, Domingo decidió dejar de lado el antiguo encono. Pensó que más de 40 años de ostracismo eran suficiente castigo para las faltas del tucumano y decidió enviar un edecán al puerto, el día de su arribo, para que lo saludara en su nombre.

Al día siguiente, Sarmiento estaba en su despacho con Félix Frías y le avisaron que Alberdi había llegado, para devolverle su atención. Se abrió la puerta y el cuyano vio entrar a ese hombre delgado, fino, delicado, ahora de cabello blanco y arrastrando un poco los pies, con quien había coincidido tanto primero y luego se habían sacudido mandobles por doquier. El ministro del Interior, todavía corpulento y rudo, abrió sus fuertes extremidades e invitó:

—Alberdi, a mis brazos...

Los viejos luchadores se abrazaron y las lágrimas asomaron a sus rostros. Luego Alberdi se estrechó con Frías, quien también se emocionó. Hacía más de treinta años que habían compartido el exilio en Chile y la suerte de los tres había sido disímil.

Al general Julio Roca, Sarmiento intentó debilitarlo tratando de desbaratar la liga de gobernadores que lo apoyaba. En Jujuy se había producido una crisis y dos figuras políticas buscaban ser reconocidas como el legítimo gobernador. Una de ellas respondía al roquismo y el ministro del Interior envió un proyecto de ley propiciando la intervención a la provincia para reponer a "las autoridades legítimas", lo que significaba que Jujuy quedaría sustraída a la órbita de Roca. Después de firmar este proyecto, Domingo se retiró a descansar el fin de semana en su isla de Carapachay.

Pero he aquí que los diputados roquistas y tejedoristas decidieron unirse en contra de Sarmiento, con el objetivo de hacer saltar a un ministro que estaba perfilándose peligroso para ambos grupos. Reunieron a la Cámara en día domingo y aprobaron la ley de intervención, pero cambiando el término de "autoridades legítimas" por el de reposición de "autoridades constituidas", a la vez que rechazaron la prohibición a las provincias de convocar a guardias nacionales. Este acuerdo implicaba un triunfo para cada bando y el rechazo común hacia el ministro político.

El lunes, al cabo de un mes y cinco días como ministro, Sarmiento vuelve de su refugio isleño y, desairado y prácticamente burlado por las dos fuerzas políticas, renuncia al ministerio. Después, se presenta desencajado en la Cámara y pide ser escuchado como ministro renunciante, pues todavía no ha sido designado su sucesor.

Tengo tal vez sólo una hora para informar, porque quizás en ese lapso ya haya sido designado mi reemplazante —expresó emocionado y casi incoherente por la indignación—. Pero lo hago para salvar al país de una trampa en que ha caído y de la que sólo un hombre puede salvarlo: Domingo Faustino Sarmiento.

Explicó que había aceptado ser ministro para tratar de desarmar a las provincias y para evitar que una liga de mandatarios provinciales impusiese su fuerza en los comicios.

Hay —recalcó en forma dramática— *una liga de gobernadores. Tengo en mis manos las pruebas y las voy a hacer pedazos. Sí señores, hay una liga de gobernadores que ha hecho fracasar la acción honrada y legítima del ministro del Interior.*

Se acabaron las contemplaciones. Tengo las manos llenas de verdades (agitó unos telegramas que se habían cruzado los gobernadores) y las voy a desparramar a todos los vientos.

Creo que ésta será la última vez que hable delante de una asamblea; puede decirse que es de ultratumba que lanzo la palabra, porque quizás a esta hora seré suprimido como ministro, y quiero que esta vez los jóvenes que vienen después de nosotros, los viejos, que hemos luchado treinta años, oigan la palabra y crean a un hombre sincero, que no ha tenido ambición nunca, que nunca ha aspirado a nada, sino a la gloria de ser en la historia de su país, si puede, un nombre, ser Sarmiento, que valdrá mucho más que ser presidente por seis años o juez de paz en una aldea.

Alterado, amargado, Domingo sale del Congreso y se dirige al diario *El Nacional*. Los labios le tiemblan, agita su bastón y tiene la corbata desarreglada. Le saltan las lágrimas de rabia y no puede aceptar la vergüenza que estos bastardos políticos le han infligido. Estalla en una carcajada nerviosa y marcha a su casa. Su hermana y su hija lo reciben sobresaltadas y lo hacen acostar.

Al día siguiente, los diarios opositores condenaron a Domingo. *La Pampa* afirmó que su discurso parecía la alocución de un loco del manicomio y *La Prensa* expresó: "Sarmiento ha sido y será un tremendo polemista. Busca con desesperación al enemigo, lo crea y lo ataca con ardor y con gozo. Quería pelear, peleó y fue vencido. Su conducta ha sido escandalosa y es un testimonio irrecusable de decadencia y despecho".

También lo acusaron de haber obtenido los telegramas de los gobernadores en forma fraudulenta: se los había proporcionado uno de sus nietos, a quien el sanjuanino había hecho designar semanas antes como jefe de Correos y Telégrafos.

En la intimidad, Roca se regocijó con el traspié y la dimisión de Sarmiento. El cuyano —dijo— pensó que todo el mundo se iba a inclinar ante su soberbia, pero se vio burlado por su inmensa vanidad y su rabia. Es un ególatra demente, cuyo sable ya no corta, que debió retirarse como pantera herida e impotente. He vencido al viejo crápula y desagradecido —se ufanó—, sin saber yo nada de historia, leyes ni constituciones.

Por consejo de su hermana Rosario, su hija Faustina y Aurelia, decidió tomarse una breve temporada de descanso en Jesús María, Córdoba. Antes de partir le escribió a su hermana Paula, quien vivía en San Juan:

Mi querida y olvidada hermana:

Voy a descargarme de un enorme peso sobre mi conciencia de no escribirte alguna vez, precisamente porque eres la que más necesitabas del afecto de tus hermanos, ya que las enfermedades y tantos incidentes desgraciados han hecho una parte obligada de tu existencia. Perdónamelo.

La atenuación que puedo dar es que apenas escribo a nadie y que mis cartas escasean en casa, pues teniendo a Rosario aquí y leyendo las que con frecuencia recibe, sé de la salud de todos. Celebro que estés restablecida de tu última enfermedad. Como tú y yo vamos adelantados en el camino de la vida podría decirte que entre sastres no se pagan costuras.

Sé que lees mucho en cuanto a mí se refiere y estarás más al corriente que yo de lo que a mí me concierne, pues no siempre soy yo el más informado, según veo en los diarios mismos. A veces soy candidato inevitable a presidente. Quince días después nadie habla de ello, para volver a resucitar dos meses después, de manera que mi ocupación es caer y levantarme para volver a caer. Ahora, mientras escribo, siento que me van levantando; pero pienso irme a la sierra de Córdoba unos días, a fin de que no me encuentren cuando llegue el momento de caer.

No he querido irme sin pagar este tributo a los recuerdos de familia, pues en cartas debo a cada santo una vela.

Cuenta siempre, a pesar de mi silencio, con el inolvidable afecto de tu hermano

Domingo

Volvió de Jesús María renovado y optimista sobre sus posibilidades presidenciales, hasta el punto de ignorar, o al menos no importarle, los riesgos de una caída. En marzo de 1880, le escribía a Posse:

Quiero pedirte que trabajes con mis amigos de Tucumán por mi candidatura, allanando tú desde el gobierno las dificultades que a ella se opongan. Roca es un general joven sin prestigio suficiente, ni en el ejército ni en Buenos Aires. En lo que a mi candidatura se refiere, es moral, es digna, es decente y popular. Soy la autoridad para todos, la Constitución restaurada, la ley, la fuerza. Roca no es un vínculo de unión y soilo yo; él no es hombre de pensamiento y yo pretendo serlo. Trátase entonces de asegurar en cada provincia el nombramiento de electores que me sean favorables.

Pocos días después, el grupo de jóvenes que había formado el partido republicano repudiando la política de la conciliación, proclamaba en el teatro Coliseo la candidatura de Sarmiento. Aristóbulo del Valle, Lucio V. López, Miguel Cané y Delfín Gallo eran sus propagandistas. Domingo cerró el acto, señalando que su programa consistía en consolidar el gobierno representativo adoptado por las naciones civilizadas de Europa y Estados Unidos; y propender a que los pueblos se adaptaran a las formas de gobierno aceptadas y no las formas de gobierno a las aptitudes de la población.

Pero no había lugar ya en la opinión pública para esta opción. Algunos diarios hablaron del "viejito pendenciero" en tono de broma y *La Libertad* mencionó la avanzada edad de Sarmiento para aspirar a un nuevo período. Domingo respondió con una carta a Adolfo Saldías, periodista de este medio, señalando que cuando no había elecciones todos hablaban de la lozanía del cuyano y del vigor de sus ideas; pero cuando se avecinaban los comicios, sus adversarios se acordaban de su vejez y sus chocheras.

Una noche, cenando un puchero de gallina, su nieto Augusto le comentó que se había encontrado en la calle con un conocido que le había prodigado grandes loas al abuelo.

—Si me elogia tanto —comentó tajantemente Domingo—, es porque no me votó ni va a votarme.

Desde Tucumán, hasta el viejo y fiel amigo Pepe Posse le hizo saber que su pedido había llegado tarde, pues ya se había comprometido a apoyar a Roca, pensando precisamente que era el candidato mejor mirado por el sanjuanino.

Los compromisos contraídos y la palabra de honor empeñada —explicaba— *son vínculos que no se desatan fácilmente. Además no te hagas ilusiones de contener la disolución de la nación, cuya relajación ha empezado desde Buenos Aires, ese pueblo estéril, seco de sentimientos nacionales, sin virtudes cívicas. No comprendo cómo fomentas esperanzas de ser bien acogido por esos hombres sin alma, olvidando que no te dejaron gober-*

nar un solo día en paz, calumniado y denigrado sin tregua por su prensa infame.

A pesar de todo, Sarmiento quería presentar batalla. Pero sus amigos y jóvenes sostenedores lo disuadieron y, en vísperas de las elecciones, su candidatura fue retirada. El 11 de abril Roca vencía en todas las provincias, salvo Buenos Aires y Corrientes.

Después de los comicios, la tensión entre Carlos Tejedor y el gobierno nacional se agravó. El resultado electoral (que Tejedor calificaba de fraudulento) se mezclaba con el tema de la nacionalización de la ciudad de Buenos Aires, resistida por los bonaerenses. Un choque armado parecía inminente y un grupo de amigos entrevistó a Tejedor para pedirle que recapacitara y evitara los derramamientos de sangre. Domingo, que había compartido el exilio en Chile con el gobernador de Buenos Aires, asistió también a la reunión. Tejedor se mostró flexible y dijo que renunciaría a sus pretensiones a la presidencia si es que Roca hacía lo mismo y aceptaba que el Colegio Electoral eligiera a un tercero potable para todos.

Sarmiento se entusiasmó nuevamente con esta posibilidad y dos de sus partidarios, Aristóbulo del Valle y Manuel Ocampo, viajaron a Córdoba para convencer a Roca. El tucumano les dijo allí que a pesar de que tenía los electores necesarios, la fuerza y la razón, estaba dispuesto a sacrificar su triunfo y renunciar a su candidatura, apoyando la de Sarmiento, en favor de la paz.

Roca y Tejedor se reunieron a bordo de la cañonera *Pilcomayo,* en el Tigre, con el objetivo de lograr un arreglo, pero Tejedor no aceptó la candidatura transaccional de Sarmiento y el intento conciliatorio fracasó. Ese mismo día, los dirigentes de la Bolsa de Comercio y la Sociedad Rural convocaron a una manifestación en favor de la paz: miles de personas, encabezadas por los viejos dirigentes políticos como Mitre, Sarmiento, Alberdi, Rawson, Vicente Fidel López y Félix Frías, desfilaron hasta la Casa Rosada —donde el presidente Avellaneda los recibió— y luego hasta la sede del gobierno bonaerense.

La sangre, sin embargo, iba a llegar al río. Tejedor atacó con sus tropas al gobierno nacional y Avellaneda trasladó su administración a Belgrano, desde donde resistió con las armas. Cuando la suerte de la lucha resultaba favorable al sector nacional, una comisión mediadora pidió nuevamente a Roca que resignara su candidatura en favor de Sarmiento, pero aquél respondió que ya era demasiado tarde y que sus partidarios querían que se respetara la decisión de los comicios.

Roca fue elegido presidente por el Colegio Electoral y, vencido el gobernador bonaerense en los choques bélicos, se completó el proceso de capitalización de la ciudad de Buenos Aires. Tejedor renunció a su cargo y Buenos Aires, con nuevas autoridades, se incorporó de hecho a la liga de gobernadores controlada por Roca.

El 12 de octubre de 1880, el joven general Julio Argentino Roca asumía la primera magistratura de la Nación. Las ilusiones presidenciales de Sarmiento quedaban desvanecidas. El viejo luchador estaba a punto de cumplir los 70 años y el país estaba gobernado por hombres más jóvenes, no solamente una generación menor como Nicolás Avellaneda, sino también por contemporáneos de sus propios nietos.

Domingo se fue a pasar el verano a su isla pero, en enero, le llegó una buena noticia. Roca le ofrecía el cargo de presidente del Consejo Nacional de Educación, un organismo que se ocuparía de las escuelas de la ciudad de Buenos Aires que, con la federalización, habían pasado a depender de la nación. Asumió de inmediato la función, que debía compartir con nueve vocales consejeros entre los que estaban Miguel Navarro Viola, Carlos Guido y Spano y Federico de la Barra.

Sarmiento detestaba a Navarro Viola, con quien había mantenido décadas antes una polémica literaria, y no reconocía méritos educativos a ninguno de sus colegas. Además, los años estaban acentuando su habitual temperamento de cascarrabias y cada vez se ponía más agresivo e intolerante. Por eso chocó de entrada con los consejeros y las relaciones empeoraban mes a mes. Cuando el sanjuanino pidió al Senado que no se proveyeran partidas para sueldos de los integrantes del Consejo, sus colegas se indignaron. También discreparon con el contenido de algunos artículos que, sin consultar, Domingo publicó en *El Monitor de la Educación Común,* órgano de la flamante repartición.

En esos días murió el padre de Onésimo Leguizamón, ministro de la Corte Suprema, con quien había compartido tareas militares en la lucha contra Rosas, hacía casi treinta años. Al evocar esos tiempos, el sanjuanino solía ponerse ahora algo más ecuánime:

Estimado amigo:

Asocio mis sentimientos a su duelo por la muerte de su digno padre, a quien conocí durante la campaña en el Ejército Grande, cuando yo era boletinero y él baquiano de la vanguardia.

Conservo, por cierto, gratos recuerdos suyos; fue mi amigo y le debo buenos servicios. Mis relaciones con Urquiza se habían entibiado a causa de ciertas críticas mías que sus adulones agranda-

ron. Yo no era mirado con buenos ojos por sus jefes, y el perro Purvis me blanqueaba los ojos, señal de que había dejado de ser persona grata a su amo, o que alguno de comedido, le azuzaba.

A pesar de esto, el ayudante Leguizamón venía con frecuencia a visitarme para hacer tertulia en el carretón de la imprenta volante, proporcionándome carne gorda y algunos vicios, pues habían empezado a sitiarme.

Era un oficial muy culto, inteligente, listo y resuelto.

Solíamos comentar mis boletines; naturalmente, como militar, fiaba más en la eficacia de la espada que en la pluma. Pero admiraba el brío del estilo, recitando con entusiasmo la página aquella del Pasaje del Paraná, *que al decir de muchos es de lo mejorcito que trazó mi pluma.*

A tantos años de aquellos días y borradas las desconfianzas que enardecieron mi disidencia, creo lealmente que el caudillo no se equivocó cuando me dijo: "Los unitarios no han hecho más que chillar en la prensa. Rosas está hoy más firme que nunca. ¡Habrá que pelearlo!"

Y no carecía de razón. Buenos Aires y el resto del país se habían acostumbrado al sistema de Dn. Juan Manuel. Fue necesario el filo de la espada del libertador para sacárselo de encima...

Sé que Urquiza distinguía a su padre, prueba segura de que no era ni un ñato, sinónimo de tonto, según su decir característico, ni mucho menos un flojo, pues nadie ignora que tenía por éstos el más bizarro desprecio. Toleraba a un pícaro con tal de que fuera guapo. En esa escuela del culto del coraje formó a sus orgullosos jinetes y con ellos venció a Rosas.

Acepte la expresión de los sentimientos de condolencia con que le acompaña su compatriota y amigo,

Sarmiento

A fin de año, el Consejo de Educación debía reunirse para elegir a su vicepresidente. Sarmiento no quería concurrir a la sesión porque sabía que iba a designarse a Navarro Viola, de modo que envió una nota explicando que debía ir a los lagos de Palermo a ubicar cincuenta peces carpas que acababan de mandarle desde Europa y que debían ponerse en el agua con premura. Los consejeros se ofendieron y remitieron una nota al ministro de Educación, denunciando que el cuyano era "un anciano que provocaba el escándalo público y que los había agraviado", aparte de haber hecho abandono de sus funciones sin causa justificada.

Domingo les respondió con una serie de artículos furibundos

en *El Nacional:* afirmó que uno de sus colegas era "un lugareño recién apeado del caballo" y sostuvo que otro, el tucumano Benjamín Paz, no había "puesto todavía los pies en un salón, por conservar mugrientos los cuellos, como cuando era colegial". También envió una nota de descargo al ministro de Educación pero, al no tener respuesta de éste, renunció a su cargo.

Ya desde el llano, continuó con sus ataques periodísticos y todos los consejeros y el propio ministro terminaron dimitiendo a sus puestos.

A las pocas semanas se reunía el Congreso Pedagógico, convocado para estudiar los problemas educativos, con el fin de que sus conclusiones sirvieran de antecedente a los legisladores que debían sancionar la ley de educación común. Sarmiento fue designado presidente honorario de la asamblea, pero no participó de sus deliberaciones. Desde las páginas de *El Nacional,* empero, trató de influir cotidianamente sobre los delegados, expresando que la ignorancia popular y el falso saber de las oligarquías gobernantes conspiraban contra el sistema democrático. Afirmó que el Estado debía sostener la educación, y que ésta no podía ser católica por la simple razón de que los impuestos eran pagados por gente de todas las religiones.

Los delegados católicos al Congreso, Pedro Goyena, José Manuel Estrada, Tristán Achával Rodríguez y el mismo Navarro Viola, combatían las posiciones del cuyano y éste les devolvía los golpes con creces: los calificó de "charlatanes y de explotadores que reviven las denuncias y persecuciones de la Inquisición".

Iniciado el debate en la opinión pública sobre educación religiosa o laica, que dividió al país y alcanzó alta temperatura, Domingo reingresó a la masonería y fue designado gran maestre para el período 1882-1885, con la secretaría de Leandro N. Alem, joven político que visitaba y admiraba al sanjuanino.

Al asumir la jefatura suprema de la masonería, Sarmiento afirmó que el objetivo de la institución era promover en la sociedad la tolerancia entre todas las religiones, apagando los tizones de las hogueras al difundir la idea de que la conciencia humana, al igual que la vida y la propiedad, no puede ser objeto de control por parte de los gobiernos.

Domingo se levantaba temprano y solía visitar el parque de Palermo, donde controlaba las plantas y los animales, incluidos los peces carpas, y disfrutaba con sus progresos. De regreso en su casa, leía los diarios y escribía sus artículos: los días de buen tiempo lo hacía en el segundo patio, junto a la sonora pajarera cuyos trinos sólo adivinaba, donde tenía un sillón y una mesa de mimbre; las jornadas más frescas trabajaba en su escritorio, rebosante de libros en anaqueles y en el piso, además de animales disecados, vasijas calchaquíes y un busto de Benjamín Franklin. En las paredes había retratos (uno de Darwin), recortes periodísticos, boletines, cartas; y las repisas más bajas estaban atestadas de periódicos, folletos y hojas sueltas en un singular desorden sólo accesible al sanjuanino y su nieto Augusto, que había regresado de Francia y empezó a oficiar de secretario.

Por las tardes, salía a hacer alguna compra: le gustaba visitar el mercado y adquirir buenas frutas, aunque los sabores de las uvas nunca igualaban a las de San Juan. Los vecinos lo veían pasar, caminando solitario, con levita, corbata y sombrero, que en verano alivianaba por Panamá o rancho de paja. Muchas veces hablaba solo y movía su bastón para todos lados, como si buscara algo o amenazara a los transeúntes. Al encontrarse con algún conocido, la trompetilla no le alcanzaba para oír bien y la charla se convertía en un monólogo: hablaba en forma pintoresca sobre sí mismo y apelaba a sus recuerdos, pues la sordera había acentuado su tradicional egocentrismo.

Por las noches visitaba a Aurelia y, antes de acostarse, volvía a leer o escribir un rato más. Además de las polémicas sobre el laicismo con los pensadores y políticos católicos, que habían fundado el diario *La Unión* para expresarse, empezó a escribir un libro que fuera el complemento del *Facundo* y explicara por qué, después de casi 30 años de vigencia de la Constitución, la democracia del papel no funcionaba todavía bien en los hechos y los gobernadores de provincia sustituían al pueblo en cada elección.

Pensaba que la población indígena estaba habituada al servilismo y que los españoles que colonizaron, provenientes de una sociedad donde imperaba la intolerancia religiosa de la Inquisición, tampoco tenían aptitud para el sistema representativo. La llegada de la inmigración italiana no había traído hábitos republicanos y, a su vez, los peninsulares querían conservar sus tradiciones y fundaban escuelas con la lengua del Dante. Todo esto explicaba —según iba redactando día a día el cuyano— la reaparición de males caudillescos que se creían conjurados con la adopción de una Constitución republicana y que respondían a razones más profundas que los simples accidentes del suelo, como él había explicado hacía casi 40 años en su biografía del Tigre de los Llanos. Esta cultura fuertemente autoritaria, tan arraigada en la América del Sur, solamente iba a ser superada si paulatinamente se iban incorporando a nuestra sociedad los elementos morales, industriales y científicos propios de la civilización norteamericana, sajona y protestante, que no había absorbido a los indígenas ni como siervos ni como socios en su cuerpo social.

Roca, seguro y magnánimo ya como presidente, volvió a demostrar su buena disposición hacia Sarmiento: promovió su ascenso a general de división, lo que llenó de orgullo al anciano sanjuanino. Pero los diarios y los periódicos humorísticos volvieron a zaherirlo con burlas donde ponían en duda sus antecedentes militares y se reían de su predisposición a los entorchados y su jocosa vanidad. Una caricatura lo mostró con su uniforme, ceño fruncido y gran espada en una supuesta carga de caballería, montado sobre un caballito de madera, hamaca para niños.

Diferentes órdenes religiosas extranjeras estaban estableciendo colegios dirigidos por monjas en el país, lo que preocupaba mucho a Domingo. Denunció en un artículo en *El Nacional* que estas mujeres inmigrantes, cuya aptitud nadie conoce, que vienen confabuladas, desde Irlanda, España u otros países, y movidas por fines económicos, habrán de apoderarse de "todos los colegios donde se paguen sueldos y de todas las escuelas públicas", dejando a nuestras maestras normales sin colocación. Estas abejas machorras —afirmó— vienen a comerse la miel de nuestra enseñanza; y nosotros no queremos alumnas que borden escapularios sino mujeres que puedan trabajar en el telégrafo, en la contaduría de las casas de negocio o en la vida intelectual como maestras, profesoras o estudiantes de los ramos más altos. Éste debe ser el resultado del laicismo en la educación femenina —auguró— que va a cambiar la faz del mundo.

Los periodistas de *La Unión* le contestaron fulminándolo con insultos y el cuyano partió a veranear a su isla, en medio de la tormenta política. Allí recibió los primeros ejemplares de *Conflicto y armonías de las razas en América,* que distribuyó luego por las provincias. La prensa no acogió bien el libro y algunos comentaristas calificaron a su autor de senil, agregando que la obra era incoherente y desprolija.

En pleno calor de enero viajó a Montevideo, a tomar exámenes en la Escuela de Artes y Oficios. Al finalizar las pruebas, que habían incluido también música, pronunció un elocuente discurso donde ironizó sobre el hecho de que se "hubiese elegido a un sordo como juez de los sonidos". Los estudiantes y las autoridades festejaban sus palabras y las extravagancias de su personalidad, ya que había pasado a ser una figura respetada y casi legendaria.

Lo llevaron al edificio del manicomio para ver desde su mirador un panorama de la ciudad y se alegró al encontrar en el jardín claveles amarillos, una variedad que le faltaba en el Tigre. La directora del hospital, una monja, lo invitó a visitar también el internado, pero Domingo bromeó:

—Eso no, hermana. Dicen que tengo propensión a la cosa y no sea que se me ocurra quedarme aquí.

Disfrutó de las carnes, verduras y cuajada uruguayas y fue a bañarse varias veces a la playa de Pocitos, adonde llegaba solo con un portatoallas y su recio bastón. Una tarde fingió caerse al agua desde una escollera y desapareció de la superficie. Varias personas afligidas se aprestaban a zambullirse para rescatarlo, cuando el anciano fortachón y ostentoso emergió a lo lejos, ante el aplauso y sonrisas de los presentes.

Dictó también una conferencia en la Escuela Normal de Mujeres, donde rememoró parte de su vida, señalando que durante cuarenta años se lo había tenido por loco y que sólo ahora, el presente gobierno argentino le estaba reintegrando sus títulos de cuerdo. Volvió al tema de las religiosas del Sagrado Corazón y de la Santa Unión que estaban instalándose en Buenos Aires, afirmando que con sus ropas amortajadas significaban una plaga para la educación, como el cardo negro y la filoxera eran una peligrosa peste para la agricultura.

Se alegró al encontrarse en la ciudad con Aurelia, quien regresaba de un viaje turístico a Río de Janeiro, y cenaron juntos en la confitería "La Oriental".

Al volver a Buenos Aires, *La Unión* lo recibió con un artículo que lo calificaba de payaso grosero, egoísta, viejito trucha y blasfemo, señalando que "había ido a Montevideo a hablar del cristianismo con irreverencia, con frases repugnantes de galantería senil".

Sarmiento contestó que él, como fundador de la primera Escuela Normal de América, estaba obligado a denunciar la mala hierba. Calificó de "lacayos" a sus oponentes y, como la nota de *La Unión* lo había acusado de no saber ser fiel a nadie, respondió: "No soy fiel a nadie porque no he estado nunca al servicio de nadie".

Mientras en el Congreso se debatía si la educación debía ser laica o católica, Domingo continuó con su campaña periodística en favor del proyecto gubernamental. Pero simultáneamente, sin embargo, empezó a puntualizar discrepancias con algunos aspectos de la administración de Roca: le disgustaba la idea de que quisiera imponer como su sucesor al gobernador cordobés Juárez Celman, que era su concuñado; y reclamaba mayor moralidad administrativa, ante algunas acusaciones que envolvían a allegados al presidente, entre ellos su hermano Ataliva.

Su amiga de la juventud, Merceditas Bari, le informó desde Los Andes que Jesús del Canto había muerto, dejando un legado de $2.000 para "su ahijada Faustina", según textualmente decía el testamento.

Como su hija estaba entonces en San Juan, Domingo le envió una carta comunicándole esta circunstancia. La noticia lo sensibilizó, removiéndole los recuerdos sobre su vida afectiva, hacía ya cincuenta años, en esa entrañable ciudad chilena.

Faustina encargó un par de misas para el alma de Jesús y, luego de meditar sobre el tema, mandó un poder a un abogado de Los Andes, instruyéndolo para que iniciara un juicio de filiación contra la sucesión de su madre, reclamando la mitad de la herencia en su condición de hija natural.

El ex presidente Nicolás Avellaneda publicó un artículo titulado "La escuela sin religión", en defensa de la educación católica. Domingo le contestó con otro titulado "La escuela sin la religión de mi mujer", aludiendo a la esposa de aquél, Carmen Nóbrega, a quien el cuyano llamaba "la beata". En carta a Posse, le comentó que Avellaneda buscaba el apoyo de la sacristía, para una nueva presidencia. "Cargue el diablo con él", sentenciaba.

En el fragor de los debates, se acusaba a Sarmiento de ser contradictorio, puesto que en 1856, como director de Escuelas de Buenos Aires, había dado instrucciones de que se hiciera rezar a los alumnos. Domingo explicó que lo había hecho simplemente porque la Constitución provincial así lo establecía y, en aquel entonces, todavía no regía en ese territorio la Carta Magna de 1853.

También se le cuestionó que en Chile, en 1844, hubiera traducido y difundido entre los estudiantes los libros *Vida de Jesucristo* y *Conciencia de un niño*. El sanjuanino contestó que su propósito fue precisamente reemplazar los textos religiosos terroríficos para las mentes infantiles, que sólo fomentaban el miedo al infierno en vez del amor a Dios. Paradójico resulta —acotaba— que los que tanto se ocupan ahora de imponer la religión en las escuelas públicas, no hayan sido capaces de producir un texto así. Además puntualizaba que él no estaba en contra de que se enseñara religión, sino que se oponía a que se lo hiciera en las horas de clase, pues como puede haber alumnos de otras confesiones eso atenta contra la libertad de conciencia y los derechos del hombre. En esos mismos días, Domingo publicó nuevas ediciones de aquellos libros y los distribuyó en Buenos Aires y San Juan. Paralelamente, sostenía que los feriados católicos eran impropios (pues agraviaban a los creyentes de otras religiones) y que las procesiones debían prohibirse, pues las calles eran de todos los habitantes.

20

LOS FUEGOS POSTREROS
(1884-1888)

A sugerencia de Sarmiento, el gobierno nacional aprobó la idea de buscar un acuerdo con Chile y otros países sudamericanos tendiente a efectuar en común la traducción y publicación de libros de autores universales. En enero de 1884, el presidente Roca firmaba un decreto encomendando esa misión oficial a Domingo Faustino y destinando $2.500 a sus gastos de viaje a Uruguay y Chile.

El sanjuanino partió de inmediato y, en Montevideo, se entrevistó con el presidente Máximo Santos, quien estuvo de acuerdo con el proyecto.

Desde allí se embarcó hacia Valparaíso, por la ruta del estrecho de Magallanes que, hacía casi cuarenta años, había cruzado en sentido contrario. Al avistar el océano Pacífico, Domingo sintió que la proximidad de las costas de Chile lo iba poniendo nostálgico: en ese querido país habían transcurrido sus dos exilios de la época rosista y allí habían nacido sus hijos Faustina y Dominguito; allí había sufrido y luchado y allí había escrito *Recuerdos de provincia* y el *Facundo,* este último el libro que le había abierto las puertas de la notoriedad en su patria y en el mundo.

Las aguas de la bahía de Valparaíso despedían reflejos verdosos que parecían querer fundirse con el cielo azul. Desde la cubierta, el sanjuanino advirtió que, sobre la terrosa corona de montañas, habían aumentado las casas rojas y amarillas que los inmigrantes europeos construían con chapa y madera.

Recordó la ansiedad que había sufrido mientras esperaba la repercusión del primer artículo que había publicado en *El Mercurio* sobre la batalla de Chacabuco y tomó un birlocho hasta Santiago. Los hijos de su amigo y favorecedor Manuel Montt, que acababa de morir, lo recibieron con afecto y hospitalidad y Domingo se emocionó al abrazarlos.

Se reunió con el presidente chileno, quien acogió la iniciativa argentina con benevolencia y lo trató con singular respeto, como si se tratara de una gloria de su propio país. Al cabo de unas semanas se firmó un convenio, que fue rubricado también por los embajadores de Uruguay y Colombia.

Al margen de estas gestiones oficiales, Domingo se reunió con antiguos amigos y conocidos y fue homenajeado en diversos ámbitos. Muchos chilenos ahora adultos habían aprendido a leer con su *Método Gradual de Lectura* y las autoridades de la Escuela Normal, que él había fundado y fue la primera de América, pusieron un busto suyo en el local, como testimonio de agradecimiento. Al pasear por la plaza de armas reconoció el grito de los aguateros y el aroma a empanadas en el portal de Sierra Bella.

Comió tanto pastel de choclo y porotos granados que se indigestó seriamente y un médico le ordenó hacer una dieta severa. Los hijos de Montt le mandaban cotidianamente pollo hervido, pero el cuyano le hacía agregar a hurtadillas "una puntica de cebolla", para darle sabor.

Aunque Sarmiento había sido de "lágrima fácil" desde joven, se notaba a sí mismo cada vez más sentimental, cosa que no le gustaba pues le recordaba que había cumplido ya 73 años.

Emocionado y sensible por tantos recuerdos y homenajes, recibió la noticia de la muerte en San Juan del marido de su sobrina Sofía Lenoir de Klappenbach, hija de su hermana Procesa.

Le escribió a la viuda para hacerle llegar sus sentimientos:

Mi querida y malventurada sobrina:

Sé por telégrafo lo ocurrido y apenas me queda resignación bastante para conformarme con la pésima distribución de los bienes y los males de la vida, pues a nuestra familia y en ella a los más débiles, les cabe la peor suerte en este momento en que la riqueza y la felicidad no excluye de sus favores a los malvados. Te recuerdo que yo he perdido mi único hijo varón, cuando empezaba a ser la gloria y esperanza de su patria. Fuera esto poco si no llevara ceñido a las carnes un cilicio en medio de tanta gloria, pues que tal son los aplausos y bienvenida con que me recibe el pueblo de Chile, a causa del bien que creen haber recibido de mí.

Yo sufro de la estrechez de mis recursos, que no he derrochado por cierto, sino que mis compatriotas me han medido con escasez. Soy el único argentino que ha mandado ejércitos quedando 30 años teniente coronel o simple comandante de escuadrón; fui separado de la educación pública para dar mi puesto al primero que se presentaba a servir a sus objetos políticos, dejándome sin medios adecuados para vivir. ¿Recuerdas que un día fueron qui-

tados de la educación, hija, hermanas y sobrinas, y se me negó una beca para el hijo de Clemente?

Y, sin embargo, sobrina, la América es testigo de que he sobrellevado tantos sufrimientos con ecuanimidad prestando a mi país los servicios que tiene derecho de esperar de mí.

No sé cómo he de proveer a las necesidades de tantas personas que me pertenecen y tú eres ahora una de ellas, pero podrás estar segura que compartiré privaciones y los recursos, con tal que me prometas tener la energía de no ceder ante las desgracias. Pienso en adelante consagrarme exclusivamente a la vida privada, pues la pública no me da medios de hacer frente a las necesidades de la vida.

No olvides que debes vivir para tus hijos. Queda entretanto muy afectado de tanta desgracia, tu tío

Domingo

Visitó a su antigua amiga Emilia Herrera de Toro, gran colaboradora de los exiliados argentinos, en su finca *Lo Aguila,* a quien entregó un testimonio escrito de agradecimiento de sus antiguos favorecidos.

Decidió regresar a Buenos Aires cruzando la cordillera, de tal modo de visitar en el camino las ciudades de Los Andes, Mendoza y San Juan. Para despedirlo, las autoridades y amigos de Santiago le brindaron un banquete, que el cuyano cerró con un cálido discurso. Bromeó diciendo que entre tantas cosas nuevas que había visto en la ciudad, se había sentido una verdadera "curiosidad arqueológica". En sus treinta años de ausencia habían crecido en Chile palacios suntuosos, que convivían con zonas muy pobres, y seguía pensando que el remedio para buscar una nivelación debían ser las escuelas, por las que siempre había luchado. Fui chileno, señores, os consta a todos —expresó— aunque me conservé argentino asumiendo la tarea de derribar al coloso del despotismo.

Partió en tren hacia Los Andes y en la estación lo esperaba una cálida multitud. Se alojó en la casa del doctor Ramón Meneses, uno de sus antiguos amigos, a dos cuadras de la plaza principal. Se emocionó al recorrer la ciudad, que hacía más de 50 años había sido el escenario de su primer exilio, de sus amores iniciales, del nacimiento de su hija y de su actuación como maestro. Se le cayeron las lágrimas al contemplar el edificio de la gobernación, donde funcionó el aula en la cual él había inaugurado la educación local. De sus alumnos de otrora sólo quedaban vivos tres, los cuales lo visitaron y recordaron juntos aquellos tiempos. Jesús del Canto y todas sus hermanas habían muerto ya, de modo que Domingo pidió a sus viejos amigos (entre ellos los Bari) que lo acompañaran a depositar una corona funeraria en el sepulcro familiar. Sentimientos de amor, gozo, frustración y dolor, se le agolparon en el pecho al evocar aquellos lejanos días, mientras en total silencio depositaba la ofrenda con su escueta leyenda:

Los Andes, abril 8 de 1884
Domingo F. Sarmiento
A la querida memoria de sus amigas Tránsito, Josefa, Carmen, Antonia, Rosario y Jesús del Canto Avendaño
Q.E.P.D.

Los estudiantes y profesores de las escuelas realizaron un acto de homenaje al ilustre precursor. Domingo agradeció la demostración, expresando que las manifestaciones que había recibido en Chile tomaban en Los Andes un tinte de familia, como si el hijo pródigo volviera al hogar después de largos años de ausencia. Recordó que en 1826, cuando era dependiente de comercio en San Juan, la llegada de las tropas desgreñadas de Facundo Quiroga fue para él su visión del Camino de Damasco: se dio cuenta en ese instante de que la barbarie que encarnaban esos soldados sólo podía corregirse mediante la educación. Por eso ciñó la espada para luchar por la civilización y, en las horas de reposo que significó el exilio, abrió escuelas para enseñar a las muchedumbres. Aquí y en Pocuro —añadió— fui real maestro de escuela. Dejadme ahora pues, que vuelva a atravesar la majestuosa cordillera, abrumado por la gloria de haber merecido el reconocimiento de los vecinos de Santa Rosa de los Andes, mi patria chilena.

A lomo de mula cruzó la cordillera, disfrutando de los imponentes paisajes como si fuera un jovencito. En Mendoza los niños de las escuelas lo homenajearon en el paseo de la Alameda y, en un teatro, se realizó una velada literaria en su honor. Allí se enteró de que la viuda de su maestro sanjuanino, Ignacio Rodríguez, había muerto repentinamente mientras preparaba un ramo de flores para enviárselo a él. Domingo asistió a su entierro y leyó el texto de la carta que, en 1849, había dirigido a Rodríguez desde Santiago para enviarle y dedicarle su libro *De la educación popular.*

Enterado de que en San Juan se había asesinado a un caudillo político y había un clima de conmoción, decidió no ir allí y pidió a sus hermanas que vinieran a visitarlo a Mendoza, para "comer uvas juntos y charlar sobre la familia". Pero tanto ellas como el gobernador sanjuanino insistieron en que viajara y lo convencieron.

Al llegar a su ciudad natal, de la que había salido amargado y desalentado veinte años atrás al renunciar a su cargo de gobernador, Sarmiento es recibido por una multitud que lo aplaude y lo aclama. Una banda de música toca el himno nacional y se escucha el tañir de campanas al vuelo. Domingo levanta los brazos y empieza a llorar. Aquí están enterrados sus padres y aquí vio por última vez a Dominguito. Quiere decir un discurso, pero sólo puede balbucear: "Sí, soy Sarmiento que he venido, que estoy entre vosotros. ¡Viva el pueblo de San Juan!".

Se aloja en su casa natal, donde vive Bienvenida. Tanto ella como Procesa y Paula están muy canosas y avejentadas. Con sus hermanas, sobrinos y parientes visita el cementerio e inaugura un sepulcro donde se ha colocado una sencilla cruz de madera que él había enviado desde Buenos Aires, con la siguiente inscripción: "A José Clemente Sarmiento y Paula Albarracín, su hijo Domingo".

Los amigos que quedan vivos, acompañados por los descendientes que quieren conocerlo o saludarlo, vienen a visitarlo. Llegan alumnos de varias escuelas, con obsequios de flores, que le hacen saltar lágrimas. Se realizan en su honor conciertos, veladas literarias y reuniones escolares. También una exposición de pinturas, en la que Domingo afirma que a los caudillos hay que combatirlos mediante el arte y la cultura.

Aunque en Buenos Aires se siente desplazado de la política, no reconocido debidamente y hostigado por muchos, Domingo vive en San Juan días felices y plenos de emoción. La directora de la Escuela Normal, la norteamericana Mary Graham, lo invita a la entrega de diplomas a las egresadas. A su vez, el gobernador le pide que presida la inauguración del nuevo edificio de la Casa de Gobierno. Allí pronuncia un discurso de rendición de cuentas a sus comprovincianos, que se agolpan para verlo, aplaudirlo, darle la mano, tocarlo y conocerlo, pues ya casi es una leyenda viva. Conmovido profundamente, Sarmiento se aleja del lugar entre sollozos.

Al día siguiente regresa a Buenos Aires y, al llegar a la estación ferroviaria, lo espera mucha gente para saludarlo. Se está difundiendo la idea de que Roca quiere imponer a su concuñado Juárez Celman como su sucesor y la figura de Sarmiento aglutina a algunos opositores.

Un mes después se sancionaba la ley 1.420, que establecía en el país la educación laica, gratuita y obligatoria. Los sectores católicos, sin embargo, no cesaron en su campaña y algunos obispos, como el de Córdoba, desacataron la ley y prohibieron a sus fieles que enviaran a sus hijos a las escuelas estatales. El prelado de Salta, a su vez, prohibía a las alumnas de la Escuela Normal el acceso a los templos.

Desatado el conflicto, el gobierno reaccionó con energía. Considerando que en virtud del derecho de patronato los obispos eran funcionarios del Estado y por tanto estaban obligados a obedecer sus disposiciones, se resolvió sancionarlos, a la par que se expulsaba del país al nuncio papal, por haber promovido las medidas de rebeldía.

Domingo, que había abandonado *El Nacional* por considerarlo demasiado apegado al oficialismo, condenó a través de otros periódicos la actitud del clero. Ello le valió nuevamente los ataques de los diarios católicos, que afirmaban que no conocía nada de educación y lo calificaron de paranoico, falaz, impío, sacrílego y corrompido.

El presidente Roca, benevolente y astuto, envió al Congreso un mensaje solicitando la reimpresión de las obras de Sarmiento, como un premio "en la vejez a un eminente ciudadano que por cincuenta años no ha dejado de trabajar por el engrandecimiento de la patria". Domingo recibió con alegría este reconocimiento, pero mantuvo su postura frente al gobierno: apoyarlo en sus actitudes progresistas como el laicismo, pero criticar su falta de moralidad administrativa o sus intentos de perpetuarse mediante la liga de gobernadores que no respetaban la pureza comicial.

Se fue a veranear a su isla del Tigre, donde sembró semillas de tarco (jacarandá), que Pepe Posse le había hecho llegar desde Tucumán. Le habían encantado las campanillas violetas que los jacarandaes brindaban como flores en noviembre y ya los había hecho plantar en Palermo.

Permaneció unos días en Zárate y regresó a Buenos Aires para pasar el final del otoño y el invierno. Los fríos y la humedad de Buenos Aires le acentuaban los resfríos severos, que lo aquejaban desde hacía años, con inflamación constante de nariz y garganta. La sordera se aumentaba y los estornudos eran tan permanentes que, ante las visitas, solía bromear:

—Disculpe. Solamente estornudaré hasta que pase el invierno...

A su médico, el doctor Carlos Lloveras, le preocupaba la hipertrofia de corazón que le habían descubierto en Tucumán hacía unos diez años y le aconsejaba que buscara mejores climas durante la temporada invernal. El Paraguay y las termas de Rosario de la Frontera, en Salta, eran los lugares sugeridos.

Domingo, por su lado, se afligía por la indiferencia que mostraban los inmigrantes sobre la vida cívica y por la vocación de Roca de perpetuar su régimen a través de sus parientes.

Publicaba artículos señalando el peligro de que la inmigración masiva pudiera afectar nuestra integridad o soberanía, instando a las autoridades a procurar la asimilación al país de las colectividades extranjeras.

Sobre la situación política, en octubre de 1885 le escribía a Pepe Posse:

Creo que vamos río abajo y empujados de nuevo hacia la barbarie. Con Juárez Celman (hermano de Roca por el coño) tendremos la república suprimida y absorbida por una familia de ladrones. Se ha lanzado la candidatura de Ataliva para Buenos Aires y los otros hermanos ya están en Corrientes (Rudecindo) y San Luis (Alejandro). Agustín está en el Banco y sus primos José C. y Ezequiel Paz en los ministerios y en Europa, agentes por millones.

Había adquirido un terreno sobre la laguna de Mar Chiquita y se extasiaba contemplando allí los patos, cisnes y flamencos rosados. Quería plantar árboles, propulsar la construcción de un balneario, sembrar el espejo de agua con peces e instalar un tambo. Pidió al gobierno que lo designaran juez de paz de Junín, para evitar la matanza de flamencos que hacían los depredadores.

Decidió fundar el diario *El Censor,* para expresar libremente sus ideas y poder influir en las próximas elecciones presidenciales. Su nieto Augusto Belín asumió la dirección.

Cerca ya del verano, le escribió nuevamente a Posse:

Reúne a los liberales de Tucumán y expóneles que se necesita un jefe nacional para que los represente en sus ideas y conserve sus principios. Siendo necesario que éste sea escuchado y tenga autoridad moral y palabra simpática en la república, nómbrenme a mí como líder para que concentre y dirija la acción común en las próximas elecciones de presidente, a fin de que se salven los principios constitucionales comprometidos por la transmisión del poder entre los miembros de la familia que ocupa todas las posiciones que deciden el porvenir del país.

Mi deber es tomar la procuración de la cosa pública y, si tiene éxito la tentativa, buscar que te vengas aquí a escribir. Dirán que soy yo. ¡Cómo nos hemos de divertir!

Viejo y desalentado, Posse no quiso viajar a Buenos Aires. Distribuía en Tucumán *El Censor,* pero le escribió a Domingo diciéndole que "pretender detenerlo a Roca en su marcha de violencia con artículos de periódico, es como querer sujetar perros atándolos con longanizas".

Un diario roquista, en la Capital Federal, comentó las actitudes de Sarmiento afirmando que había provocado carcajadas "verlo pisar la arena con el cuello agobiado, caído el labio grueso de sátiro obsceno, el oído bajo la tutela de la trompetilla".

Dinámico y fogoso a pesar de los años y los desdenes, Domingo complementaba la política con la vida hogareña e intelectual. Cuidaba a los habitantes de su pajarera, a sus perros ingleses, al gato de angora, y a la chuña que se paseaba entre los patios. Los días de calor instalaba una mesa cerca del fondo y allí escribió *Vida y escritos del doctor Francisco Javier Muñiz,* un naturalista argentino a quien admiraba y apoyaba, como lo había hecho con Florentino Ameghino y el perito Francisco Moreno. Retocó también la conferencia que había pronunciado a la muerte de Charles Darwin, cuyas ideas de evolución de las especies lo habían deslumbrado tanto como las de Herbert Spencer y las positivistas de Augusto Comte.

Había ingresado al servicio de su casa, como criado, un indiecito de 14 años traído desde el Chaco después de las campañas roquistas. Sarmiento le enseñaba a leer y a escribir y eso lo ayudaba a mantenerse vigoroso. También alentaba a su nieta Eugenia en sus trabajos de pintura y él mismo coloreaba esculturas de yeso con gran satisfacción, pues se había sentido siempre un artista frustrado. Conservaba su gran apetito y su hija, hermana y nietos intentaban controlarlo sin éxito. Después de los almuerzos y cenas, el cuyano debía recurrir a carquejas y jugos de limón para atenuar sus indigestiones.

Antes de irse a la isla, Domingo ofrece una gran fiesta en los patios de su casa para presentar los cuadros de su nieta Eugenia. Con gran despliegue de faroles y adornos de flores, la morada rebosa de gente: los varones están en el primer patio, donde pueden fumar; las mujeres conversan en el segundo y, en las galerías, se exponen las pinturas. Los concurrentes admiran las obras y Domingo, dicharachero y ampuloso, explica los temas y atiende a las damas con las que suele ser galante. Una comprovinciana le dice que regresará a San Juan y contará a sus relaciones que lo ha visto muy joven y vigoroso. Satisfecho, el cuyano le retruca:

—Si quiere llevarles una prueba más, señora, estoy a su disposición...

Los invitados beben refrescos, toman helados y escuchan ejecuciones breves de piano, oboe y flauta. Luego Domingo, que había escuchado en un teatro de Nueva York leer a Charles Dickens trozos de sus libros, lee el fragmento de un trabajo que está preparando. Aunque se siente políticamente aislado, en estas reuniones recupera su vigor y lee con voz firme, de un solo tirón. Los concurrentes lo aplauden y él se acuerda de Ida y las veces que había asistido con ella a los Pickwick Club en Pensilvania. ¿Cómo andará esta bella muchacha que tan tarde llegó a mi vida?

En febrero de 1886 algunos amigos de San Juan le ofrecen postular su nombre como candidato a diputado nacional. Aunque un tiempo antes había experimentado una gran decepción al ser derrotado como aspirante a concejal por la capital, Domingo les contesta que acepta como un sacrificio, dado sus años, y como "un deber en defensa de las instituciones conquistadas en 1852 al derrotar a Rosas".

Pero se indigna cuando le llega la noticia de que ha sido vencido por Agustín Cabeza, un ex jefe de policía, por 3.683 votos a 2.037. No entiende cómo pueden rechazarlo a él, con todos sus antecedentes y méritos. ¿Por qué eligen a cualquier mediocre y no a mí?, se pregunta. Prefiere atribuir el resultado al fraude y ataca en su diario al gobernador, por haber colaborado con el roquismo. Concluye afirmando que "Cabeza es más bien cola, y cola muy sucia".

A pesar de este contraste y de haber cumplido 75 años no renuncia a sus aspiraciones presidenciales. Pero está absolutamente solo y los nucleamientos opositores deciden postular a su amigo y administrador, don Manuel Ocampo. Domingo lo apoya y asiste a su proclamación, pronunciando un discurso donde acusa a Roca por su vocación continuista y su impureza administrativa.

Aunque habían pasado ya veinte años desde la muerte de Dominguito, el dolor por esta pérdida lo seguía acosando. Las visitas a su sepulcro en la Recoleta, aunque penosas mientras estaba allí, lo aliviaban momentáneamente, pero la figura alegre del muchacho y la pena por la tragedia de su tronchamiento volvían a hostigar su espíritu con recurrencia.

Decidió escribir la vida de su hijo, que había empezado a redactar en los Estados Unidos pero debió abandonar porque la cercanía de la tragedia le hacía insoportable el cometido. Buscó los apuntes que ya había hecho, pero no los encontró. Venció las profundas resistencias que lo habían alejado de su esposa hacía un cuarto de siglo y le escribió pidiéndole que le enviara datos sobre los últimos años del hijo común, desde que regresara de San Juan, durante los cuales su padre no lo había visto.

A las pocas semanas, Benita le envió un cuaderno de uso escolar, una libreta de bolsillo con anotaciones íntimas y otros objetos de Dominguito, con la siguiente carta:

Envío todo lo que tengo, que creo de que puedas sacar partido. No registro sus cartas que son muchísimas, porque a más del suplicio atroz que experimento, no contienen sino cariños, esperanzas halagüeñas para entretenerme, apreciaciones íntimas de los sucesos de la guerra, pero se hallará en la correspondencia de los diarios que te mandaré. El cuadro en latín que escribió el doctor León F. Aneiros —hoy el ilustrísimo arzobispo de Buenos Aires—, lo pusieron en el catafalco el día del funeral. El doctor Aneiros presidió el duelo, viniendo de la Universidad a la cabeza de muchos jóvenes que eran sus alumnos y como catedrático que era de Dominguito. Todo su equipaje se lo desparpajaron en el campamento y con él sus libros de apuntes de toda la campaña, que él pensaba escribir cuando volviese. Tenía cuando se fue, varios trabajos que preparaba, reuniendo datos. Lo que hacía instruirse más a Dominguito era su modo de estudiar, que no se limitaba a los cursos que estudiaba en el texto, sino que consultaba otros autores que tratasen esa materia. Tenía una palabra fácil, atractiva, que lo habría hecho un hombre muy notable. Un corazón noble y generoso; no podía ver la desgracia sin tratar de ver si podía aliviarla, aun quitándose algunos de sus vestidos para darlos a otros, que, decía, eran más pobres que él. Su ambición era el saber y la gloria de parecer bien, pues era pulcro en su lenguaje siempre. No habiéndolo visto hombre, he creído que debía hablarte así para que puedas juzgar lo que era Dominguito. Sólo yo, que era su madre, su amiga, estaba en lo más íntimo de su alma, pues todas sus impresiones las depositaba en mí, aunque sabía que lo que no fuese justo había de reprochárselo.

Benita Martínez de Sarmiento

Durante varias semanas, Domingo escribió cuartillas y cuartillas evocando los recuerdos infantiles de su hijo y de él mismo en Yungay, sus estudios y travesuras. Sus lágrimas caían sobre el papel al recordar su alegría, sus sonrisas, sus aventuras y picardías, como su ingenua imaginación. Le parecía todavía escuchar su vocecita inolvidable ("allá los veo, papá", a los supuestos bandidos de la cordillera) y a veces tenía que detenerse en la escritura, curvado de pena, experimentando el contradictorio sentimiento de la más entrañable y atroz melancolía. Puso todo su talento y sensibilidad en la obra, pero no quiso leerla una vez terminada, porque le faltaban las fuerzas para enfrentarse con el fantasma de su hijo. Sintió que había pagado una antigua deuda y se sintió reconfortado. Visitó con los originales en la mano la tumba de la Recoleta y, entre callados sollozos, murmuró: "Hijo querido de mi alma, nunca podré olvidarme de tu sonrisa y tu pasión".

Aurelia había partido a Europa por un viaje de muchos meses y Sarmiento extrañaba las cenas con ella. Recibía cartas con sus crónicas de travesía y publicó algunas de esas misivas en *El Censor,* como una forma de compartirlas con sus lectores.

Se sentía bastante solo y, una tarde, se encontró en una reunión con Clara Cortínez, la hermana de su amigo Indalecio, de quien había estado muy enamorado en su juventud. Rememoraron los viejos tiempos sanjuaninos y el cuyano recordó aquella tarde en la quebrada del Zonda, cuando se contaba el cuento de *La pluma dorada* y él había intentado declararle su amor. Clarita lo había interrumpido diciéndole que pensaba casarse con su primo y Domingo experimentó entonces una terrible humillación.

Aunque ya era una mujer muy grande, Sarmiento la vio atractiva y sensible y le confesó que, desde aquellas épocas, siempre estuvo dispuesto a contarle su propio cuento de *La pluma dorada.*

—Aunque en mi larga vida lo he narrado más de una vez —se sinceró insinuante—, nunca lo hice con los primores con que te lo habría contado a ti.

Al llegar el invierno parte hacia las termas de Rosario de la Frontera. Desde Córdoba y Tucumán envía artículos periodísticos sobre esas provincias. En Tucumán lo agasajan los jóvenes intelectuales, que han creado una sociedad cultural bautizada con su apellido. Pepe Posse afirma que la "imposición del nombre del más notorio literato nacional es una protesta por su ostracismo político". Lo deslumbra el progreso de los ingenios azucareros, que desde la llegada del ferrocarril se han ampliado y tecnificado. "La actividad de las 100 fábricas —escribe—, el movimiento de diez mil carros cañeros y aquellos millones de naranjas que están en todas partes, hacen de Tucumán en estos meses de zafra, el verdadero Edén de la Tierra".

En el hotel de Rosario de la Frontera pasa las fiestas julias. Domingo ha llevado algunos ejemplares de sus libros y propone a los restantes pasajeros fundar una biblioteca pública. Se labra un acta, se realizan donaciones y luego se brinda y baila.

De regreso a Buenos Aires vuelve a quedarse unos días en Tucumán. Se aloja en casa de su amigo Tiburcio Padilla y disfruta cotidianamente de exquisitas mazamorras. Visita la quebrada de Lules y el ingenio San Pablo. A pesar de sus problemas de corazón, sube a la montaña del Aconquija y se deslumbra con las vistas de los cañaverales desde lo alto, que le semejan un océano verde y majestuoso.

También le impacta la situación de los zafreros golondrina, que vienen desde Santiago del Estero o desde los cerros para las cosechas. "En los ingenios de azúcar hay tolderías improvisadas —se queja—, para que duerman gentes allegadizas, atraídas por el trabajo, sin formar sociedad, ni villa, ni requerir ni crear propiedad". Afirma que no hay espectáculo más afligente y pide a los empresarios azucareros que creen escuelas en sus fábricas.

Asiste a una función de *El alcalde de Zalamea* en el Teatro Belgrano. Cuando se entera de que Sarah Bernhardt actuaría en Buenos Aires, apresura su regreso para poder llegar a tiempo para verla.

Se marchó sin despedirse de Pepe Posse, porque cada vez lloraba más en los momentos del adiós y no sabía si iba a volver a ver a su amigo de tantas décadas. Pese a lo bien que se había sentido en el norte, al llegar a su casa volvió a resfriarse: la tos lo acometía, las narices le chorreaban, la garganta se irritaba y los oídos estaban cada vez más duros.

Los comicios habían consagrado a Miguel Juárez Celman y a Carlos Pellegrini, quienes asumieron la presidencia y vice el 12 de octubre de 1886. Decepcionado por el resultado comicial, Domingo pensó que la bonanza económica general hacía que la gente aceptara cualquier cosa. Su desazón con la política y su permanente malestar físico lo hacían abandonarse: recibía visitas con la ropa descuidada y la barba de varios días. Escribía menos y espaciaba sus salidas al mercado, a comprar frutas, pescados o pepinos. Es difícil vivir en este mundo estrecho, en este país secundario, en este cuerpo caduco, se dijo a sí mismo una tarde de desaliento.

Redactó un nuevo testamento, ratificando a su hija Faustina como su única heredera y encargando que a cada una de sus hermanas que le sobreviviese se le pasaran treinta pesos mensuales. En relación con su ex esposa, establecía que no tenía derecho a heredar por haber estado separados y detallaba las sumas que había pasado para su subsistencia desde la separación. Aclaraba también, "para satisfacción de doña Benita Martínez, que a pesar de no tener ella derecho alguno a mis bienes, le dejaría parte de ellos si se encontrase en situación de no poder vivir con sus bienes propios, que yo reputo mayores que los míos, mientras mi hija no tiene los suficientes".

Después se fue a veranear a la isla de Carapachay, mientras una epidemia de cólera castigaba a la ciudad. A pesar de sus años, todavía salía a remar. Muchas veces se introducía en la espesura de las malezas y le gustaba abrirse paso con el machete entre el enmarañado laberinto de enredaderas, cuyas espinas le rasgaban las manos. Volvía a su casa transpirado y con arañazos, por lo que recibía las recriminaciones de su hija Faustina, pero con esta fiesta de verdor recuperó algo de salud y mucho de optimismo. Se resistía a toda declinación y advertía que el calor y la vegetación, más la actividad incesante, lo mantenían vigoroso. Se propuso seguir escribiendo y moviéndose constantemente, pese a las rinitis y su tendencia a resfriarse y estornudar.

De regreso en Buenos Aires, siguió redactando borradores sobre el espíritu clerical y retrógrado de la administración colonial española y acerca de la participación de los indígenas en las montoneras, para publicar un segundo tomo de *Conflictos y armonías de las razas en América.*

Pensaba cada vez más en la muerte y, al visitar la Recoleta, contemplaba el sepulcro de Dominguito con su símbolo del pilar tronchado y se daba cuenta de que no era precisamente ésa la alegoría que representaba su propia personalidad.

Un amigo acaudalado, José M. Muñiz, le ofreció regalarle un lote en ese mismo cementerio para que preparara su tumba y Domingo recibió el presente con sincera sorpresa y —¡oh contradicciones de la vanidad!— gran alegría. Sin demora le expresó su agradecimiento:

Querido amigo:

¿Cómo ha sido inducido a ocuparse de mi última morada en el cementerio cuando yo estaba preocupado de lo mismo, sin saber qué podría hacer para salir de la dificultad?

Al referirse al sepulcro de su hijo, expresó:

Vaya usted a encerrar bajo esa columna rota los restos de un viejo que dio todo lo que tenía que dar, bueno o malo; que llenó todos los destinos humanos y vivió hasta alcanzar las consecuencias remotas de sus primeros actos. Sería una cruel ironía y una burla que él mismo se habría preparado honrando la memoria de su hijo, y como eso podía de provisorio pasar a estable, así encontrarían parodiada mi memoria los que preguntaran dentro de veinte años, por la tumba de quien tanto ocupó la atención pública en vida... Usted ha tenido, pues, una inspiración feliz, acaso comprendiendo estas incongruencias, al ocuparse del asunto y ofrecerme sus buenos oficios para buscarme un local que no sea provisorio, porque lo provisorio, provisorio se quedará, y ahorrarme el desagrado que me trae constantemente esa preocupación. ¿Dónde me meterán?, y ¿cómo dejar dicho por testamento que no gustaría de verme revestido de los trajes mortuorios de los jovenzuelos: una obra interrumpida o una flor quebrada en tallo? Ya comprende usted que acepto con gusto sus ofrecimientos, tanto más valiosos porque son espontáneos, y yo no podré verlo por mi acción propia. Con recuerdos para su compañera y esperando verlo todavía antes de mi partida, tengo el gusto de suscribirme,

Domingo F. Sarmiento

Los primeros resfríos le trajeron no solamente la habitual irritación nasal y de garganta, con abundante secreción nasal y pectoral, sino también dificultades serias en la respiración. Su médico, pensando en el agrandado corazón, insistió en que buscara mejor clima y Domingo partió hacia el Paraguay a bordo del buque *San Martín.*

El barco remontaba lentamente el Paraná y las ciudades por las que pasaban (Tigre, Zárate, Rosario, Paraná, Diamante) le recordaban distintos episodios de su vida. También pensaba que en la guerra con el Paraguay, en estas tierras coloradas y cargadas de vegetación que ya empezaba a ver, había dejado la vida su desdichado hijo.

Al llegar al puerto de Asunción, una multitud lo esperaba y una banda militar tocó los himnos paraguayo y argentino. El presidente de una comisión popular de recepción le rindió homenaje y Domingo, emocionado, respondió brevemente. Dijo que paraguayos y argentinos eran hermanos de sangre y declaró su agradecimiento por la simpática recepción y porque su nombre hubiera llegado hasta el Paraguay "convertido en un mito de los que el pueblo inventa".

Dejó el lugar conteniendo los sollozos y partió hacia su alojamiento en la casa del médico italiano Morra, propietario de la empresa de tranvías a caballo. Le gustó la ciudad de casas bajas, con calles empinadas sobre la barranca, desbordando naranjales y árboles plenos de follaje a pesar de la estación. Las mujeres y los hombres eran laboriosos y hablaban un encantador lenguaje guaraní. Una delegación de escolares vino a saludarlo. Al agradecer el homenaje, muy sensibilizado, Domingo expresó que dentro de cien años, "cuando se descubra una tumba y se encuentre un cadáver envuelto con las banderas paraguaya, argentina, chilena, uruguaya y norteamericana, esa tumba será la mía, pues en las horas extremas de mi vida pronunciaré con cariño el nombre paraguayo, recordando esta manifestación".

Mejorado de los bronquios y de la garganta, visitó varias escuelas y recibió a personalidades del lugar, con quienes conversaba sobre las producciones agrícolas y forestales y la posibilidad de industrias derivadas. Le escribió a su nieto Julio Belín que le enviara estacas de mimbre, que regaló a sus flamantes amigos para que las plantaran.

Visitó el edificio del Senado y los legisladores lo recibieron con solemnidad. El presidente del cuerpo lo hizo sentar a su lado y el anciano, con lágrimas en los ojos, anunció que dedicaría el resto de sus días a hacerse digno de la amistad que el pueblo paraguayo le estaba entregando.

A pedido de Domingo, Aurelia Vélez Sarsfield llegó a visitarlo acompañada de su hermano. La presencia de su amada terminó de alegrar los días asunceños del rejuvenecido cuyano, que disfrutaba intensamente de los días cálidos, la generosa naturaleza y la extremada hospitalidad de la gente paraguaya.

El clima lo había renovado y partió en ferrocarril a visitar Paraguarí. Después viajó hacia el norte, en barco, hacia Villa Concepción, en compañía del ministro del Interior, donde se le brindó una manifestación popular con orquesta de guitarras y violines, cohetes y bombas de estruendo.

Escribió artículos para dos diarios de Asunción, *El Independiente* y *El Paraguay Industrial,* y también para periódicos de Buenos Aires, en los que hablaba de las producciones de yerba mate, naranjas, legumbres, café y maderas, y otros temas relacionados con el resurgimiento económico del país.

Le escribió a su nieto contándole que los paraguayos lo querían y respetaban por su obra en favor de la libre navegación de los ríos y envió también, a su amigo Adolfo Saldías, el epitafio que le gustaría tener sobre su lápida:

Una América toda
asilo
de los dioses todos
con idioma, tierra y ríos
libres para todos.

Lamento que no viva el viejo Vélez Sarsfield —le agregaba— porque me hubiera gustado que tradujera estas palabras al latín, para que se inscribieran en el mármol en la lengua de los romanos.

Bajo el título de "20 de setiembre - Una nefasta conmemoración", publicó un artículo sobre el extinto dictador paraguayo Gaspar Rodríguez de Francia, en el que reiteraba sus viejas condenas a los caudillos sudamericanos, maldiciendo la herencia de barbarie y despotismo que habían dejado en las sociedades que gobernaron.

Un ministro del gobierno paraguayo, sobrino del tirano, se sintió herido y envió sus padrinos a Sarmiento, retándolo a duelo. El viejo luchador, que se había pasado la vida polemizando y combatiendo a través del periodismo pero no creía en los lances caballerescos, se sintió revitalizado por el incidente y le mandó una carta al ofendido:

La sangre no transmite a los hijos el deshonor o el crimen de los padres. Pero esto conlleva la obligación de los herederos de respetar las opiniones ajenas sobre aquellas personas. Si los historiadores estuvieran expuestos a que el hijo de cada ladrón, de cada salteador y de cada asesino les salga al encuentro y los tome del pescuezo, esto significaría que los criminales contarían con la impunidad de sus delitos ante la historia. Queda pues, establecido, por las razones antedichas, que no pude aludir a usted.

El altercado provocó una crisis gubernamental. El presidente de la República censuró la actitud del ministro y éste terminó presentando su renuncia.

Los amigos que había hecho en Asunción, a los que había conquistado con su prestigio legendario y su fogoso temperamento, le regalaron un terreno en las afueras de la ciudad, para que construyera una vivienda y pasara allí los inviernos porteños que tanto lo dañaban.

Al llegar la primavera retornó a Buenos Aires pero llegó en un día espantoso de lluvia y tormenta, que le irritó la garganta y lo desmoralizó. Se sintió postrado y sólo al cabo de varios días salió a la calle a caminar y volvió a la actividad. *La Prensa* había publicado una nota sobre los inmigrantes con algunas afirmaciones antisemitas y Domingo resolvió retornar sobre el tema. Publicó una serie de artículos insistiendo en la necesidad de procurar la asimilación al país de las colectividades extranjeras, pero respetando el derecho y la dignidad de todos los individuos.

Viajó a su isla para ver sus plantas y flores. Se sentía tan alejado del gobierno de Juárez Celman como del de Roca y rehusó un ofrecimiento de encargarse de la difusión de la cría de salmones en los ríos de la República. "Consagré mi vida a la difusión de la educación y no del pescado —le contestó ácidamente al intermediario—. Y por haberme metido a criar peces carpas en Palermo, me expulsaron ignominiosamente del lugar que la América me acordó", concluyó refiriéndose a su alejamiento del Consejo de Educación.

El día en que cumplía 77 años, el 15 de febrero de 1888, vinieron a felicitarlo muchos jóvenes que repudiaban el fraude electoral y la corrupción administrativa. Recibo esta manifestación —les dijo emocionado— como el primer eco de la posteridad que me alcanza antes de bajar a la tumba.

Ya en el otoño, la fatiga lo acosaba y le costaba respirar. La laringe estaba afectada y los permanentes ataques de tos lo mantenían ronco y congestionado. Había aprobado los planos para que comenzaran a montar una casa metálica en su terreno de Asunción y decidió partir para allá sin más demora.

A fines de mayo, con su hija Faustina y sus nietos María Luisa y Julio, se embarcó en el buque *Cosmos*. Junto a la planchada se despidió de su nieto Augusto, diciéndole:

—No paso de este año, hijo. Me voy a morir...

Pero miró luego melancólicamente hacia la ciudad y se esperanzó:

—Pero si me hicieran presidente, les metería diez años más...

Pasó los primeros días de navegación en su camarote, malhumorado y disfónico. Pero a medida que aumentaba la temperatura y las jornadas se aclaraban se fue restableciendo. Al pasar por La Paz, en Entre Ríos, salió a cubierta a conversar con los suyos. En Bella Vista, puerto correntino, autoridades y escolares suben a saludarlo. Los recibe sentado y uno de los oradores menciona pasajes de *Recuerdos de provincia* y evoca la muerte de su hijo en Curapaytí. Domingo pide a Faustina que le acerque un ejemplar de *Vida de Dominguito* y se lo dedica al disertante. Luego se abrazan, mientras el anciano llora a raudales.

En Corrientes y en Formosa le hicieron también demostraciones y homenajes, y llegó a Asunción menos disfónico y sin tos, mejorado por el aire tibio y los aromas tropicales de la naturaleza lozana y majestuosa.

El ministro argentino en Paraguay, Martín García Merou, lo invitó a hospedarse en su residencia, pero Domingo prefirió alojarse en el hotel llamado La Cancha Soledad, en el suburbio de La Recoleta. Se instaló en un anexo del establecimiento, una casa de madera con cuatro habitaciones de piso de ladrillos, rodeada de un jardín con palmas.

El lugar tenía vista hacia el río Paraguay y allí había vivido Madame Elisa Lynch, la compañera del dictador Francisco Solano López. Domingo se acordó de los muebles que el mariscal había comprado a su amante y habían sido interceptados durante la guerra por el gobierno argentino. Evocó también la carta de Ida en que fantaseaba con un encuentro amoroso sobre esos mismos sillones.

Realizó varios paseos con García Merou y una mañana, con otros amigos, viajó en bote por el Río Paraguay hasta la boca del Pilcomayo, disfrutando de la navegación y de la flora tumultuosa. Para ahuyentar a los yacarés, los paseantes hacían tiros de escopeta hacia las orillas, quebrantando la tranquilidad del curso de agua.

Siguió trabajando los materiales del nuevo tomo de.*Conflictos y armonías* y tradujo un artículo de la revista *Political Science Quarterly,* en diez carillas. Los días de lluvia los aprovechaba para escribir cartas a sus parientes. Al hijo de su viejo amigo José Ignacio Flores le dirigió una larga y afectuosa misiva, indicándole que la mejor manera de celebrar en San Juan las fiestas julias y la memoria de Francisco Narciso Laprida, sería hacer un homenaje a la Escuela de la Patria y a su fundador Ignacio Rodríguez. Le decía que Flores y él eran los únicos ex alumnos que restaban vivos y que los dos, sin esa escuela, habrían sido unos pobres diablos. Recomendaba iluminar para esas fechas los edificios públicos y las viviendas particulares, sugiriendo que en la casa del ex gobernador Nazario Benavídez, con quien tanto se había querellado, su esposa pusiese "el retrato más grande que tenga del general, a quien San Juan, por su moderación, debe que no se derramara sangre en su gobierno".

La Recoleta estaba comunicada con el centro de Asunción por el teléfono y una línea de tranvías a caballo, que constantemente le traían visitantes a Domingo. El cuyano los recibía con gusto, pues le costaba leer y empezó a usar anteojos. Ninguno de sus contertulios, sin embargo, podía reemplazar la compañía de

Aurelia. Sarmiento la extrañaba y entonces le escribió, invitándola a venir:

Mi querida amiga:

Díjome usted que vendría de buena gana al Paraguay; creílo con placer aunque no fuese más que las promesas de las madres, o de los que cuidan enfermos. ¿Por qué no estimar aquellas piadosas y socorridas mentiras que hacen surgir un mundo de ilusiones y alientan al que harto sabe que nada hay de real en los sonidos, si no es la armonía, unas veces, o bien lo suave de la lisonja, que consiste en hacer creer que somos dignos de tanta molestia?

Bien me dijo de venir. Venga, pues, al Paraguay. ¿Qué falta le hacen treinta días para consagrarle seis a un dolor reumático, cinco a la jaqueca, algunos a algún negocio útil y muchos momentos a contemplar que la vida puede ser mejor? Venga, juntemos nuestros desencantos para ver sonriendo pasar la vida, con su látigo cuando castiga, con sus laureles cuando premia. ¿Qué? Es de reírsele en las barbas.

Venga, pues, a la fiesta. Grande espectáculo: ríos espléndidos y lagos de plata bruñida, bosques como el de Fontainbleau que Ud. conoce; iluminación a giorno, el Chaco incendiado, títeres como en todas partes, y música, bullicio, animación. Venga, que no sabe la belle dormant lo que se pierde de su

Príncipe Charmant

La comida del hotel no era mala, pero Domingo disfrutaba más con los suculentos caldos y sabrosos platos que le mandaba el embajador argentino. Otros amigos le enviaban manzanas y él retribuía la gentileza de sus visitantes convidándoles sidra sanjuanina.

Había dejado de fumar para aliviar a su garganta, pero lo mismo le costaba respirar. Por eso prefería el aire libre y ocuparse de la construcción de su casa y del armado de su jardín. Criado en la dura aridez sanjuanina, se maravillaba con el milagro de las flores invernales, la luminosidad de las naranjas y limas y el enhiesto vigor de las palmeras sosteniendo la ribera.

Su terreno estaba a pocos metros de la residencia y marchaba allá por las mañanas, cubierta la cabeza con su sombrero de plantador. Había encargado a Bélgica una casa prefabricada de metal, como las que había visto en los Estados Unidos, con paredes dobles para lograr buenas temperaturas en el interior. Dirigía a los peones indicándoles el lugar exacto donde debían plantar los árboles y él personalmente organizaba los almácigos.

Estaba ansioso esperando la venida de Aurelia y también por la construcción del pozo que había encargado, para dotar de agua a su propiedad. La perforación avanzaba con buen ritmo y tuvo la intuición esa mañana soleada de septiembre, de que ese día penetrarían en la napa. La emoción lo embargó cuando, al llegar a las treinta varas, el líquido empezó a surgir y diseminarse alegremente por los verdes entresijos de la gramilla. Exultante de gozo, el férreo anciano enarboló una bandera argentina y otra paraguaya, lanzó gritos de victoria y festejó alborozado con sus obreros. Se había abrazado con uno de ellos cuando una fuerte agitación lo dominó y fue acometido por un intenso acceso de tos. Miró hacia el cielo para asegurarse de que había buen tiempo, porque no entendía cómo podía pasarle eso sin lluvia ni humedad. Sintió que el mundo empezaba a girar y, no sabiendo bien qué pasaba ni dónde estaba, se dejó caer sobre una silla desarmable que le acercaron manos presurosas.

No aceptó que lo ayudaran a incorporarse ni que lo acompañaran de regreso a su casa. Orgulloso y erguido, caminó solo hasta la residencia.

Su hija y sus nietos lo acostaron afligidos y llamaron al doctor Andreussi, uno de los más conocidos médicos de la ciudad, quien les anunció que el corazón estaba muy desgastado y que debían prepararse para el desenlace.

La naturaleza, a la que Domingo tanto admiraba, quiso conformarlo: un terrible aguacero tropical cayó al día siguiente armonizando su estado con el clima. La temperatura descendió y retornaron la inflamación de garganta y las dificultades respiratorias.

El sanjuanino había llevado hasta Asunción un sillón de resortes que le habían regalado y lo había puesto en su dormitorio. Pedía que lo sentaran allí a ratos y alguno de sus acompañantes más íntimos le daba aire con una pantalla, para ayudarlo a respirar.

Al cabo de un par de días, aunque seguía agitado, pidió que lo afeitaran. Quería completar *Conflicto y armonías,* explicando bien la influencia del protestantismo sobre la democracia sajona.

La noche del día 10 estaba húmeda pero tranquila y Sarmiento creía oír el canto lejano de algún pájaro demorado, el lamento de la brisa entre las palmas o el rumor del agua deslizándose hacia el Plata. Le faltaba el aire y, en la madrugada, pidió que lo ayudaran a darse vuelta contra la pared, porque quería mirar por la ventana la llegada del amanecer. Los días le eran pocos para seguir bregando contra los caudillos bárbaros y quería finalizar ese segundo tomo. Le pareció percibir un resplandor, pero no le alcanzó para escribir. Acaso porque su obra ya estaba terminada.

EPÍLOGO

Después de haber estado preso y desterrado varios años, Ricardo López Jordán regresó a Buenos Aires el 21 de septiembre de 1888. Al llegar a la estación ferroviaria, debió permanecer allí dos horas esperando que pasara el prolongado cortejo fúnebre con los restos de Sarmiento, que habían arribado desde el Paraguay y eran conducidos hasta el cementerio de La Recoleta.

Mientras veía desfilar al féretro seguido por largas filas de personas, el caudillo entrerriano murmuró:

—"Hijuna' i gran puta": ahora por fin te dejarás de joder.

Benita Martínez Pastoriza se presentó en el juicio sucesorio de Sarmiento, y logró que se le reconocieran sus derechos hereditarios como esposa. El Congreso Nacional, a su vez, le otorgó una pensión consistente en la mitad del sueldo de general que le correspondía a su marido.

La Justicia de Los Andes, Chile, no hizo lugar a la demanda por filiación interpuesta por Faustina contra la sucesión de Jesús del Canto, "de la noble familia de los Canto de Aconcagua", que solicitaba se la reconociera como hija.

Faustina y sus hijos sólo pudieron utilizar el apellido y disfrutar de los bienes del humilde pero alborotador cuyano Domingo Faustino Sarmiento.

Aurelia Vélez Sarsfield murió en Buenos Aires, en 1924, a los 88 años de edad. El diario *La Nación* dijo que había visto, sentido y vivido en su casa todo lo que pertenece a la historia, y luego la tradición ha embellecido o la leyenda ha deformado. Y que compartió en la tertulia paterna las discusiones políticas en las que nunca faltó Domingo Faustino Sarmiento.

Por aquellos años se desarrollaba ya en la Argentina un penetrante e intenso movimiento cultural denominado "revisionismo histórico", que reivindicó y exaltó al dictador Juan Manuel de Rosas y consideró a Domingo Faustino Sarmiento la quintaesencia de los defectos nacionales, por haber intentado introducir en el país ideas extranjerizantes y ajenas a nuestras tradiciones coloniales, católicas e hispánicas.

Maceió, Tafí del Valle, Buenos Aires, 1995-1997

RECONOCIMIENTOS Y FUENTES

Para la realización de esta novela histórica he tomado como fuentes los vastos trabajos del propio biografiado en que se refiere a sí mismo, en particular *Recuerdos de provincia, Vida de Dominguito, Viajes, Campaña del Ejército Grande, Vida del Chacho* e innumerables artículos periodísticos de toda su vida, diseminados en los 52 tomos de sus *Obras completas.* También he utilizado como guía tres importantes biografías: *El profeta de la pampa,* de Ricardo Rojas; *Sarmiento y su época,* de José Campobassi; y *Vida de Sarmiento,* de Manuel Gálvez.

Para la elaboración del perfil psicológico de Domingo Faustino, he utilizado preferentemente sus copiosas cartas, en la convicción de que suelen ser usualmente más representativas y genuinas que los documentos destinados a hacerse públicos. Escapa a esta generalidad el caso de *Recuerdos de provincia,* notable libro que refleja el particular estado de ánimo de Sarmiento en un momento de su vida con elocuente precisión.

José Posse fue uno de los pocos hombres con quienes Sarmiento no tuvo frecuentes peleas, seguramente porque su amistad se elaboró en el exilio y luego continuó en forma epistolar. La distancia geográfica que los separó desde 1845 hasta 1888 fue la que hace tan valioso y sincero su intercambio epistolar.

En el Museo Sarmiento se me facilitaron documentación, bibliografía y correspondencia, a través de la gentileza de su directora, Marta Gaudencio de Germani, de Beatriz de Orlando, Diana Klug, Adriana de Muro y de todo su personal.

En el archivo del Museo Mitre encontré las lacerantes cartas de Sarmiento, su esposa Benita y su hijo Dominguito sobre el tema de la separación conyugal. Agradezco al respecto la buena disposición de Rodolfo Giunta, Cristina González Bordón y Ximena Iglesias.

Deseo destacar la valiosa colaboración del profesor Enrique Mario Mayochi y Diana Klug, que generosamente me orientaron en este plano de la investigación. En el caso de estas misivas he abusado de su transcripción casi textual, debido a que son inéditas e ilustran sobre sucesos que han estado ocultos o tratados parcialmente hasta ahora. Claudia Silva Fernández me ayudó a desentrañar el contenido de algunas de ellas.

En el Museo Casa Natal de Sarmiento, de San Juan, fui atendido por su vicedirectora, Mafalda Guerrero, quien me facilitó valiosa documentación. Entre ella, copia de la carta de Sarmiento a su hermana Bienvenida del 18 de marzo de 1848, en la cual he optado por respetar la novedosa ortografía del autor. En los otros casos, he modernizado y retocado levemente tanto la ortografía como el estilo de redacción del sanjuanino, quien escribía profusamente sus cartas sin releer ni corregir y, frecuentemente, cometía algunos lapsus.

En la ciudad de Santa Rosa de los Andes, en Chile, conté con la inestimable y noble colaboración de René León Gallardo, quien me facilitó una carta dirigida por Faustina Sarmiento al marido de su madre, Roberto Segovia, luego de la muerte de Jesús del Canto. También me proporcionó el expediente judicial "Sarmiento Faustina contra la sucesión de Jesús del Canto sobre filiación". Con los testimonios allí vertidos pude reconstruir los términos de la relación entre Sarmiento y Jesús, ya que varios biógrafos habían informado erróneamente que ella había muerto poco después de haber dado a luz a Faustina. Las partidas de defunción de Jesús del Canto y su esposo (fallecidos respectivamente el 21 de marzo de 1883 y el 20 de agosto de 1884) y recortes periodísticos sobre la última visita de Domingo a Los Andes, en 1884, me fueron aportados por René León Gallardo, por lo que dejo constancia de su actitud y de mi reconocimiento.

Las cartas de Ida Wickersham a Domingo, existentes en el Museo Sarmiento, fueron traducidas, recopiladas y volcadas por Enrique Anderson Imbert en su libro *Una aventura amorosa de Sarmiento,* fruto de una valiosa investigación en los Estados Unidos.

Graciela Inés Gass, psicóloga y conocedora del alma humana, a veces más de lo prudente, me ayudó a entender el carácter de mi biografiado.

Daniel Allande, Elena Perilli, Alberto Perrone, Elena Aráoz, Margarita Aguirre, Gabriel Jelen, Ramón Villagra Delgado, Poncho Triunfini, María Rodrigué, Carlos Páez de la Torre (h), Carlos Segreti, Domingo Minnití, Juana Elisabeth Álvarez, Alejandro Padilla, Mane Pérez del Cerro, Elena Vila Echagüe y el colegio Santa Magdalena Sofía Barat, me facilitaron bibliografía, documentación o información.

Claudia Silva Fernández pasó en limpio mis originales y Bartolomé Tiscornia, Raúl Martínez Aráoz, Carolina Barros y Martín Almeida los leyeron y me aportaron sugerencias o correcciones.

BIBLIOGRAFÍA

Sarmiento, Domingo Faustino, *Obras completas* (52 tomos).

Sarmiento, Domingo Faustino, *Epistolario íntimo,* Ediciones Culturales Argentinas, Buenos Aires, 1963.

Sarmiento, Domingo Faustino, *Viajes y diario de gastos,* edición crítica coordinada por Javier Fernández, Fondo de Cultura Económica, Buenos Aires, 1993.

Sarmiento, Bienvenida, *Rasgos de la vida de Domingo Sarmiento,* Museo Histórico Sarmiento, Buenos Aires, 1946.

Rojas, Ricardo, *El profeta de la pampa,* Editorial Losada, Buenos Aires, 1945.

Campobassi, José, *Sarmiento y su época,* Editorial Losada, Buenos Aires, 1975 (2 tomos).

Gálvez, Manuel, *Vida de Sarmiento,* Editorial Tor, Buenos Aires.

Lugones, Leopoldo, *Historia de Sarmiento,* Academia de Letras, Buenos Aires, 1988.

Anderson Imbert, Enrique, *Una aventura amorosa de Sarmiento,* Editorial Losada, Buenos Aires, 1969.

Rojas, Nerio, *Psicología de Sarmiento,* La Facultad, Buenos Aires, 1916.

Belín Sarmiento, Augusto, *Sarmiento anecdótico,* Imprenta Belín, Saint Cloud, 1929.

Fariña Núñez, Porfirio, *Los amores de Sarmiento,* Ediciones Cóndor, 1934.

Otolenghi, Julia, *Sarmiento a través de un epistolario,* Buenos Aires, 1939.

Bunge, Carlos Octavio, *Sarmiento,* Madrid, 1926.

Groussac, Paul, *El viaje intelectual,* Ediciones de la Biblioteca, Buenos Aires.

Yungano, Arturo, "Testamentos históricos", en *Revista del Notariado,* Nº 733, Buenos Aires.

Epistolario Sarmiento-Posse, Museo Histórico Sarmiento, Buenos Aires, 1946-1947 (2 tomos).

Cartas confidenciales de Sarmiento a Manuel R. García, Coni Hermanos, Buenos Aires, 1917.

Correspondencia entre Sarmiento y Lastarria, Buenos Aires, 1954.

La correspondencia de Sarmiento, compilación del profesor Carlos Segreti, Poder Ejecutivo de Córdoba, 1991.

Correspondencia entre Sarmiento y Mitre, Museo Histórico Mitre, Buenos Aires.

ÍNDICE

Esta edición de 3.000 ejemplares
se terminó de imprimir en
La Prensa Médica Argentina,
Junín 845, Buenos Aires,
en el mes de diciembre de 1997.